BALZAC

Le Père Goriot

EDITED BY

Peter W. Lock, M.A. (Oxon.)

Associate Professor of French
University of Minnesota

MACMILLAN
London · Melbourne · Toronto
ST MARTIN'S PRESS
New York
1 9 6 8

© *Selection and editorial matter*
P. W. Lock 1968

Published by
MACMILLAN & CO LTD
Little Essex Street London W C 2
and also at Bombay Calcutta and Madras
Macmillan South Africa (Publishers) Pty Ltd Johannesburg
The Macmillan Company of Australia Pty Ltd Melbourne
The Macmillan Company of Canada Ltd Toronto
St Martin's Press Inc New York

Library of Congress catalog card no. 68–15306

Printed in Great Britain by
ROBERT MACLEHOSE AND CO LTD
The University Press, Glasgow

CONTENTS

NOTE

REFERENCES to other works by Balzac are to the Pléiade edition of the *Comédie humaine* (11 vols, Paris, 1935–59). For articles by Balzac which are not included in the Pléiade edition, the reference (preceded by CHH) is to the edition of the Club de l'honnête homme (28 vols, Paris, 1955–63).

In preparing the present edition of *Le Père Goriot* I have consulted with profit the studies listed in the Bibliography and also three other editions of the novel by P.-G. Castex (Garnier, 1960), Horatio Smith (Scribner's, 1928) and R. L. Sanderson (D. C. Heath, 1907).

P. W. L.

INTRODUCTION

1. CREATION

WITH the publication in 1842 of the 'Avant-Propos' to the *Comédie humaine*, Balzac submitted to the public the official introduction to his monumental work. This ambitious document, written for purposes of clarification and propaganda, contained a recapitulation of the past and a prediction for the future. Balzac's new publisher, Furne, had agreed to put out a revised edition of about seventy works already published with different editors, together with some twenty new novels; all these works were to be arranged in a precise order, the principles of which were set forth in the 'Avant-Propos'. Balzac's aim was to produce almost one hundred and fifty novels and short stories (he actually completed about ninety), and the broad outline of the *Comédie humaine* had long been in his mind. Three main divisions represented three major preoccupations: the *Études analytiques* (of which only a few were ever written) were to examine the principles which formed the bases of Balzac's interpretative system; the *Études philosophiques* represented a study of the origins and motivations of events and actions; and the *Études de mœurs* completed the picture by following the patterns of cause and effect in society, with particular emphasis on the impact of individual ideas, instincts and passions upon social, political and moral structures. This third category, by far the largest, was subdivided into a series of six areas of investigation: *Scènes de la vie privée*, *Scènes de la vie de province*, *Scènes de la vie parisienne*, *Scènes de la vie politique*, *Scènes de la vie militaire*, *Scènes de la vie de campagne*. Although each individual novel contained its own centres of interest and completed action, the *Comédie humaine* was finally to be considered as a composite structure whose coherence depended not only on the vision of its creator but also on the presence of recurring themes and reappearing characters. In retrospect, one can sense that the whole of Balzac's creative life was directed towards this moment in 1842 when he would publicly proclaim the unity of his vast endeavour.

In the complex process of the elaboration of the *Comédie humaine*, *Le Père Goriot* occupies, as we shall see, a position of unrivalled significance. As a young man and throughout his life, Balzac was possessed by the desire to seize and express the unity which lies behind the fragmentation and disorder of human existence. Though never a methodical thinker, he strove from his earliest years to construct a theoretical system which would provide the explanation of the mysterious relationships which exist between all forms of human and non-human activity. Nothing was neglected which might contribute to insight and demonstration; the impenitently eclectic Balzac drew on a multiplicity of sources — scientific, pseudo-scientific, philosophical, religious — in his attempt to establish a coherent world-view. Considering man as part of nature and as an element in society, Balzac sought to comprehend the laws which governed the former and the customs and pressures present in the latter. He was later to explain in the 'Avant-Propos' that the *Comédie humaine* originated from a comparison between Humanity and Animality; just as in the animal kingdom different milieux lead to the various 'Espèces Zoologiques', so in the case of man environment produces different kinds of 'Espèces Sociales' (1 4–5). But beyond diversity can be discerned a fundamental oneness; the whole universe reveals a series of mysterious *correspondances*, and is governed by a single animating principle of energy. In *Séraphita*, a work which shows most clearly the pervasive influence of the eighteenth-century scientist and mystic Swedenborg, Balzac wrote: '[Dieu] n'a-t-il pas agi par l'unité de composition? Aussi, a-t-il donné des principes qui devaient se développer, selon sa loi générale, au gré des milieux où ils se trouvaient. Donc, une seule substance et le mouvement, une seule plante, un seul animal, mais des rapports continus' (x 5 56). The quotation is doubly revealing; it provides insight into Balzac's vision of the universe, and it can lead to an understanding of his own vast programme. Animated by vital motion and controlled by absolutist principles, the *Comédie humaine* was to be a world in which fragmentation and diversity would be forced by an autocratic creator to reveal patterns of concordance and a grand design.

Before coming upon the fictional correlative of his system of thought Balzac had spent many years as novelist, playwright and journalist. He began by publishing in the eighteen-twenties a succession of hastily produced, modish novels in which he exploited his flair for the melodramatic and his ability to assess the desires of a rapidly expanding reading public. Such titles as *Jane la Pâle* and *Argow le pirate* provide a clue to subject-matter and primary sources, but the novels themselves, while hopelessly uneven, often contain well-written episodes and interesting examples of technical experimentation and imitation. In putting together these youthful works (often in collaboration with other authors), Balzac ransacked the works of his predecessors and contemporaries; everything was grist to his mill — from Sterne, Diderot and Scott to such comparatively minor but nonetheless influential writers as Maturin, Anne Radcliffe and 'Monk' Lewis, practitioners of the Gothic novel, known in France as the *roman noir*. Pastiche and plagiarism have been present in the early works of more than one great writer, but Balzac ruthlessly exploited the works of others with uncustomary — though for him typical — fervour.

It was only gradually and painfully that he managed to forge a method and a style which were equal to his developing vision of the world, and the vision itself required the hard testing of experience in order to achieve focus and penetration. Balzac's early training as a lawyer's clerk and his financially disastrous adventures as publisher and printer in the cut-throat world of business resulted in a body of sobering experience and a veritable arsenal of plots and intrigues which were not the less dramatic for having taken place in prosaic or sordid settings. His exuberant imagination was further disciplined by excursions into journalism and by the writing of a series of sketches of contemporary types and foibles. These short pieces, known as *physiologies*, led to the appearance of the notorious *Physiologie du mariage* (1829) in which Rabelaisian verve was tempered by well-observed studies of human beings under conditions of maximum stress. Concern with private drama was accompanied by deliberations of a wider nature; inspired by the example of Walter Scott, Balzac wrote his first substantial novel *Les Chouans* which, appearing shortly before the *Physiologie du mariage* in 1829 as *Le Dernier Chouan*, was later revised and published under its present title in 1834. The psychologist and historian of modern France then combined to produce six *Scènes de la vie privée* in 1830, and the following year another half dozen works were gathered together under the title of *Contes philosophiques*. These two series of short stories show that Balzac had become aware of the advantages of publishing several works under a collective heading, even though, in this instance, the connections to be made are only of a general nature. Throughout the next three years whatever unity is to be discovered in Balzac's work remains primarily thematic: he examined from various points of view the disruptive effects of passion, the plight of the abandoned lover or child, the inflexible absolutism of the genius, the outlaw and the miser, and, above all, the brutality and destructiveness of modern urban life. Such novels as *Eugénie Grandet* (1833) and *La Recherche de l'absolu* (1834) can be seen in retrospect as containing several points of thematic similarity; in both works, for example, Balzac treats the subject of monomania, to which he will return in *Le Père Goriot*.

The actual composition of *Le Père Goriot* provides further insight into Balzac's method of creation. In a letter written to the marquise de Castries on 18 October 1834, Balzac declares his intention of depicting in his new novel 'un sentiment si grand par lui-même qu'il résiste à de continuels froissements', and in a letter to Madame Hanska of the same date he speaks of having begun work on 'une grande œuvre, *Le Père Goriot*', in which there appears 'un homme qui est *père* comme *un saint, un martyr* est chrétien'. A brief entry in his writer's notebook indicates that Balzac's original concern was with the tribulations of Goriot and the old man's relationship with his daughters: 'Un brave homme — pension bourgeoise — 600 fr. de rente — s'étant dépouillé pour ses filles qui toutes deux ont 50.000 fr. de rente — mourant comme un chien.' The source of this notation is impossible to discover: perhaps it springs from an anecdote overheard, from Balzac's voracious reading or from a combination of observed experience and imaginative reconstruction. It may well be that a situation in one of his earlier novels provided the initial impulsion; quite often Balzac's world generated its own growth and expansion. Certainly the actual writing of the novel resulted in a considerable process of amplification: to the study of Goriot's misfortunes Balzac added a full-scale study of Paris, the colourful adventures of Vautrin, and the quest for social prominence of the young provincial nobleman Eugène de Rastignac. This proliferation of themes, which raises the question of the unity of the novel, shows the increasing range of Balzac's ambitions. Moreover, in choosing as his hero Eugène de Rastignac who had already appeared in *La Peau de chagrin*, Balzac revealed his intention of linking *Le Père Goriot* to other works which he had already published.

The precise date of Balzac's decision to exploit his fictional characters as forces of unification remains uncertain,* but it was in *Le Père Goriot* that the procedure was for the first time systematically exploited. Part of the action of the novel (the story of Anastasie's diamonds) was directly connected to an earlier work, *Les Dangers de l'inconduite* (1830), now known as *Gobseck*. The adventures of

---

* For a detailed discussion of this question see Anthony Pugh's article 'Personnages reparaissants avant *Le Père Goriot*' in *L'Année balzacienne* (1964).

Madame de Langeais with Montriveau had formed the subject of *La Duchesse de Langeais* (1833–4), and Madame de Beauséant had appeared as the major character in *La Femme abandonnée* (1832). In the case of Rastignac the shift is from minor to major: he had made only a brief appearance in *La Peau de Chagrin* (1831) before being called to play a vital role in *Le Père Goriot*. Balzac's introduction of Rastignac was the result of a sudden inspiration; originally he had named the young nobleman Eugène de Massiac, but about a quarter of the way through the manuscript he decided to change the name to Rastignac, thus abruptly reintroducing a character who would turn out to be one of the most successful and most frequently encountered in the whole of the *Comédie humaine*. *Le Père Goriot*, then, quite apart from its intrinsic interest, is a major contribution to Balzac's developing conception of the unity of his fictional world. Henceforth almost every work which was produced implied the existence of the larger unit of the *Comédie humaine*; creation had become a complex affair of multiple resonance and interpenetration.

Partly because of the expanding scope of the novel, Balzac's progress was slower than he had anticipated. Finally *Le Père Goriot* was published in the *Revue de Paris* in four instalments (14 and 18 December 1834, and 18 January and 1 February 1835). Subsequently two editions were put out in quick succession by Werdet in 1835, another edition by Charpentier was published in 1839, and in 1843 the novel was included in the Furne edition of the *Comédie humaine* as one of the *Scènes de la vie parisienne*. All modern editions are based on Balzac's own copy of the Furne edition which contains some final corrections in his own hand, including the decision to move the novel into the *Scènes de la vie privée* where it is now situated.

As *Le Père Goriot* progressed from the manuscript through its series of publications, Balzac continually revised and reworked his text. Unlike Flaubert who tended to prune his first drafts, Balzac invariably enlarged upon the original versions of his novels, setting down the major thrust of the narrative in the manuscript and then making considerable additions later on. In *Le Père Goriot* the majority of the principal insertions were made on the proofs before publication in the *Revue de Paris*, though Balzac continued to make alterations of detail and stylistic modifications right up to the end. Almost all the large blocks of added material, which vary from twenty lines to five pages, concern the fortunes of Eugène de

Rastignac and bear witness to Balzac's successful attempt to unify the novel through his young hero. Many passages were changed and expanded in order to provide a richer texture and a more powerful resonance to the total work. In the manuscript, for example, Vautrin, declaring his intention of emigrating to the United States, states his ambition thus:

Mon idée est d'aller vivre au milieu d'un grand domaine, cent mille arpents, par exemple, aux Etats-Unis dans le sud. Je veux m'y faire planteur, avoir des esclaves, gagner des millions à vendre mes bœufs, mon tabac, mes bois. J'ai à moi cinquante mille francs: ce n'est pas de quoi avoir ving-cinq nègres. J'ai besoin de deux cent mille francs.

This hasty sequence of comparatively prosaic utterances is transformed, in the first published version, into a grandiose statement of dream and desire:

Mon idée est d'aller vivre de la vie patriarcale au milieu d'un grand domaine, cent mille arpents, par exemple, aux États-Unis, dans le sud. Je veux m'y faire planteur, avoir des esclaves, gagner quelques bons petits millions à vendre mes bœufs, mon tabac, mes bois, en vivant comme un souverain, en faisant mes volontés, en menant une vie qu'on ne conçoit pas ici, où l'on se tapit dans un terrier de plâtre. Je suis un grand poète. Mes poésies, je ne les écris pas: elles consistent en actions et en sentiments. Je possède en ce moment cinquante mille francs qui me donneraient à peine quarante nègres. J'ai besoin de deux cent mille francs parce que je veux deux cents nègres afin de satisfaire mon goût pour la vie patriarcale. Des nègres, voyez-vous: c'est des enfants tout venus dont on fait ce qu'on veut, sans qu'un curieux procureur du roi arrive vous en demander compte (p. 83).

These and other additions throughout the novel intensify Vautrin's language and stature, raising him to a position which in some respects resembles that of his creator. For as he laboured to expand the scope of his fiction Balzac demonstrated more and more fully the extent of his poetic ambitions and the magnitude of his undertaking. *Le Père Goriot*, like the *Comédie humaine* itself, started from a comparatively simple base and rapidly developed into a work of enormous range and complexity.

In tackling his basic material and in elaborating the complex structure of *Le Père Goriot*, Balzac reveals a creative energy and a vision of life which raise his work well above documentary realism. Although the intensity and singularity of his imagination is manifested on every page of the *Comédie humaine*, there are a few central texts which provide particular insight into his theories of imaginative creation. Among these are such prefaces and articles as *L'Avertissement du Gars* (1827), *Des Artistes* (1830), the preface to *La Peau de chagrin* (1831), *La Théorie de la démarche* (1833) and such novels and short stories as *La Peau de chagrin* (1831), *Louis Lambert* (1832, revised editions 1833 and 1835), *Facino Cane* (1836), and *Le Chef-d'œuvre inconnu* (1831, revised edition 1837). Because of the scattered nature of the remarks and because of the complexities of the creative process itself (even Balzac admitted that the artist 'n'est pas lui-même dans le secret de son intelligence' [CHH, xxvi 219–20]), it is not possible to deduce a systematic aesthetic theory, though certain major preoccupations can be isolated and discussed. The most important (and most frequently ignored) aspect of Balzac's approach to creation is his insistence that the artist's function is not to provide a mere copy of the external world but to penetrate, explore and express its inner meaning. Such grandiloquent phrases as 'forcer l'arcane de la nature' and 'saisir l'esprit, l'âme, la physionomie des choses et des êtres' (ix 394) reveal the ardour of the endeavour and the immensity of the quest. In order to succeed in his exalted mission, the man of genius, whether he be writer, painter, or sculptor, must possess and develop certain faculties of vision which enable him to vanquish the distance separating him from the object of his contemplation. Again and again Balzac uses the term 'second sight', meaning the faculty of perception which permits the seer to transgress the limits of the self and enter into communication with the world beyond. In *Facino Cane* he describes with wonderment his ability to become another person:

Chez moi l'observation était déjà devenue intuitive, elle pénétrait l'âme sans négliger le corps; ou plutôt elle saisissait si bien les détails extérieurs, qu'elle allait sur-le-champ au-delà; elle me donnait la faculté de vivre de la vie de l'individu sur laquelle elle s'exerçait, en me permettant de me substituer à lui comme le derviche des Mille et une Nuits prenait le corps et l'âme des personnes sur lesquelles il prononçait certaines paroles (vi 66).

This sympathetic participation in the lives of others may suggest a state reminiscent of dream or intoxication; but Balzac insists (in a phrase which could be applied to the *Comédie humaine* itself) that the experience is 'le rêve d'un homme éveillé' (vi 67), and that the movement of communion is subject to his will. The visionary 'don de demi-métamorphose' does much to explain Balzac's astonishing ability to evoke the language, habits, preoccupations and obsessions of people from all levels of society and to set them down dramatically in the pages of his fiction. Directly and fully known, his characters impose their presence and their passions on the reader.

Immediate and forceful apprehension of the secrets of others is accompanied by the ability to deduce totality from the particular and the past from the present. It is in this respect that the artist most resembles modern men of science like Cuvier ('le plus grand poète de notre siècle', according to Balzac) who from a single bone reconstruct the whole animal and from the ruins of a city lead us to the comprehension of a total civilisation. Here a connection can be made with the phrenologist Gall and the physiognomist Lavater whose claims to deduce character from shape of head or physical traits were eagerly assimilated into Balzac's system. Balzac's insistence on the relationship between appearance and personality and between possessions and owner is one of his distinctive marks as a novelist; and the opening pages of *Le Père Goriot* are in part a triumphant demonstration of fiction's debt to the vision and methodology of science. No evidence is neglected which might prove revealing; facts and details are subjected to earnest investigation and forced to reveal their significance. Madame Vauquer's boarding-house is minutely reconstructed in all its threadbare squalor, the boarders' clothes and belongings are signs to be deciphered, each important character is scrutinised and assessed. The proliferation of detail may try the reader's patience, though he soon becomes aware that he is implacably led towards the penetration of mysteries and the release of drama. After vainly trying to figure out the secrets of Goriot's past he is finally rewarded with a thorough revelation. Balzac, the patient investigator, relishes his moments of triumphant demonstration.

Reconstruction also implies remembering: the writer draws at will upon his accumulated experience of the world. To the many metaphors of reflection which have been used to describe the art of fiction (including Stendhal's famous definition of the novel as 'un miroir qu'on promène le long d'un chemin') Balzac contributed a memorable image, borrowed from Leibniz, which he applied, in the preface to *La Peau de chagrin*, to the novelist himself: '[L'écrivain] est obligé d'avoir en lui je ne sais quel *miroir concentrique* où, suivant sa fantaisie, l'univers vient se réfléchir; sinon le poète et même l'observateur n'existent pas; car il ne s'agit pas seulement de voir, il faut encore se souvenir . . .' (XI 173–4). Creation here is defined as delayed action, but one which is set in motion by the consciousness of the writer. The past is not rediscovered through moments of surrender to sensation, as in Proust, but drawn into the present by an act of will. In *Louis Lambert* Balzac describes the qualities of his hero in terms which help us to understand his own prodigious ability to accumulate and retain a heterogeneous mass of knowledge and experience:

Il possédait toutes les mémoires: celles des lieux, des noms, des mots, des choses et des figures. Non seulement il se rappelait les objets à volonté; mais encore il les revoyait en lui-même situés, éclairés, colorés comme ils l'étaient au moment où il les avait aperçus (x 357).*

Reality recreated may not result in faithful reproduction; but the poet recalls and records forms and colours as they appeared in his vision at the moment of perception.

Undoubtedly *Le Père Goriot* contains many such recollections from Balzac's own life, though only he could provide the inquisitive with chapter and verse. Numerous moments may well spring from direct experience: Rastignac's dreams of success in the capital, his visits to the houses of the fashionable, his letters to his mother and to his sister (whose name is that of Balzac's own), his financial tribulations and amorous adventures, his final disenchantment. In a curious fragment entitled *Théorie du conte*, Balzac imagines himself surrounded by his 'doubles' of whom an incommensurable number are reflected as if in a series of mirrors (CHH, xxvi 682–3). Two of them are addressed and described in detail. The first represents a flattering portrait of Balzac the dandy, dressed, like Rastignac, for battle with the world. The other is a much older man with a deeply lined face in which the biased observer might find traces of both Vautrin ('l'homme dont le regard va loin, l'homme de courage') and Goriot ('l'homme qui ne dort plus . . . l'homme affaissé sous le poids de la pensée'). Certainly Balzac is known to have possessed the magnetic glance of his infamous outlaw and to have shared his dreams of dominion. And he had experienced the sufferings of a Goriot, *mutatis mutandis*, in his relationship with his mother by whom he had felt abandoned. Although the novel is an independent work of art with its own logic and coherence, many of its greatest scenes generate the intensity and resonance of lived experience. And all the characters, whether they be directly animated by personal recollection or created out of an amalgam of intuition and wishful thinking,

---

* Quoted by Georges Poulet in his brilliant discussion of time in the *Comédie humaine*. See *La Distance Intérieure* (Paris, 1952).

are filled with Balzac's tremendous zest for life. As Baudelaire admiringly remarked: 'Tous ses personnages sont doués de l'ardeur vitale dont il est animé lui-même . . . chacun, chez Balzac, même les portières, a du génie.'*

At times Balzac's discussions of the creative process contain references to a self-generating act of imaginative vision. This vision defiantly asserts its validity even in the teeth of contrary evidence. In *Des Artistes* he describes the state of mind of 'l'homme plongé dans la sphère inconnue des choses' for whom the exterior world completely ceases to exist (CHH, XXVI 221). In the preface to *La Peau de chagrin* we find the categorical assertion that 'le peintre le plus chaud, le plus exact de Florence, n'a jamais été à Florence' (XI 175), and in *Facino Cane* Balzac, dreaming of Venice, evokes 'ces merveilles avec lesquelles le savant sympathise d'autant plus qu'il les colore à son gré, *et ne dépoétise pas ses rêves par le spectacle de la réalité* (VI 72). Here the primacy of the imagination is upheld with uncompromising fervour; at such moments the artist's vision achieves an insight into the nature of things which remains poetically true even if reality withholds corroboration.

These speculations reveal the extremist side of Balzac the creator and help us to understand the elements of distortion and fantasy which are found in all his works. In spite of his obsession with detail and documentation, his concern with scientific reconstruction and historical truth, one senses that if vision and reality come in conflict it is the real world which will be sacrificed more often than not. The *Comédie humaine* belongs first and foremost to its maker; the reader is compelled to attend to Balzac's way of seeing, to Balzac's conception of character, to Balzac's sense of drama. Vautrin and Goriot, ardently possessed by their creator, at times are given dimensions which are carried well beyond the readily imaginable. Goriot, for example, is at one moment viewed as 'ce Christ de la Paternité' (p. 163); Vautrin, captured and defiant, becomes 'l'archange déchu qui veut toujours la guerre' (p. 153). It is by this kind of extravagant intensification that Balzac reveals the scope of his pretensions and the power of his own monomania. Living incessantly among his own creatures ('only Bianchon can save me', he is said to have cried on his death-bed), saturated by the presence of his incessantly expanding universe, Balzac came inevitably to trust *his* vision of reality and *his* version of events. And the

* Charles Baudelaire, 'Théophile Gautier', in *L'Art Romantique*, ed. T. Maulnier (Paris, 1948), pp. 27–8.

exuberance is so ingenuous, the self-confidence so complete that the majority of readers willingly surrender their freedom as they are drawn into the hallucinatory world of the *Comédie humaine*.

2. WORLDS

A novel is the formal expression of a particular sensibility and an implicit judgment on experience. One may thus speak of a novelist's vision or world which contains its own structure and meaning and which enters into a relationship with the world 'outside'. Readers and critics of Balzac vary in the emphasis they place on these aspects of his fiction. For some, the significance of the *Comédie humaine* depends above all on the forcefulness and richness of its interpretation of contemporary France and the documentary value of its descriptions. Another (smaller) group of critics bring the whole focus to bear on Balzac's novels as works of art and attempt to read and assess them in terms of their specific elements of form and language. This latter approach is at once the more difficult and the more rewarding: the diversity and thickness of Balzac's universe seem to render it inaccessible to formal analysis; and yet it is only through the discovery and interpretation of patterns of meaning that the work can be forced to reveal its secrets, and held up to scrutiny and evaluation.

The world which was to form the raw material of the *Comédie humaine* was nothing less than contemporary French history in its entirety. Balzac's life coincided almost exactly with the first half of the nineteenth century, and it was a life worthy of the times, devoted to prodigious struggle and challenge. Born into a lower middle-class family obsessed with raising their social status (his father was as ambitious as Goriot), the young Balzac prefigured many of his own heroes in his energy and self-confidence and his desire to impose himself upon his times. Early letters to his sister Laure reveal an ardent, restless nature, a limitless ambition and above all an exuberant passion for all aspects of spoken and written language. Words, finally, were to become the weapons with which he challenged his century. He determined to become the Napoleon of fiction, taming Europe with his pen, creating order out of chaos, and engaging in a struggle in which an intensely personal vision and a ferocious will entered into a complex relationship with the brute reality of the external world. Balzac once remarked that he had merely set out to be the historian of his age; it was later said of him

by Oscar Wilde that he finished by inventing his century, so enduring was the resonance, so strong the imprint of his works.

Like his fellow Romantics, Balzac grew up in a period in which
social conflict and literary battles were accepted as the inevitable
consequence of the Revolution. History, previously considered as
an orderly process amenable to analysis by enlightened minds,
suddenly erupted into a force of uncontrollable momentum and
ferocity; the Revolution generated a Terror which endured far
longer than its actual occurrence and profoundly affected all who
lived in its shadow. As Empire, Restoration and July Monarchy
succeeded one another with vertiginous and unsettling haste,
traditional forms and theories — economic, social, political, philosophical, literary — proved powerless to cope with the new,
unstable reality. In the public arena, power depended on oppor-
tunism and speculation, the banker was emerging as the modern
ruler, a new class structure was forming. Pressures were felt
from a restless working-class which, converging upon the cities,
found their aspirations quickly dispersed by the poisonous atmosphere of streets and dwellings and the wretched conditions
of work. The revolution of 1830 was joined by the proletariat,
but it was the middle classes which emerged triumphant, and
they ruthlessly consolidated their power. The one law which
was generally accepted was the law of survival ('il faut vous
manger les uns les autres comme des araignées dans un pot', as
Vautrin brutally puts it); the universal social value was 'enrichissez-
vous'.

Contemporary writers, confronted by this unnerving picture,
adopted diverse positions; some retired with dignity to ivory
towers, others sought inspiration in exotic settings, a few entered
the arena and did battle with the barbarians. Balzac's reaction,
predictably enough, was both vigorous and complex. A fundamental drive towards order and enduring structures caused him to
view with horror the fragmentation of society by the anarchical
forces of individualism. And yet he admired the energy of the
successful, was fascinated by the drama inherent in the new society,
and saw that contemporary reality could be forced to provide super-
men, monsters and martyrs as grandiose, as terrifying and as
touching as any in mythology or legend. The modern man of
action would need to be situated in an environment which might
seem unconducive to heroism; but then the heroes whom Balzac
contemplated were frequently engaged in sordid transactions,

perverted quests and ignoble struggles for power in a society which, he remarked, 'a remplacé le principe Honneur par le principe Argent' (IX 269). Convinced that traditional myths were no longer relevant to the predicament of modern man, Balzac undertook to create a new mythology which, corresponding to the exigencies of the moment and to his own obsessions, would serve as a revelation of the human condition and a source of unity in his own *Comédie humaine*.

Moreover, like Baudelaire after him, Balzac was fascinated by the poetic and dramatic qualities of the modern city. Paris, the new Babylon, was to become the central animating force of his universe, and in *Le Père Goriot* he evokes its mysterious significance in language which prefigures the author of *Les Fleurs du mal*:

Paris est un véritable océan. Jetez-y la sonde, vous n'en connaîtrez jamais la profondeur. Parcourez-le, décrivez-le! quelque soin que vous mettiez à le parcourir, à le décrire; quelque nombreux et intéressés que soient les explorateurs de cette mer, il s'y rencontrera toujours un lieu vierge, un antre inconnu, des fleurs, des perles, des monstres, quelque chose d'inouï, oublié par les plongeurs littéraires (p. 11).

Public events and historical figures have their place in the huge fresco of the *Comédie humaine*, but Balzac's primary concern was to be with private drama and unsolved mysteries. His *fleurs* are exotic forms of life which may well flourish in murky backwaters like Madame Vauquer's boarding-house; his *monstres* are often ordinary mortals whose aberrations are all but disguised by the dazzling surface of the city.

Balzac's exploitation of this rich, uncharted territory reveals his talent for granting reality an apparently neutral and independent existence while simultaneously exploiting it for its symbolic value. In *Le Père Goriot* the city exists as a geographical fact and there are many precise references to districts, streets, restaurants and theatres. Madame Vauquer's boarding-house, situated in the murky rue Neuve-Sainte-Geneviève near the Sorbonne, is tantalisingly close to the fashionable faubourg Saint-Germain, home of Madame de Beauséant and the aristocracy. Delphine de Nucingen, destined by her marriage to live in the Chaussée d'Antin, longs to be admitted to the houses of the aristocrats and fears the discovery that her father is condemned to inhabit the rue Neuve-Sainte-Geneviève. And Rastignac, walking the filthy streets, dreams of travelling in the elegant carriages which magically transport the powerful and the rich to the Bois de Boulogne, the Théâtre des Italiens and the Opéra.

Description, naming and placing are accompanied by selection of aspects of the city for purposes of suggestion and illumination. The novel begins with the mention of the proximity of the Catacombes and ends at the Père Lachaise, the famous cemetery on the hill in Montmartre. The pervasive atmosphere of death and corruption is accompanied by references to hospitals, asylums and prisons; physical sickness and incarceration are set beside criminality and moral decay. The disillusioned Rastignac, surveying the serpentine form of the city at the end of the novel, finds his gaze arrested by Napoleon's gigantic column in the place Vendôme and the dome of the Invalides which houses the emperor's tomb. The days of glory are past, the Napoleonic legend which fires the imagination of youth can no longer be translated into purposeful action; upon descending once again into the arena, Rastignac's 'grandiose' challenge takes the form of a dinner with his mistress whose husband is a banker. He has discovered that the physical condition of the streets, with their mud and filth, aptly points to the moral: Paris is a 'bourbier', an 'océan de boue' where, as Vautrin cynically remarks, 'ceux qui s'y crottent en voiture sont d'honnêtes gens, ceux qui s'y crottent à pied sont des fripons' (p. 37).

Part of Rastignac's 'education' is the investigation of the 'super-position des couches humaines qui composent la société' (p. 24), and here again the novel contains a combination of accurate representa-tion and imaginative distortion. Sociological information is provided about the leading aristocratic families (Madame de Beauséant), the impoverished provincial nobility (Rastignac), the unimaginative bureaucracy (Poiret), the unscrupulous bankers (Nucingen). Goriot's rise to fortune is carefully documented and, together with the account of the socially advantageous marriages of his daughters, provides insight into the rapid ascension of the lower-middle-class tradesman. But while reproducing these contemporary social patterns, Balzac creates divisions and distinctions which manifest his own particular vision of humanity and which compose vital elements of the structure of his fiction. The famous boarding-house, containing 'les éléments d'une société complète' (p. 14), comes to represent a moral and physical sub-world, and provides a means of evaluating characters. Here is Balzac's inferno to which he condemns those who, like Poiret, are incapable of achieving any momentum or those who, like Mademoiselle Michonneau, have allowed their passions to possess them. Described *en masse*, the boarders reveal physiognomies 'où les passions n'avaient laissé que leurs cordes et leur mécanisme' (p. 62), and they lead an impotent, mechanical existence devoid of energy or compassion. Vautrin, impervious to this dismal atmosphere, takes pains to warn Rastignac that, should he fail to generate his own motion and take charge of his destiny, he is liable to end his days in this stagnant world of failure.

For Rastignac, the boarding-house forms a brutal contrast with the dazzling upper reaches of the city, and it is largely through his eyes that the colour and magic of high society are initially apprehended. The naïve young provincial admires the parade of coaches in the Champs-Elysées and longs to pay homage to the *beauté rêvée* (p. 25) of the fashionable women who inhabit the *sommités aristocratiques* of the faubourg Saint-Germain. His imagination is inspired by visions of splendour, brilliant gatherings, 'queens' and 'goddesses'. He dreams of ascending to the *cercle où brillaient les constellations* (p. 105), and he is dazzled by the luxury of the great houses which represent the world of the Arabian Nights. But as he gains experience he learns to make distinctions and achieve perspective; he begins by noting the distance which separates the surroundings of the upstart Anastasie de Restaud from those of the truly noble Madame de Beauséant, and he ends by obtaining a brutally clear picture of the world which he will choose as his battleground. At the final ball given by Madame de Beauséant, the splendour of the costumes and surroundings can no longer hide the moral ugliness of those who come to witness her 'execution'. The 'palace' has become a 'desert', and beneath the diamonds of Goriot's daughters, Rastignac sees the *grabat* in the boarding-house. The latter's *société complète* comes to be seen not as an isolated excrescence but as a microcosm which faithfully portrays the world outside. Goriot's death is no more than 'un petit mortorama' for his fellow-boarders, and he dies deserted by both the worlds from which he was perpetually alienated. Others fare no better; Madame de Beauséant, the duchesse de Langeais, Anastasie de Restaud are all abandoned by their lovers. Rastignac alone succeeds in profiting from the grim and disillusioning lessons to be learned.

Vautrin's presence in the novel opens up perspectives into another, more blatantly corrupted world. His reasons for living in the boarding-house are as obscure as his origins and character, and it is clear that he is only a temporary inhabitant whose real existence belongs elsewhere. His uncanny power over others springs not only from the depths of his unfathomable nature but also from his wide-

ranging connections with the world of organised crime. Balzac
enjoys describing the antics of his villainous hero and shows
considerable knowledge of the language and customs of a level of
existence which, seized in its rawness and energy, is set up against
the pettiness and pusillanimity of the boarding-house and the
hypocrisy and rottenness of society. Vautrin, captured, defiantly
asserts the supremacy of the outlaw: 'Nous avons moins d'infamie
sur l'épaule que vous n'en avez dans le cœur, membres flasques d'une
societé gangrenée' (p. 152). The reader may well be shocked to find
himself in agreement; the contrast between the enfeebled structures
of society and Vautrin's brute energy is wholly in the outlaw's
favour.

But Vautrin is more than a ferocious critic of society. He inhabits
a sphere which, he paradoxically asserts, is 'plus élevée que les autres'
(p. 122), and where he is free to create existence in his own image.
His revolt is not only against the social contract but against all
determinist 'laws' which threaten to limit man's freedom; setting
himself outside Society and above History he boasts of usurping the
function of Providence itself. In their different ways Madame de
Beauséant and Goriot share Vautrin's dream of freedom from the
contingent. Madame de Beauséant refuses to accept that her love-
affair can be less than eternal, and when finally forced to confront
reality, rejects any gesture of compromise. Goriot, who as Balzac
remarked in the preface written for the second edition of the novel
is 'en révolte contre les lois sociales, par ignorance et par sentiment',
attempts to impose his vision of love upon his offspring and is
wilfully blind to their ingratitude. Moreover he longs to perpetuate
his existence through his daughters (p. 100) and he rails against the
tyranny of his wretched body and the inevitability of death. These
three characters who seem to have so little in common are curiously
united in the fixity of their purpose and the immensity of their desires.
Like Balzac himself, they place such extravagant trust in their own
version of reality that they are reluctant to recognise the claims of
ordinary existence.

Vautrin, of course, is the most powerful of the three since he
rarely allows his grandiose dreams to vanquish lucidity and self-
possession. Throughout the novel, further distinctions are made
among the characters according to their ability to master the
emotions which inhabit them. In keeping with his curious philosophical theories Balzac considered passion as a substance which acts
with galvanising or destructive force on the human organism and

which indeed at times seems to take on an existence independent of the persons it affects. In scenes of confrontation or crisis the very atmosphere seems permeated with this vital force; Vautrin's capture, for example, casts a spell over the bystanders who are overcome by the *affluence* and the *diversité* of the emotions aroused. Rastignac, in the presence of Goriot, Vautrin or Madame de Beauséant, often feels himself invaded by the *puissance communicative* of their passions, and throughout the novel the characters are thrust towards involvement or destruction by a force which always threatens to escape control. Judgments are made according to the nature and extent of the passion involved, and here again new groupings can be detected: Rastignac, Anastasie, Delphine, Goriot and Vautrin are united in their desire for money; Goriot and Madame de Beauséant are linked by what is noble in their love; Goriot and Vautrin have points of resemblance in their surrender to instinctive animality. Further, the 'executioners' are set apart from the 'victims', the purposeful from the inert, the rare idealists from the base majority. But in Balzac's world the most urgent business is survival. Rastignac is brought to the discovery that the personality which is most likely to endure is the one which is supple and perspicacious, and invulnerable to assault from without or eruption from within. If one lacks the strength and idealism of Bianchon and his circumscribed world of harmonious activity, then the surest path is the most devious and the least extreme.

It is Rastignac's precarious and sinuous journey through these various worlds which provides the unifying element in the novel's structure. From boarding-house to the Restauds', from Madame de Beauséant's drawing-room to Delphine's boudoir he moves at first timidly and finally with assurance. He is brought into the powerful orbit of Vautrin who attempts to 'rescue' him from Society and from Family; he observes the ravages of passion and the frenzied pursuit of gold; he watches and participates in a series of alliances which form, achieve momentary contact and then dissolve. The four chapter-headings of the novel provide an insight into its general outline but do not do justice to the complexity of a structure which is composed of the interaction of a dozen differently constituted worlds and the impact of the individual destiny upon them. Rastignac rather than Goriot is the central figure of the novel and the narrative line formed by the young man's experiences composes a zig-zag pattern into which are integrated sets of triangular relationships (Goriot and his daughters; Goriot, Rastignac, Delphine; Goriot,

Rastignac, Vautrin; Vautrin, Rastignac, Victorine). And major themes — the precariousness of revolt, the vulnerability of the family, the infamy of society — forge surprising links among apparently disparate characters. The world which gradually imposes itself upon us is one in which human actions and personalities are subjected to intolerable pressures and expressed in terms of force and trajectory. The final unforgettable impression is that the novel's course resembles the image which is used to describe society's motion — that of an implacable Juggernaut driving to destruction.

3. STYLE

The overall effect of a Balzac novel is one of alternation of tempo, variation in intensity and unevenness of style. *Le Père Goriot* opens at a leisurely pace and gathers momentum only after the lengthy 'exposition' has been elaborately recorded. Moreover, even in the last three chapters, sudden eruptions of drama are interspersed with moments of comparative calm as scenic presentation yields to narrative summary. At times the vision of the novelist seems to communicate directly with his subject, at times there are movements of reconstruction, summation and prediction. These variations are in keeping with the different modes of perception already examined, and are illuminated by a quotation from the *Théorie de la démarche*:

Il faut . . . posséder ce coup d'œil qui fait converger les phénomènes vers un centre, cette logique qui les dispose en rayons, cette perspicacité qui voit et déduit, cette lenteur qui sert à ne jamais découvrir un des points du cercle sans observer les autres, et cette promptitude qui mène d'un seul bond du pied à la tête (CHH, xxvii 610–11).

The passage admirably illustrates both the process of creation and the shape and movement of the work of art itself. The references to *centre*, *rayons* and *cercle* are applicable both to the total world of the *Comédie humaine* which is composed of a series of concentric circles, and to the structure of *Le Père Goriot* in which a complex sequence of relationships is gradually reconstructed and interconnected. In the opening pages of the novel Balzac is clearly eager to come to grips with his drama, but he dominates his impatience and describes setting, persons and situation in elaborate and painstaking detail. Only when all the evidence is marshalled and the characters are locked in conflict does he permit the rush of the action to begin.

The second paragraph of the novel provides insight into Balzac's preparatory descriptive style. The boarding-house is approached from the outside and its gloomy, stifling atmosphere is foreshadowed by the district and street in which it is set. Ostensibly the thirty-line passage is concerned with geographical location and with the reactions of a hypothetical observer ('un Parisien') who might wander into this particular district. Balzac begins by establishing facts, naming streets and buildings, and providing a sense of authenticity and veracity. It soon becomes apparent however that he is loading the paragraph with emotive and suggestive language and that the whole description looks forwards and inwards to his own world as well as outwards towards a familiar and apparently reassuring reality. Following the brief factual opening statement, the sentences set in motion a rhythmical process of accumulation, effected by use of subordinate clauses and parallel structures, which gradually works upon the reader's sensibility. The insistence on downward movement in the second sentence (*s'abaisse, pente si brusque et si rude*) together with the repeated evocation of gloom and sadness (*assombrissant, attriste, morne*) suggest a descent into infernal regions; multiple references to indifference, incarceration and death move towards the crescendo in the final rhetorical question provoked by the mention of Catacombes: 'Qui décidera de ce qui est plus horrible à voir, ou des cœurs desséchés, ou des crânes vides?' The movement of the prose alternates between brief, incisive statements, and lengthy evocations; the particularity of the scene and its supreme relevance are uncompromisingly asserted in a series of superlatives; and, finally, our own reactions are preempted by those of the passers-by which are themselves reinforced by the evident disgust of the narrator.

In order to leave no doubt concerning his intentions, Balzac points to the appropriateness of the décor as atmospheric preparation ('le seul [cadre] qui convienne à ce récit, auquel on ne saurait trop préparer l'intelligence par des couleurs brunes, par des idées graves'). The reader is, however, bound to wonder whether the district has been selected to provide a commentary upon its inhabitants or whether it is not in some way responsible for the drama to come. Furthermore, in spite of Balzac's obliging generalisations, it is still left up to us to follow the various threads contained in the paragraph and relate them to other elements in the description of boarding-house and inhabitants. The sombre colours, dim lighting and harsh contours used to evoke district and street are taken up on numerous occasions during the following pages and applied to rooms, furniture, clothes and faces alike. Indeed it will eventually be made to seem that the boarders are composed of the very material which surrounds them and which threatens to engulf them; by using the same language to cover objects and persons, Balzac confers a dynamic presence on the objects and, in many instances, dehumanises the persons.

Collaborating in the lengthy ensuing 'exposition', the reader becomes increasingly aware of the thematic significance of apparently random references. The mention in this passage of *vieillesse qui meurt* followed by *cœurs desséchés* heralds the fate of Goriot and the indifference of those who surround him. 'Prison' looks forward to the situation of the boarders themselves under the domination of Madame Vauquer their 'gaoler'; the word is also repeated in a much later description of Goriot's wretched room, and can even be extended into an assessment of the situation of all those who are condemned to misery and isolation by the tyranny of their passions. Balzac's use of language encourages such speculations, since it is evident that every description, however sober and straightforward, is working towards multiple effects. Overtly pointed and subtly suggestive, his style at such comparatively tranquil moments is superbly appropriate to his immediate and long-term intentions.

★   ★   ★

Radically different situations result in a transformation of Balzac's language. In the scene of Vautrin's capture, for example, a rapid depiction of the preparatory action works up to a violent crescendo in which Vautrin's unmasking and its aftermath are evoked in a barrage of metaphors and similes (pp. 150–3). Here Balzac spares nothing in his efforts to extract the maximum effect from an episode which, described as *drame* and *spectacle*, is rendered throughout in an extremely theatrical manner and in direct and physical terms. Adjectives are exploited for purposes of intensification rather than analysis — *féroce, horrible et majestueux spectacle*, etc. Adverbs (*vivement, tout à coup, en un clin d'œil*) contribute to the pace of the passage whose main thrust is provided by a series of simple, energetic verbs (*chancela, tomba, s'avança, alla, monta, bondit, rougit*). The impact of the scene is rendered by nouns denoting basic attitudes and passions (*horreur, terreur, rage, grandeur*); emotion itself is conceived as an active, galvanising force and is described in fundamentally physical terms (*jet de volonté, le sang lui monta au visage, et ses yeux brillèrent*), reinforced by an eruption of elemental images (*feux de l'enfer, chaudière, la lave et le feu, volcan*). The three high points in the action (Vautrin's reaction to *Trompe-la-Mort*, his actual capture, the aftermath of his outburst) are all rendered in hyperbolic language which is in forceful contrast to the sober style used to effect a rapid sequence of shifts of perspective and to prepare the confrontation. Conflicting elements in the scene and in Vautrin's character are translated by means of the boarders' reactions and by a series of stark Romantic oxymorons (*épouvantable grandeur, horrible et majestueux spectacle*, etc.) leading up to the climactic *poème infernal*.

Isolated from context and set against a more sober and polished sample of French prose, the passage could be made to appear ludicrously over-written. It is certainly strong stuff, even for Balzac, and the melodramatic overtones and the hyperbolic language have provided ammunition for more than one of the many attacks on Balzac's extravagant style.* One should bear in mind, however, that in rendering this the first of the three major crises of the novel, Balzac is clearly willing to sacrifice elegance and nuance to the achievement of a direct emotional effect which he strives to produce by means of uncompromising vocabulary and imagery. He does not attempt to penetrate the thoughts and feelings of his character but forces exterior signs to reveal Vautrin's infernal nature and superhuman self-mastery, qualities already partially revealed in the course of the novel (though not to the boarders) and now emphatically demonstrated. Vautrin's own language to Rastignac has already set him apart from ordinary mortals; he has not been painstakingly constructed as a 'realistic' character but bodied vigorously forth as the incarnation of revolt, anarchy and unrepentant evil. Moreover, the imagery in the passage under discussion is characteristic of much of the metaphorical language used throughout the novel; in order to dramatise and interrelate certain moments of emotional tension Balzac reaches out for hyperbolic expressions which alone can do full justice to the anguish or ecstasy of his creatures.

In an earlier passage which presents the full force of Goriot's adoration for his daughters, we are faced with similar language and technique: 'Le père Goriot était sublime. Jamais Eugène ne l'avait pu voir illuminé par les feux de sa passion paternelle' (p. 101). The

* Martin Turnell in an extremely partial criticism of the novel (Rastignac is not even mentioned!) calls this scene 'a perfect example of Balzac's Light Programme manner' (*The Novel in France*, p. 241).

metaphor prefigures the *feux de l'enfer* used to characterise Vautrin and the two expressions forcefully establish the moral antipodes of the novel. The passage continues: 'Une chose digne de remarque est la puissance d'infusion que possèdent les sentiments. Quelque grossière que soit une créature, dès qu'elle exprime une affection forte et vraie, elle exhale un fluide particulier qui modifie la physionomie, anime le geste, colore la voix. Souvent l'être le plus stupide arrive, sous l'effort de la passion, à la plus haute éloquence dans l'idée, si ce n'est dans le langage, et semble se mouvoir dans une sphère lumineuse'. Once again style and content go well beyond conventional *vraisemblance*; the reader is forced to contemplate a startling deformation of reality without being sure whether the evocation is hyperbolic metaphor based, in this instance, upon religious painting, or the heightened description of some bizarre supernatural phenomenon. Other passages connected with Goriot and Vautrin and with Victorine (pp. 120, 140) and Rastignac (p. 131) contain similarly vivid expressions representing the tension produced by a sudden and violent emotional explosion.

For Balzac, man's physical envelope is the eloquent register of the movement and play of passion and thought. Mental or emotional activity set in motion a dynamic substance or fluid which resembles electricity, contains magnetic propensities, and may be summoned forth, concentrated and even projected against the organism of others. Balzac drew on many sources for these curious beliefs including contemporary vitalistic medicine, and he optimistically envisioned the day when science would confirm his hypotheses ('Peut-être le jour n'est-il pas loin où l'on saisira le mode par lequel le sentiment se condense chimiquement en un fluide, peut-être pareil à celui de l'électricité' [v 1092]). In the meantime he resolutely exploited in his fiction the dramatic possibilities of his theories. Emotional warfare and battles of the will are frequently rendered by means of the interplay of this mysterious fluid and described in terms of propulsion, trajectory and muzzle velocity (cf. p. 75: 'Sans doute les idées se projettent en raison directe de la force avec laquelle elles se conçoivent, et vont frapper là où le cerveau les envoie, par une loi mathématique comparable à celle qui dirige les bombes au sortir du mortier'). Within the individual himself an emotional crisis provokes the concentration and eruption of this magnetic force which in extreme cases can destroy the human organism and which always galvanises the corporeal envelope into expressively distorted reaction. Goriot's transfiguration represents a victory of the inner forces of passion which, intermittently manifesting themselves in a succession of moments of radiance, ultimately destroy the enfeebled mechanism of the body. Vautrin, at the moment of his capture, checks and controls the outpouring of his emotion ('la lave et le feu sortirent et rentrèrent dans ce volcan humain'); his titanic will is equal to the explosion of instinctive, animal rage.

Thus Balzac's more than life-size creatures (are they superhuman or subhuman?) are confronted by inescapable situations and set before us in a language which strives to be equal to their stature. Because they can be no more than the words which give them shape, their creator is constantly reaching out towards the absolute of expressivity in order to impose their magnitude upon us. Just as Vautrin, bound yet defiant, resembles *l'archange déchu qui veut toujours la guerre*, so Madame de Beauséant later achieves *les proportions des déesses de l'Iliade* (p. 194) and Goriot momentarily appears as *ce Christ de la Paternité* (p. 163). At such moments Balzac pays tribute to his own imagination and makes immodest claims for his fictional characters. Some readers find this extravagance hard to take and reject such grandiose analogies on grounds of proportion and taste. But those of us who have fallen under Balzac's spell willingly suspend our disbelief and recognise that if vision and language sometimes falter it is because what is being attempted is ultimately beyond the possibilities of human expression. Balzac relentlessly pursued the Absolute and though he inevitably failed to attain it, his work remains an enduring testimony to the ardour of the creative spirit and to the grandeur of man. Dostoevsky (also accused of stylistic enormities) expressed his enthusiasm for Balzac in eloquent and striking words: 'His characters are the product of the intelligence of the universe! It is not the spirit of the epoch, but of millions of years of struggle, which have ended by producing this result in a human heart.'

Throughout his work Balzac relies heavily on image-laden language to achieve a variety of effects. In *Le Père Goriot* there are more than 1250 metaphors and similes making an average of five per page (four times greater than the average in *Madame Bovary*, five times that in *A la recherche du temps perdu*). Balzac's figures of speech are for the most part short, direct and pungent in keeping with his turbulent, conversational language; he rarely develops an image for its own sake, as does Flaubert, or approaches the subtle modulations of Proust. Like Hugo he does not shun the cliché and the popular hyperbole: remorse gnaws, emotional daggers plunge, hearts are rent by claws of steel, magnetic glances strike. The pervasive atmosphere of hostility and violence is emphasised by means of metaphors and similes based on military tactics and warfare: Parisian society is *un champ de bataille* (p. 58) on which it is necessary to kill in order not to be killed (p. 91); clothes are 'weapons', women are 'adversaries', love is duel and combat. The world is also a jungle in which only the fittest survive; human beings are frequently reduced by unflattering comparisons to the level of bestial creatures.* Madame Vauquer resembles a rat and a parrot, Poiret is an amorous ram, Mademoiselle Michonneau a bat; Vautrin's instinctive nature, belied by his imperturbability, is emphasised by the references to him as *lion* and *chat sauvage*. The ambiguity of Goriot's passion is stressed by frequent canine comparisons; his love, admirable in his selflessness and devotion, also contains a vicious element. He is brought to confess that his daughters have been his 'mistresses', and we witness his degradation as, dog-like, he fawns at Delphine's feet (p. 164). Further dehumanisation of character is effected by analogies with objects: Poiret is a *mécanique* (p. 10), a *pivot* (p. 11), Mademoiselle Michonneau a *squelette* (p. 10). Throughout the novel deliberately exaggerated figures of speech achieve a richly comic note: Madame Vauquer's face is *fraîche comme une première gelée d'automne* (p. 7), Mademoiselle Michonneau is *Vénus du Père-Lachaise* (p. 136), Nucingen resembles *une tête de veau sur un corps de porc* (p. 135). Balzac's view of humanity embraces the grotesque, the comic, the pathetic and the sublime, and although his vision is essentially tragic, he finds much that is grossly ridiculous and touchingly humorous in the antics of his creatures. His imagery, rich, varied and intense, provides a guide to the nature of his world and an indication of his attitude towards it.

*   *   *

Balzac is certainly far from being a reticent author, and in the opening two pages of the novel (into which he inserts a kind of dramatised preface) he displays many of the rhetorical devices which, as omniscient and loquacious narrator, he will continue to use throughout. The passage, beginning on line 11 of the first page, provides insight into the subject and scope of the novel and the effect Balzac wishes it to have upon the reader.† The rhythm of the

* The nature and function of the 120 animal images in the novel have been examined in detail by Léon-François Hoffman in *L'Année balzacienne* (1963).
   † This passage has been briefly examined by Marcel Cressot in *Le Style et ses techniques* (Paris, 1947), pp. 237–43.

language and the abruptness of the digression underline the narrator's contention that we are not going to be permitted idly to contemplate a frivolous piece of *fiction* but are going to be forced to participate in a *drame* which will be both moving and true to life. Pointing to the physical decadence of the city and the depravity of its inhabitants, Balzac predicts that his Parisian readers may be tempted to remain culpably indifferent to the misfortunes about to be related. The passage concludes with a return to the word *drame* which finally is given the resonance and value which the author wishes us to accept.

Balzac's imagery, vocabulary and syntax in these lines prepare us for the pitch and tone of many of his later digressions. Forceful adjectives are set together or placed in strong positions (*manière abusive et tortionnaire, douloureuse littérature*); repetition and chiasma ram home major points and shock the reader into acquiescence (*vous qui tenez . . . vous qui vous enfoncez, les égoïsmes, les intérêts s'arrêtent et s'apitoient*, etc.). The rhythmical movement of the sentences and the emphatic quality of the phrasing suggest the turbulence of the city, the violence of the oncoming drama and the extent of the narrator's involvement (*terriblement agité, fruit promptement dévoré, marche glorieuse*). And a noticeable fondness for antithesis reveals a fundamental tendency, present throughout the novel, to express experience in terms of contrast and antagonism (*souffrances . . . joies, vices . . . vertus, insensibilité . . . infortunes, exagération . . . véritable*). The succession of adversatives, qualifying adverbs, interrogatives and exclamations point to an imagination actively engaged in the struggle to uncover a truth which defies simple expression and to impose it upon a recalcitrant audience.

In undertaking his task, the narrator clearly wishes to disassociate himself from inferior literary productions and to set himself up as a man of learning, compassion and integrity. The rhetoric employed bears upon his work, himself and his readers and is used primarily as a weapon of insistent propaganda. In our consideration of Balzac as narrator we clearly are to be impressed first of all by his erudition which is displayed by the Latinism *intra muros* et *extra*, by the quotation in English and by the reference to the exotic *Jaggernat*. Moreover he is a writer attentive to the nuances of language, since the word *drame* is used only after considerable qualification. He is sensitive to the sufferings and misfortunes which lie beneath the surface of the modern city and aware of the dramas to be discovered there; but he does not propose to exploit these misfortunes for purposes of *fiction* or *poésie*. It is the naked truth which is to form the substance of his 'history'.

The glimpse of the narrator's personality which this passage provides is richly illuminating. Balzac not only draws attention to the flamboyant and domineering side of his nature but he also unconsciously reveals his pretentious and ingenuous character. There is something irresistibly comic in the massive use of hyperbole as a means of forestalling the charge of exaggeration. And we are at once and forcibly made aware that we are in the presence of a strident, self-confident, hectoring voice which will stop at nothing to win us over. It is rather like the 'walk up, walk up' of the fairground barker who vociferously proclaims the excellence of his own exhibition and does not hesitate to denigrate those of his rivals. The fastidious will doubtless shudder and move away, but those with a strong stomach and a zest for adventure will put down their half-crown and undoubtedly get their money's worth.

As might be expected, this particular showman follows us inside and continues his inspired patter: throughout the novel Balzac remains close to his audience and conspicuously involved in his dramatic performance. It is an *obscure, mais effroyable tragédie parisienne* (p. 69), described in *tons vrais* (p. 9) and containing a moral lesson which is both *belle* and *dramatique* (p. 98). At times Balzac enthusiastically heightens his own effects by commenting upon them admiringly (*Comparaison vraie!* [p. 4], *Horrible et majestueux spectacle!* [p. 151]); it seems that he cannot restrain his spontaneous congratulations. Self-praise is generally considered no recommendation; but it is here so ingenuously imparted and so heroically earned that we may well find ourselves joining in the chorus. Less appealing, perhaps, is the continuing parade of information and display of erudition; Balzac the loquacious autodidact can be a bit of a bore. We are subjected to his views on tailors, student life, gastronomy, education, fashion, and, of course, women and love. Many of the comments emerge quite spontaneously from a particular situation and provide insight into the actions of the characters as well as into the life of the times. Here one would include passages connected with Rastignac which are concerned with the trials of student life and the drama of ambition (e.g. pp. 24, 117, 167–8); in these instances the generalisations help to explain and justify the particular situation. On the other hand, the reader may often be irritated by the frequent (and contradictory) pronouncements on sentiment and passion (*l'amour est une religion, l'amour n'est peut-être que la reconnaissance du plaisir, le désir ne naît pas moins de la difficulté que de la facilité des triomphes,* etc., etc.). In this matter our reactions depend not only on the quality of the particular observations themselves but also on our attitude to their very presence in the novel. Post-Flaubertian writers tend to fuse their opinions more subtly into the texture of the work; and it has become fashionable to talk about the rhetorical 'impurities' of those earlier novelists who have a weakness for informal asides and unguarded preaching. Certainly it never occurred to Balzac or to his contemporaries that literature should not be informative and instructive as well as amusing; and the disdainful reference to *fiction* and *roman* at the beginning of *Le Père Goriot* implies a condemnation of art as mere entertainment. After reading the opening paragraph of the novel, then, the reader knows that he can expect lengthy digressions and lucubrations. He may reject all of them on principle or some of them on grounds of taste; it is partly a matter of aesthetics and partly a question of tact.

The passage under discussion also contains a direct and apparently uncompromising assault on the reader ('vous qui tenez ce livre d'une main blanche . . .', etc.). For the most part Balzac continues to dominate his audience and to insist that it is his vision which must exclusively command attention. Present, past and future hold no secrets, the lives of characters are fully known and could be almost indefinitely expanded (Victorine's complete story alone, for example, 'eût fourni le sujet d'un livre' [p. 11]). Balzac's self-confidence is contagious and his world provides much of its own propaganda; but rhetoric is nonetheless often used to invite collaboration and to gain assent. The reader is sometimes addressed directly (*figurez-vous, sachez-le bien*) and appeals are made to personal experience and judgment. At times Balzac is at pains to justify a digression or a modification (*il est nécessaire, chacun comprendra mieux*) and he pretends to be indebted to Rastignac for information received (p. 9). There are even moments when he claims to be in doubt about certain details and obliged to hazard a guess at a motive or a situation (he appears to be unsure of some aspects of the past of Poiret and Mademoiselle Michonneau, for example, and there are occasions on which the use of *peut-être* and *sans doute* implies a lack of complete certitude). But these instances are comparatively rare; for the most part he remains very much in command of his subject and compels us to accept his omniscient view of character, his unrivalled sense of drama and his encyclopaedic knowledge of the world he is in the act of creating.

B

BIBLIOGRAPHY

BALZAC's device of continuing the adventures of his characters from novel to novel makes further reading practically compulsory. In this respect the most satisfactory edition of the *Comédie humaine* is the Pléiade edition, which has the great advantage of containing Dr Lotte's repertory of characters (vol. xi, 1959, revised edition, 1964). With the aid of this indispensable repertory it is possible to follow the fortunes of the various characters in *Le Père Goriot*, and to begin to sense the complexity of the structure of the *Comédie humaine*. Rastignac reappears in numerous works, notably in *La Maison Nucingen* (1838) and *Une Fille d'Ève* (1838–9); in the preface to the latter novel, Balzac discusses the whole question of the reappearing characters, and provides a brief résumé of Rastignac's career. Madame de Beauséant's retirement from the world had been treated before the composition of *Le Père Goriot* in *La Femme abandonnée* (1832), and *La Duchesse de Langeais* (1833–4) had recounted the love affair between the duchesse de Langeais and Montriveau. Vautrin's extraordinary adventures (he finally becomes chief of police!) are developed in *Splendeurs et misères des courtisanes*. Sentimental readers will be glad to discover that Poiret and Mademoiselle Michonneau are finally joined in holy matrimony (v 942).

Bibliographical information on Balzac and his work can be found in W. H. Royce's immense *Balzac Bibliography*, published in 1929. Since 1960 *L'Année balzacienne* has provided valuable information on work published and in progress. Two articles in English journals summarise recent publications:

Gould, Charles. 'The Present State of Balzac Studies', *French Studies*, xii (1958), pp. 293–323.
Pugh, Anthony. 'Ten Years of Balzac Studies', *Modern Languages*, xlvi (1965), pp. 91–7.

The best biographies of Balzac are:
Hunt, H. J. *Honoré de Balzac*, London, 1957.
Maurois, André. *Prométhée ou la vie de Balzac*, Paris, 1965.

Among the many general introductions to the *Comédie humaine*, the following are particularly valuable:
Bardèche, Maurice. *Une Lecture de Balzac*, Paris, 1964.
Bellessort, André. *Balzac et son œuvre*, Paris, 1946.

Hunt, H. J. *Balzac's* Comédie humaine, London, 1959.
Levin, Harry. 'Balzac' in *The Gates of Horn*, Oxford, 1963.

There are numerous studies of aspects of Balzac's thought — political (Guyon, Würmser), philosophical (Béguin, Evans, Poulet), religious (Bertault), aesthetic (Laubriet):
Béguin, Albert. *Balzac visionnaire*, Geneva, 1946.
Bertault, Philippe. *Balzac et la religion*, Paris, 1942.
Curtius, E.-R. *Balzac* (trans. H. Jourdan), Paris, 1933.
Evans, Henri. Louis Lambert *et la philosophie de Balzac*, Paris, 1951.
Guyon, Bernard. *La Pensée politique et sociale de Balzac*, Paris, 1947.
Laubriet, Pierre. *L'Intelligence de l'art chez Balzac*, Paris, 1961.
Poulet, Georges. 'Balzac', in *La Distance intérieure*, Paris, 1952.
Würmser, André. *La Comédie inhumaine*, Paris, 1964.

Comparatively little work has been done on Balzac's fictional technique. The following are useful general studies or contain references to Balzac:
Bardèche, Maurice. *Balzac romancier*, Paris, 1940.
Butor, Michel. 'Balzac et la réalité', in *Répertoire*, Paris, 1960.
James, Henry. 'The Lesson of Balzac', in *The Future of the Novel*, New York, 1956.
Lubbock, Percy. *The Craft of Fiction*, New York, 1957.
Rogers, Samuel. *Balzac and the Novel*, University of Wisconsin Press, 1953.

Detailed studies of Balzac's style are regrettably rare:
Pommier, Jean. *L'Invention et l'écriture dans* La Torpille *de Balzac*, Paris, 1957.
Roques, Mario. 'La Langue de Balzac', in *Le Livre du Centenaire*, Paris, 1952.
Sayce, R. A. 'Balzac', in *Style in French Prose*, Oxford, 1953.
Ullmann, Stephen. 'Portrayal of the Parisian Underworld', in *Style in the French Novel*, Cambridge, 1957.

The following books and articles have been devoted to *Le Père Goriot* itself:
Adamson, Donald. '*Le Père Goriot*: Notes towards a Reassessment', *Symposium* (Summer 1965), pp. 101–14.
Bardèche, Maurice. '*Le Père Goriot*' in *Balzac romancier*, Paris, 1940.
Bertaut, Jules. Le Père Goriot *de Balzac*, Paris, 1947.
Castex, P.-G. 'Introduction' to his edition of *Le Père Goriot*, Paris, 1963.

Conner, Wayne. 'On Balzac's *Goriot*', *Symposium*, viii (1954), pp. 68–75.

Hoffman, Léon-François. 'Les Métaphores Animales dans *Le Père Goriot*', *L'Année balzacienne* (1963), pp. 91–103.

Lock, Peter. *Balzac: Le Père Goriot*, Edward Arnold, London, 1967.

Michaud, Guy. 'L'Unité du *Père Goriot*', in *L'Œuvre et ses techniques*, Paris, 1957.

Pugh, Anthony. 'Complexity of *Goriot*', in *Esprit Créateur*, Spring 1967.

Pugh, Anthony. 'Personnages reparaissants avant *Le Père Goriot*', *L'Année balzacienne* (1964), pp. 215–37.

Pugh, Anthony. 'Recurring Characters in *Le Père Goriot*', *Modern Language Review*, lvii (1962), pp. 518–22.

Turnell, Martin. '*Le Père Goriot*', in *The Novel in France*, New York, 1951.

Yarrow, P. J. '*Le Père Goriot* reconsidered', *Essays in Criticism* (1957), pp. 363–73.

LE PÈRE GORIOT

Au grand et illustre Geoffroy Saint-Hilaire[1]
Comme un témoignage d'admiration de ses travaux et de son génie

DE BALZAC

I. UNE PENSION BOURGEOISE

Madame Vauquer, née de Conflans, est[1] une vieille femme qui, depuis quarante ans, tient à Paris une pension bourgeoise établie rue Neuve-Sainte-Geneviève,[2] entre le quartier latin[3] et le faubourg Saint-Marceau. Cette pension, connue sous le nom de la Maison-Vauquer, admet également des hommes et des femmes, des jeunes gens et des vieillards, sans que jamais la médisance ait attaqué les mœurs de ce respectable[4] établissement. Mais aussi depuis trente ans ne s'y était-il jamais vu de jeune personne, et pour qu'un jeune homme y demeure, sa famille doit-elle lui faire une bien maigre pension. Néanmoins, en 1819, époque à laquelle ce drame commence, il s'y trouvait une pauvre jeune fille. En quelque discrédit que soit tombé le mot drame par la manière abusive et tortionnaire dont il a été prodigué dans ces temps de douloureuse littérature,[5] il est nécessaire de l'employer ici: non que cette histoire soit dramatique dans le sens vrai du mot; mais, l'œuvre accomplie, peut-être aura-t-on versé quelques larmes *intra muros* et *extra*.[6] Sera-t-elle comprise au delà de Paris? le doute est permis. Les particularités de cette scène pleine d'observations et de couleurs locales[7] ne peuvent être appréciées qu'entre les buttes[8] de Montmartre et les hauteurs de Montrouge, dans cette illustre vallée de plâtras incessamment près de tomber et de ruisseaux noirs de boue;[9] vallée remplie de souffrances réelles, de joies souvent fausses, et si terriblement agitée qu'il faut je ne sais quoi d'exorbitant pour y produire une sensation de quelque durée. Cependant il s'y rencontre çà et là des douleurs que l'agglomération des vices et des vertus rend grandes et solennelles: à leur aspect,[10] les égoïsmes, les intérêts, s'arrêtent et s'apitoient; mais l'impression qu'ils en reçoivent est comme un fruit savoureux promptement dévoré. Le char de la civilisation, semblable à celui de l'idole de Jaggernat,[11] à peine retardé par un cœur moins facile à broyer que les autres et qui enraie[12] sa roue, l'a brisé bientôt et continue sa marche glorieuse. Ainsi ferez-vous, vous qui tenez ce livre d'une main blanche, vous qui vous enfoncez dans un moelleux fauteuil en vous disant: Peut-être ceci va-t-il m'amuser.[13] Après avoir lu les secrètes[14] infortunes du père Goriot, vous dînerez avec appétit en mettant votre insensibilité sur le compte de l'auteur, en le taxant d'exagération, en l'accusant de poésie. Ah! sachez-le: ce drame n'est ni une fiction, ni un roman. *All is true*, il est si véritable, que chacun peut en reconnaître les éléments chez soi, dans son cœur peut-être.

La maison où s'exploite la pension bourgeoise appartient à madame Vauquer. Elle est située dans le bas de la rue Neuve-Sainte-Geneviève, à l'endroit où le terrain s'abaisse vers la rue de l'Arbalète par une pente si brusque et si rude que les chevaux la montent ou la descendent rarement. Cette circonstance est favorable au silence qui règne dans ces rues serrées entre le dôme du Val-de-Grâce[1] et le dôme du Panthéon, deux monuments qui changent les conditions de l'atmosphère en y jetant des tons jaunes,[2] en y assombrissant tout par les teintes sévères que projettent leurs coupoles. Là, les pavés sont secs, les ruisseaux n'ont ni boue ni eau, l'herbe croît[3] le long des murs. L'homme le plus insouciant s'y attriste comme tous les passants, le bruit d'une voiture y devient un événement, les maisons y sont mornes, les murailles y sentent la prison. Un Parisien égaré ne verrait là que des pensions bourgeoises ou des institutions, de la misère ou de l'ennui, de la vieillesse qui meurt, de la joyeuse jeunesse contrainte à travailler. Nul quartier de Paris n'est plus horrible, ni, disons-le, plus inconnu. La rue Neuve-Sainte-Geneviève surtout est comme un cadre de bronze, le seul qui convienne à ce récit, auquel on ne saurait trop préparer l'intelligence par des couleurs brunes, par des idées graves; ainsi que, de marche en marche, le jour diminue et le chant du conducteur se creuse, alors que le voyageur descend aux Catacombes. Comparaison vraie! Qui décidera de ce qui est plus horrible à voir, ou des cœurs desséchés, ou des crânes vides?

La façade de la pension donne sur un jardinet, en sorte que la maison tombe à angle droit sur la rue Neuve-Sainte-Geneviève, où vous la voyez coupée dans sa profondeur. Le long de cette façade, entre la maison et le jardinet, règne un cailloutis en cuvette,[4] large d'une toise, devant lequel est une allée sablée, bordée de géraniums, de lauriers-roses et de grenadiers plantés dans de grands vases en faïence bleue et blanche. On entre dans cette allée par une porte bâtarde,[5] surmontée d'un écriteau sur lequel est écrit: MAISON-VAUQUER, et dessous: *Pension bourgeoise des deux sexes et autres*.[6] Pendant le jour, une porte à claire-voie,[7] armée d'une sonnette criarde, laisse apercevoir au bout du petit pavé, sur le mur opposé à la rue, une arcade peinte en marbre vert par un artiste du quartier. Sous le renfoncement[8] que simule cette peinture, s'élève une statue représentant l'Amour. A voir le vernis écaillé qui la couvre, les amateurs de symboles[9] y découvriraient peut-être un mythe de l'amour parisien qu'on guérit à quelques pas de là.[10] Sous le socle, cette inscription à demi effacée rappelle le temps auquel remonte cet ornement par l'enthousiasme dont il témoigne pour Voltaire, rentré dans Paris en 1777 :[1]

> *Qui que tu sois, voici ton maître:*
> *Il l'est, le fut, ou le doit être.*

A la nuit tombante, la porte à claire-voie est remplacée par une porte pleine. Le jardinet, aussi large que la façade est longue, se trouve encaissé par le mur de la rue et par le mur mitoyen de la maison voisine, le long de laquelle pend un manteau de lierre qui la cache entièrement, et attire les yeux des passants par un effet pittoresque dans Paris. Chacun de ces murs est tapissé d'espaliers et de vignes dont les fructifications grêles et poudreuses sont l'objet des craintes annuelles de madame Vauquer et de ses conversations avec les pensionnaires. Le long de chaque muraille, règne une étroite allée qui mène à un couvert de tilleuls, mot que madame Vauquer, quoique née de Conflans, prononce obstinément *tieulles*, malgré les observations grammaticales de ses hôtes. Entre les deux allées latérales est un carré d'artichauts flanqué d'arbres fruitiers en quenouille,[2] et bordé d'oseille, de laitue ou de persil. Sous le couvert de tilleuls est plantée une table ronde peinte en vert, et entourée de sièges. Là, durant les jours caniculaires, les convives assez riches[3] pour se permettre de prendre du café viennent le savourer par une chaleur capable de faire éclore des œufs. La façade, élevée de trois étages et surmontée de mansardes, est bâtie en moellons[4] et badigeonnée avec cette couleur jaune qui donne un caractère ignoble à presque toutes les maisons de Paris. Les cinq croisées percées à chaque étage ont de petits carreaux et sont garnies de jalousies dont aucune n'est relevée de la même manière, en sorte que toutes leurs lignes jurent entre elles. La profondeur de cette maison comporte deux croisées qui, au rez-de-chaussée, ont pour ornement des barreaux en fer, grillagés. Derrière le bâtiment est une cour large d'environ vingt pieds, où vivent en bonne intelligence des cochons, des poules, des lapins, et au fond de laquelle s'élève un hangar[5] à serrer le bois. Entre ce hangar et la fenêtre de la cuisine se suspend le garde-manger, au-dessous duquel tombent les eaux grasses de l'évier. Cette cour a sur la rue Neuve-Sainte-Geneviève une porte étroite par où la cuisinière chasse les ordures de la maison en nettoyant cette sentine[6] à grand renfort d'eau, sous peine de pestilence.

Naturellement destiné à l'exploitation de la pension bourgeoise, le rez-de-chaussée se compose d'une première pièce éclairée par les deux croisées de la rue, et où l'on entre par une porte-fenêtre. Ce salon communique à une salle à manger qui est séparée de la cuisine par la cage d'un escalier dont les marches sont en bois et en carreaux mis en couleur et frottés. Rien n'est plus triste à voir que ce salon meublé de fauteuils et de chaises en étoffe de crin[1] à raies alternativement mates et luisantes. Au milieu se trouve une table ronde à dessus de marbre Sainte-Anne,[2] décorée de ce cabaret[3] en porcelaine blanche ornée de filets d'or effacés à demi, que l'on rencontre partout aujourd'hui. Cette pièce, assez mal planchéiée, est lambrissée à hauteur d'appui.[4] Le surplus[5] des parois est tendu d'un papier verni représentant les principales scènes de *Télémaque*,[6] et dont les classiques personnages sont coloriés. Le panneau d'entre les croisées grillagées offre aux pensionnaires le tableau du festin donné au fils d'Ulysse par Calypso. Depuis quarante ans, cette peinture excite les plaisanteries des jeunes pensionnaires, qui se croient supérieurs à leur position en se moquant du dîner auquel la misère les condamne. La cheminée en pierre, dont le foyer toujours propre atteste qu'il ne s'y fait de feu que dans les grandes occasions, est ornée de deux vases pleins de fleurs artificielles, vieillies et encagées,[7] qui accompagnent une pendule en marbre bleuâtre du plus mauvais goût. Cette première pièce exhale une odeur sans nom dans la langue, et qu'il faudrait appeler l'*odeur de pension*. Elle sent le renfermé, le moisi, le rance; elle donne froid, elle est humide au nez, elle pénètre les vêtements; elle a le goût d'une salle où l'on a dîné; elle pue le service, l'office, l'hospice.[8] Peut-être pourrait-elle se décrire si l'on inventait un procédé pour évaluer les quantités élémentaires et nauséabondes qu'y jettent les atmosphères catarrhales et *sui generis*[9] de chaque pensionnaire, jeune ou vieux. Eh bien! malgré ces plates horreurs, si vous[10] le compariez à la salle à manger, qui lui est contiguë, vous trouveriez ce salon élégant et parfumé comme doit l'être un boudoir. Cette salle, entièrement boisée, fut jadis peinte en une couleur indistincte aujourd'hui, qui forme un fond sur lequel la crasse a imprimé ses couches de manière à y dessiner des figures bizarres. Elle est plaquée[11] de buffets gluants sur lesquels sont des carafes échancrées, ternies, des ronds de moiré métallique,[12] des piles d'assiettes en porcelaine épaisse, à bords bleus, fabriquées à Tournai. Dans un angle est placé une boîte à cases numérotées qui sert à garder les serviettes, ou tachées ou vineuses, de chaque pensionnaire. Il s'y rencontre de ces meubles indestructibles, proscrits partout, mais placés là comme le sont les débris de la civilisation aux Incurables.[13] Vous y verriez un baromètre à capucin[14] qui sort quand il pleut, des

gravures exécrables qui ôtent l'appétit, toutes encadrées en bois
verni à filets dorés;[1] un cartel en écaille incrustée de cuivre;[2] un
poêle vert, des quinquets d'Argand[3] où la poussière se combine avec
l'huile, une longue table couverte en toile cirée assez grasse pour
qu'un facétieux externe y écrive son nom en se servant de son doigt
comme de style,[4] des chaises estropiées, de petits paillassons piteux
en sparterie[5] qui se déroule toujours sans se perdre jamais, puis des
chaufferettes misérables à trous cassés, à charnières défaites, dont le
bois se carbonise. Pour expliquer combien ce mobilier est vieux,
crevassé, pourri, tremblant, rongé, manchot, borgne, invalide,
expirant,[6] il faudrait en faire une description qui retarderait trop
l'intérêt de cette histoire, et que les gens pressés ne pardonneraient
pas.[7] Le carreau rouge est plein de vallées produites par le frottement
ou par les mises en couleur.[8] Enfin, là règne la misère sans poésie;
une misère économe, concentrée, râpée. Si elle n'a pas de fange
encore, elle a des taches; si elle n'a ni trous ni haillons, elle va tomber
en pourriture.

Cette pièce est dans tout son lustre au moment où, vers sept
heures du matin, le chat de madame Vauquer précède sa maîtresse,
saute sur les buffets, y flaire le lait que contiennent plusieurs jattes
couvertes d'assiettes, et fait entendre son *rourou*[9] matinal. Bientôt la
veuve se montre, attifée[10] de son bonnet de tulle sous lequel pend un
tour de faux cheveux mal mis; elle marche en traînassant ses pantoufles grimacées.[11] Sa face vieillotte, grassouillette, du milieu de laquelle
sort un nez à bec de perroquet;[12] ses petites mains potelées, sa
personne dodue comme un rat d'église,[13] son corsage trop plein et
qui flotte, sont en harmonie avec cette salle où suinte[14] le malheur, où
s'est blottie la spéculation[15] et dont madame Vauquer respire l'air
chaudement fétide sans en être écœurée. Sa figure fraîche comme une
première gelée d'automne, ses yeux ridés, dont l'expression passe du
sourire prescrit aux danseuses à l'amer renfrognement de l'escompteur,[16] enfin toute sa personne explique la pension, comme la pension
implique sa personne.[17] Le bagne ne va pas sans l'argousin,[18] vous
n'imagineriez pas l'un sans l'autre. L'embonpoint blafard de cette
petite femme est le produit de cette vie, comme le typhus est la
conséquence des exhalaisons d'un hôpital. Son jupon de laine
tricotée, qui dépasse sa première jupe faite avec une vieille robe, et
dont la ouate s'échappe par les fentes de l'étoffe lézardée, résume le
salon, la salle à manger, le jardinet, annonce la cuisine et fait
pressentir les pensionnaires. Quand elle est là, ce spectacle est
complet.[19] Âgée d'environ cinquante ans, madame Vauquer ressemble

à toutes les *femmes qui ont eu des malheurs*. Elle a l'œil vitreux, l'air innocent d'une entremetteuse qui va se gendarmer pour se faire payer plus cher,[1] mais d'ailleurs prête à tout pour adoucir son sort, à livrer Georges ou Pichegru,[2] si Georges ou Pichegru étaient encore à livrer. Néanmoins, elle est *bonne femme au fond*, disent les pensionnaires, qui la croient sans fortune en l'entendant geindre et tousser comme eux. Qu'avait été monsieur Vauquer?[3] Elle ne s'expliquait jamais sur le défunt. Comment avait-il perdu sa fortune? Dans les malheurs, répondait-elle. Il s'était mal conduit envers elle, ne lui avait laissé que les yeux pour pleurer, cette maison pour vivre, et le droit de ne compatir à aucune infortune, parce que, disait-elle, elle avait souffert tout ce qu'il est possible de souffrir. En entendant trottiner sa maîtresse, la grosse Sylvie, la cuisinière, s'empressait de servir le déjeuner des pensionnaires internes.

Généralement les pensionnaires externes ne s'abonnaient qu'au dîner, qui coûtait trente francs par mois. A l'époque où cette histoire commence, les internes étaient au nombre de sept. Le premier étage contenait les deux meilleurs appartements de la maison. Madame Vauquer habitait le moins considérable, et l'autre appartenait à madame Couture, veuve d'un Commissaire-Ordonnateur[4] de la République française. Elle avait avec elle une très jeune personne, nommée Victorine Taillefer, à qui elle servait de mère. La pension de ces deux dames montait à dix-huit cent francs. Les deux appartements du second étaient occupés, l'un par un vieillard nommé Poiret; l'autre, par un homme âgé d'environ quarante ans, qui portait une perruque noire, se teignait les favoris, se disait ancien négociant, et s'appelait monsieur Vautrin.[5] Le troisième étage se composait de quatre chambres, dont deux étaient louées, l'une par une vieille fille nommée mademoiselle Michonneau, l'autre par un ancien fabricant de vermicelles, de pâtes d'Italie et d'amidon, qui se laissait nommer le père Goriot. Les deux autres chambres étaient destinées aux oiseaux de passage, à ces infortunés étudiants qui, comme le père Goriot et mademoiselle Michonneau, ne pouvaient mettre que quarante-cinq francs par mois à leur nourriture et à leur logement; mais madame Vauquer souhaitait peu leur présence et ne les prenait que quand elle ne trouvait pas mieux: ils mangeaient trop de pain. En ce moment, l'une de ces deux chambres appartenait à un jeune homme venu des environs d'Angoulême[6] à Paris pour y faire son Droit, et dont la nombreuse famille se soumettait aux plus dures privations afin de lui envoyer douze cents francs par an. Eugène de Rastignac, ainsi se nommait-il, était un de ces jeunes gens façonnés au travail par le malheur, qui comprennent dès le jeune âge les espérances que leurs parents placent en eux, et qui se préparent une belle destinée en calculant déjà la portée de leurs études, et, les adaptant par avance au mouvement futur de la société, pour être les premiers à la pressurer. Sans ses observations curieuses et l'adresse avec laquelle il sut se produire dans les salons de Paris, ce récit n'eût pas été coloré des tons vrais qu'il devra sans doute à son esprit sagace et à son désir de pénétrer les mystères d'une situation épouvantable,[1] aussi soigneusement cachée par ceux qui l'avaient créée que par celui qui la subissait.

Au-dessus de ce troisième étage étaient un grenier à étendre le linge et deux mansardes où couchaient un garçon de peine,[2] nommé Christophe, et la grosse Sylvie, la cuisinière. Outre les sept pensionnaires internes, madame Vauquer avait, bon an, mal an,[3] huit étudiants en Droit ou en Médecine, et deux ou trois habitués qui demeuraient dans le quartier, abonnés tous pour le dîner seulement. La salle contenait à dîner dix-huit personnes et pouvait en admettre une vingtaine; mais le matin, il ne s'y trouvait que sept locataires dont la réunion offrait pendant le déjeuner l'aspect d'un repas de famille. Chacun descendait en pantoufles, se permettait des observations confidentielles sur la mise[4] ou sur l'air des externes, et sur les événements de la soirée précédente, en s'exprimant avec la confiance de l'intimité. Ces sept pensionnaires étaient les enfants gâtés de madame Vauquer, qui leur mesurait avec une précision d'astronome les soins et les égards,[5] d'après le chiffre de leurs pensions. Une même considération affectait ces êtres rassemblés par le hasard. Les deux locataires du second ne payaient que soixante-douze francs par mois. Ce bon marché, qui ne se rencontre que dans le faubourg Saint-Marcel, entre la Bourbe et la Salpêtrière,[6] et auquel madame Couture faisait seule exception, annonce que ces pensionnaires devaient être sous le poids de malheurs plus ou moins apparents. Aussi le spectacle désolant que présentait l'intérieur de cette maison se répétait-il dans le costume de ses habitués, également délabrés.[7] Les hommes portaient des redingotes dont la couleur était devenue problématique, des chaussures comme il s'en jette au coin des bornes[8] dans les quartiers élégants, du linge élimé, des vêtements qui n'avaient plus que l'âme. Les femmes avaient des robes passées, reteintes, déteintes, de vieilles dentelles raccommodées, des gants glacés[9] par l'usage, des collerettes toujours rousses et des fichus éraillés.[10] Si tels étaient les habits, presque tous montraient des corps solidement charpentés, des constitutions qui avaient résisté aux tempêtes de la vie, des faces froides, dures, effacées comme celles des écus démonétisés.[1] Les bouches flétries étaient armées de dents avides. Ces pensionnaires faisaient pressentir des drames accomplis ou en action; non pas de ces drames joués à la lueur des rampes, entre des toiles peintes, mais des drames vivants et muets, des drames glacés qui remuaient chaudement le cœur, des drames continus.[2]

La vieille demoiselle Michonneau gardait sur ses yeux fatigués un crasseux abat-jour en taffetas vert, cerclé par du fil d'archal[3] qui aurait effarouché l'ange de la Pitié. Son châle à franges maigres et pleurardes[4] semblait couvrir un squelette, tant les formes qu'il cachait étaient anguleuses. Quel acide avait dépouillé cette créature de ses formes féminines? elle devait avoir été jolie et bien faite: était-ce le vice, le chagrin, la cupidité? avait-elle trop aimé, avait-elle été marchande à la toilette, ou seulement courtisane?[5] Expiait-elle les triomphes d'une jeunesse insolente au-devant de laquelle s'étaient rués les plaisirs par une vieillesse que fuyaient les passants? Son regard blanc donnait froid,[6] sa figure rabougrie menaçait. Elle avait la voix clairette d'une cigale criant[7] dans son buisson aux approches de l'hiver. Elle disait avoir pris soin d'un vieux monsieur affecté d'un catarrhe à la vessie et abandonné par ses enfants,[8] qui l'avaient cru sans ressource. Ce vieillard lui avait légué mille francs de rente viagère,[9] périodiquement disputé par les héritiers, aux calomnies desquels elle était en butte, Quoique le jeu des passions eût ravagé sa figure, il s'y trouvait encore certains vestiges d'une blancheur et d'une finesse dans le tissu qui permettaient de supposer que le corps conservait quelques restes de beauté.

Monsieur Poiret était une espèce de mécanique.[10] En l'apercevant[11] s'étendre comme une ombre grise le long d'une allée au Jardin-des-Plantes, la tête couverte d'une vieille casquette flasque, tenant à peine sa canne à pomme d'ivoire jauni dans sa main, laissant flotter les pans flétris[12] de sa redingote qui cachait mal une culotte presque vide, et des jambes en bas bleus qui flageolaient comme celles d'un homme ivre, montrant son gilet blanc sale et son jabot de grosse mousseline recroquevillée[13] qui s'unissait imparfaitement à sa cravate cordée autour de son cou de dindon, bien des gens se demandaient si cette ombre chinoise[14] appartenait à la race audacieuse des fils de Japhet[15] qui papillonnent sur le boulevard Italien. Quel travail avait pu le ratatiner ainsi? quelle passion avait bistré sa face bulbeuse, qui, dessinée en caricature, aurait paru hors du vrai?[16] Ce qu'il avait été? mais peut-être avait-il été employé au Ministère de la Justice, dans le bureau où les exécuteurs des hautes œuvres envoient leurs mémoires de frais, le compte des fournitures de voiles noirs pour les parricides, de son pour les paniers,[1] de ficelle pour les couteaux. Peut-être avait-il été receveur à la porte d'un abattoir, ou sous-inspecteur de salubrité.[2] Enfin, cet homme semblait avoir été l'un des ânes de notre grand moulin social, l'un de ces Ratons parisiens qui ne connaissent même pas leurs Bertrands,[3] quelque pivot sur lequel avaient tourné les infortunes ou les saletés publiques, enfin l'un de ces hommes dont nous disons, en les voyant: *Il en faut pourtant comme ça.* Le beau Paris ignore ces figures blêmes de souffrances morales ou physiques. Mais Paris est un véritable océan.[4] Jetez-y la sonde, vous n'en connaîtrez jamais la profondeur. Parcourez-le, décrivez-le! quelque soin que vous mettiez à le parcourir, à le décrire; quelque nombreux et intéressés que soient les explorateurs de cette mer, il s'y rencontrera toujours un lieu vierge, un antre inconnu, des fleurs, des perles, des monstres, quelque chose d'inouï, oublié par les plongeurs littéraires. La Maison Vauquer est une de ces monstruosités curieuses.

Deux figures y formaient un contraste frappant[5] avec la masse des pensionnaires et des habitués. Quoique mademoiselle Victorine Taillefer eût une blancheur maladive semblable à celle des jeunes filles attaquées de chlorose, et qu'elle se rattachât à la souffrance générale qui faisait le fond de ce tableau par une tristesse habituelle, par une contenance gênée, par un air pauvre et grêle, néanmoins son visage n'était pas vieux, ses mouvements et sa voix étaient agiles. Ce jeune malheur ressemblait à un arbuste aux feuilles jaunies, fraîchement planté dans un terrain contraire.[6] Sa physionomie roussâtre, ses cheveux d'un blond fauve, sa taille trop mince, exprimaient cette grâce que les poètes modernes trouvaient aux statuettes du Moyen-Age. Ses yeux gris mélangés de noir exprimaient une douceur, une résignation chrétiennes. Ses vêtements simples, peu coûteux, trahissaient des formes jeunes. Elle était jolie par juxtaposition. Heureuse, elle eût été ravissante: le bonheur est la poésie des femmes, comme la toilette en est le fard. Si la joie d'un bal eût reflété ses teintes rosées sur ce visage pâle; si les douceurs d'une vie élégante eussent rempli, eussent vermillonné ces joues déjà légèrement creusées; si l'amour eût ranimé ces yeux tristes, Victorine aurait pu lutter avec les plus belles jeunes filles. Il lui manquait ce qui crée une seconde fois la femme, les chiffons et les billets doux.[7] Son histoire eût fourni le sujet d'un livre.[8] Son père croyait avoir des raisons pour ne pas la reconnaître, refusait de la garder près de lui, ne lui accordait que six cents francs par an, et avait dénaturé sa fortune,[9] afin de pouvoir la transmettre en entier à son fils. Parente éloignée de la mère de Victorine, qui jadis était venue mourir de désespoir chez elle, madame Couture prenait soin de l'orpheline comme de son enfant. Malheureusement la veuve du Commissaire-Ordonnateur des armées de la République ne possédait rien au monde que son douaire[1] et sa pension ; elle pouvait laisser un jour cette pauvre fille, sans expérience et sans ressources, à la merci du monde. La bonne femme menait Victorine à la messe tous les dimanches, à confesse tous les quinze jours, afin d'en faire à tout hasard une fille pieuse. Elle avait raison. Les sentiments religieux offraient un avenir à cet enfant désavoué, qui aimait son père, qui tous les ans s'acheminait chez lui pour y apporter le pardon de sa mère ; mais qui, tous les ans, se cognait contre la porte de la maison paternelle, inexorablement fermée. Son frère, son unique médiateur, n'était pas venu la voir une seule fois en quatre ans, et ne lui envoyait aucun secours. Elle suppliait Dieu de dessiller les yeux de son père, d'attendrir le cœur de son frère, et priait pour eux sans les accuser. Madame Couture et madame Vauquer ne trouvaient pas assez de mots dans le dictionnaire des injures pour qualifier cette conduite barbare. Quand elles maudissaient ce millionnaire infâme, Victorine faisait entendre de douces paroles, semblables au chant du ramier blessé, dont le cri de douleur exprime encore l'amour.

Eugène de Rastignac avait un visage tout méridional, le teint blanc, des cheveux noirs, des yeux bleus.[2] Sa tournure, ses manières, sa pose habituelle dénotaient le fils d'une famille noble, où l'éducation première n'avait comporté que des traditions de bon goût. S'il était ménager de ses habits, si les jours ordinaires il achevait d'user les vêtements de l'an passé, néanmoins il pouvait sortir quelquefois mis comme l'est un jeune homme élégant. Ordinairement il portait une vieille redingote, un mauvais gilet, la méchante cravate noire, flétrie, mal nouée de l'Étudiant,[3] un pantalon à l'avenant[4] et des bottes ressemelées.

Entre ces deux personnages et les autres, Vautrin, l'homme de quarante ans, à favoris peints, servait de transition. Il était un de ces gens dont le peuple dit : Voilà un fameux gaillard ! Il avait les épaules larges, le buste bien développé, les muscles apparents, des mains épaisses, carrées et fortement marquées aux phalanges par des bouquets de poils touffus et d'un roux ardent. Sa figure, rayée par des rides prématurées, offrait des signes de dureté que démentaient ses manières souples et liantes.[5] Sa voix de basse-taille,[6] en harmonie avec sa grosse gaieté, ne déplaisait point. Il était obligeant et rieur.

Si quelque serrure allait mal, il l'avait bientôt démontée, rafistolée, huilée, limée, remontée, en disant: « Ça me connaît. » Il connaissait tout d'ailleurs, les vaisseaux, la mer, la France, l'étranger, les affaires, les hommes, les événements, les lois, les hôtels et les prisons.[1] Si quelqu'un se plaignait par trop, il lui offrait aussitôt ses services. Il avait prêté plusieurs fois de l'argent à madame Vauquer et à quelques pensionnaires; mais ses obligés seraient morts plutôt que de ne pas le lui rendre, tant, malgré son air bonhomme, il imprimait de crainte par un certain regard profond et plein de résolution.[2] A la manière dont il lançait un jet de salive, il annonçait un sang-froid imperturbable qui ne devait pas le faire reculer devant un crime pour sortir d'une position équivoque.[3] Comme un juge sévère, son œil semblait aller au fond de toutes les questions, de toutes les consciences, de tous les sentiments. Ses mœurs consistaient à sortir après le déjeuner, à revenir pour dîner, à décamper pour toute la soirée, et à rentrer vers minuit, à l'aide d'un passe-partout[4] que lui avait confié madame Vauquer. Lui seul jouissait de cette faveur. Mais aussi était-il au mieux avec la veuve, qu'il appelait maman en la saisissant par la taille, flatterie peu comprise! La bonne femme croyait la chose encore facile, tandis que Vautrin seul avait les bras assez longs pour presser cette pesante circonférence. Un trait de son caractère était de payer généreusement quinze francs par mois pour le *gloria*[5] qu'il prenait au dessert. Des gens moins superficiels[6] que ne l'étaient ces jeunes gens emportés par les tourbillons de la vie parisienne, ou ces vieillards indifférents à ce qui ne les touchait pas directement, ne se seraient pas arrêtés à l'impression douteuse que leur causait Vautrin. Il savait ou devinait les affaires de ceux qui l'entouraient, tandis que nul ne pouvait pénétrer ni ses pensées ni ses occupations. Quoiqu'il eût jeté son apparente bonhomie, sa constante complaisance et sa gaieté comme une barrière entre les autres et lui, souvent il laissait percer l'épouvantable profondeur de son caractère. Souvent une boutade digne de Juvénal,[7] et par laquelle il semblait se complaire à bafouer les lois, à fouetter la haute société, à la convaincre d'inconséquence avec elle-même, devait faire supposer qu'il gardait rancune à l'état social, et qu'il y avait au fond de sa vie un mystère soigneusement enfoui.

Attirée, peut-être à son insu,[8] par la force de l'un ou par la beauté de l'autre, mademoiselle Taillefer partageait ses regards furtifs, ses pensées secrètes, entre ce quadragénaire et le jeune étudiant; mais aucun d'eux ne paraissait songer à elle, quoique d'un jour à l'autre le hasard pût changer sa position et la rendre un riche parti. D'ailleurs aucune de ces personnes ne se donnait la peine de vérifier si les malheurs allégués par l'une d'elles étaient faux ou véritables. Toutes avaient les unes pour les autres une indifférence mêlée de défiance qui résultait de leurs situations respectives. Elles se savaient impuissantes à soulager leurs peines, et toutes avaient en se les contant épuisé la coupe des condoléances. Semblables à de vieux époux, elles n'avaient plus rien à se dire. Il ne restait donc entre elles que les rapports d'une vie mécanique, le jeu de rouages sans huile. Toutes devaient passer droit dans la rue devant un aveugle, écouter sans émotion le récit d'une infortune, et voir dans une mort la solution d'un problème de misère qui les rendait froides à la plus terrible agonie.¹ La plus heureuse de ces âmes désolées était madame Vauquer, qui trônait dans cet hospice libre. Pour elle seule ce petit jardin, que le silence et le froid, le sec et l'humide faisaient vaste comme un steppe, était un riant bocage.² Pour elle seule cette maison jaune et morne, qui sentait le vert-de-gris du comptoir, avait des délices. Ces cabanons lui appartenaient. Elle nourrissait ces forçats acquis à des peines perpétuelles, en exerçant sur eux une autorité respectée. Où ces pauvres êtres auraient-ils trouvé dans Paris, au prix où elle les donnait, des aliments sains, suffisants, et un appartement qu'ils étaient maîtres de rendre, sinon élégant ou commode, du moins propre et salubre? Se fût-elle permis une injustice criante, la victime l'aurait supportée sans se plaindre.

Une réunion semblable devait offrir et offrait en petit les éléments d'une société complète.³ Parmi les dix-huit convives il se rencontrait, comme dans les collèges, comme dans le monde, une pauvre créature rebutée, un souffre-douleur sur qui pleuvaient les plaisanteries. Au commencement de la seconde année, cette figure devint pour Eugène de Rastignac la plus saillante de toutes celles au milieu desquelles il était condamné à vivre encore pendant deux ans. Ce *Patiras*⁴ était l'ancien vermicellier, le père Goriot, sur la tête duquel un peintre aurait, comme l'historien, fait tomber toute la lumière du tableau. Par quel hasard ce mépris à demi haineux, cette persécution mélangée de pitié, ce non respect du malheur avaient-ils frappé le plus ancien pensionnaire? Y avait-il donné lieu par quelques-uns de ces ridicules ou de ces bizarreries que l'on pardonne moins qu'on ne pardonne des vices? Ces questions tiennent de près à bien des injustices sociales. Peut-être est-il dans la nature humaine de tout faire supporter à qui souffre tout par humilité vraie, par faiblesse ou par indifférence. N'aimons-nous pas tous à prouver notre force aux dépens de quelqu'un ou de quelque chose?⁵ L'être le plus débile, le gamin sonne à toutes les portes quand il gèle, ou se hisse pour écrire son nom sur un monument vierge.

Le père Goriot, vieillard de soixante-neuf ans environ, s'était retiré chez madame Vauquer, en 1813,[1] après avoir quitté les affaires. Il y avait d'abord pris l'appartement occupé par madame Couture, et donnait alors douze cents francs de pension, en homme pour qui cinq louis de plus ou de moins étaient une bagatelle. Madame Vauquer avait rafraîchi les trois chambres de cet appartement moyennant une indemnité préalable[2] qui paya, dit-on, la valeur d'un méchant ameublement composé de rideaux en calicot jaune, de fauteuils en bois verni couverts en velours d'Utrecht,[3] de quelques peintures à la colle,[4] et de papiers que refusaient les cabarets de la banlieue. Peut-être l'insouciante générosité que mit à se laisser attraper le père Goriot, qui vers cette époque était respectueusement nommé monsieur Goriot, le fit-elle considérer comme un imbécile qui ne connaissait rien aux affaires. Goriot vint muni d'une garderobe bien fournie, le trousseau magnifique du négociant qui ne se refuse rien en se retirant du commerce. Madame Vauquer avait admiré dix-huit chemises de demi-hollande,[5] dont la finesse était d'autant plus remarquable que le vermicellier portait sur son jabot dormant[6] deux épingles unies par une chaînette, et dont chacune était montée d'un gros diamant. Habituellement vêtu d'un habit bleu-barbeau,[7] il prenait chaque jour un gilet de piqué blanc,[8] sous lequel fluctuait son ventre piriforme[9] et proéminent, qui faisait rebondir une lourde chaîne d'or garnie de breloques. Sa tabatière, également en or, contenait un médaillon plein de cheveux qui le rendaient en apparence coupable de quelques bonnes fortunes.[10] Lorsque son hôtesse l'accusa d'être un *galantin*,[11] il laissa errer sur ses lèvres le gai sourire du bourgeois dont on a flatté le dada.[12] Ses *ormoires*[13] (il prononçait ce mot à la manière du menu peuple) furent remplies par la nombreuse argenterie de son ménage. Les yeux de la veuve s'allumèrent quand elle l'aida complaisamment à déballer et ranger les louches,[14] les cuillers à ragoût, les couverts, les huiliers, les saucières, plusieurs plats, des déjeuners en vermeil, enfin des pièces plus ou moins belles, pesant un certain nombre de marcs,[15] et dont il ne voulait pas se défaire. Ces cadeaux lui rappelaient les solennités de sa vie domestique. « Ceci, dit-il à madame Vauquer en serrant un plat et une petite écuelle dont le couvercle représentait deux tourterelles qui se becquetaient, est le premier présent que m'a fait ma femme, le jour de notre anniversaire. Pauvre bonne! elle y avait consacré ses économies de demoiselle. Voyez-vous, madame?

j'aimerais mieux gratter la terre avec mes ongles que de me séparer de cela.[1] Dieu merci! je pourrai prendre dans cette écuelle mon café tous les matins durant le reste de mes jours. Je ne suis pas à plaindre, j'ai sur la planche du pain de cuit[2] pour longtemps. » Enfin, madame Vauquer avait bien vu, de son œil de pie, quelques inscriptions sur le Grand-Livre[3] qui, vaguement additionnées, pouvaient faire à cet excellent Goriot un revenu d'environ huit à dix mille francs. Dès ce jour, madame Vauquer, née de Conflans, qui avait alors quarante-huit ans effectifs et n'en acceptait que trente-neuf, eut des idées. Quoique le larmier[4] des yeux de Goriot fût retourné, gonflé, pendant, ce qui l'obligeait à les essuyer assez fréquemment, elle lui trouva l'air agréable et comme il faut. D'ailleurs son mollet charnu, saillant, pronostiquait, autant que son long nez carré, des qualités morales auxquelles paraissait tenir la veuve, et que confirmait la face lunaire et naïvement niaise du bonhomme. Ce devait être une bête solidement bâtie, capable de dépenser tout son esprit en sentiment.[5] Ses cheveux en ailes de pigeon,[6] que le coiffeur de l'École Polytechnique vint lui poudrer tous les matins, dessinaient cinq pointes sur son front bas, et décoraient bien sa figure. Quoique un peu rustaud, il était si bien tiré à quatre épingles, il prenait si richement son tabac, il le humait en homme si sûr de toujours avoir sa tabatière pleine de macouba,[7] que le jour où monsieur Goriot s'installa chez elle, madame Vauquer se coucha le soir en rôtissant, comme une perdrix dans sa barde, au feu du désir qui la saisit de quitter le suaire de Vauquer pour renaître en Goriot.[8] Se marier, vendre sa pension, donner le bras à cette fine fleur de bourgeoisie, devenir une dame notable dans le quartier, y quêter pour les indigents, faire de petites parties le dimanche à Choisy, Soissy, Gentilly; aller au spectacle à sa guise, en loge, sans attendre les billets d'auteur que lui donnaient quelques-uns de ses pensionnaires, au mois de juillet: elle rêva tout l'Eldorado des petits ménages parisiens. Elle n'avait avoué à personne qu'elle possédait quarante mille francs amassés sou à sou. Certes elle se croyait, sous le rapport de la fortune, un parti sortable. « Quant au reste, je vaux bien le bonhomme! » se dit-elle en se retournant dans son lit, comme pour s'attester à elle-même des charmes que la grosse Sylvie trouvait chaque matin moulés en creux.

Dès ce jour, pendant environ trois mois, la veuve Vauquer profita du coiffeur de monsieur Goriot, et fit quelques frais de toilette, excusés par la nécessité de donner à sa maison un certain décorum en harmonie avec les personnes honorables qui la fréquentaient. Elle s'intrigua beaucoup pour changer le personnel de ses pensionnaires, en affichant la prétention de n'accepter désormais que les gens les plus distingués sous tous les rapports. Un étranger se présentait-il, elle lui vantait la préférence que monsieur Goriot, un des négociants les plus notables et les plus respectables de Paris, lui avait accordée. Elle distribua des prospectus en tête desquels se lisait: MAISON-VAUQUER. « C'était, disait-elle, une des plus anciennes et des plus estimées pensions bourgeoises du pays latin.¹ Il y existait une vue des plus agréables sur la vallée des Gobelins (on l'apercevait du troisième étage), et un *joli* jardin, au bout duquel s'ÉTENDAIT une ALLÉE de tilleuls. » Elle y parlait du bon air et de la solitude. Ce prospectus lui amena madame la comtesse de l'Ambermesnil, femme de trente-six ans, qui attendait la fin de la liquidation et le règlement d'une pension qui lui était due, en qualité de veuve d'un général mort sur *les* champs de bataille. Madame Vauquer soigna sa table, fit du feu dans les salons pendant près de six mois, et tint si bien les promesses de son prospectus, qu'*elle y mit du sien.*² Aussi la comtesse disait-elle à madame Vauquer, en l'appelant *chère amie*, qu'elle lui procurerait la baronne de Vaumerland et la veuve du colonel comte Picquoiseau, deux de ses amies, qui achevaient au Marais³ leur terme dans une pension plus coûteuse que ne l'était la Maison-Vauquer. Ces dames seraient d'ailleurs fort à leur aise quand les Bureaux de la Guerre auraient fini leur travail. « Mais, disait-elle, les Bureaux ne terminent rien. » Les deux veuves montaient ensemble après le dîner dans la chambre de madame Vauquer, et y faisaient de petites causettes en buvant du cassis et mangeant des friandises réservées pour la bouche de la maîtresse. Madame de l'Ambermesnil approuva beaucoup les vues de son hôtesse sur le Goriot, vues excellentes, qu'elle avait d'ailleurs devinées dès le premier jour; elle le trouvait un homme parfait.

— Ah! ma chère dame, un homme sain comme mon œil, lui disait la veuve, un homme parfaitement conservé, et qui peut donner encore bien de l'agrément à une femme.

La comtesse fit généreusement des observations à madame Vauquer sur sa mise, qui n'était pas en harmonie avec ses prétentions. « Il faut vous mettre sur le pied de guerre, » lui dit-elle. Après bien des calculs, les deux veuves allèrent ensemble au Palais-Royal, où elles achetèrent, aux Galeries de Bois,⁴ un chapeau à plumes et un bonnet. La comtesse entraîna son amie au magasin de *La Petite Jeannette*, où elles choisirent une robe et une écharpe. Quand ces munitions furent employées, et que la veuve fut sous les armes,⁵ elle ressembla parfaitement à l'enseigne du *Bœuf à la Mode*.⁶ Néanmoins elle se trouva si changée à son avantage, qu'elle se crut l'obligée de la comtesse, et, quoique peu *donnante*, elle la pria d'accepter un chapeau de vingt francs. Elle comptait, à la vérité, lui demander le service de sonder Goriot et de la faire valoir auprès de lui. Madame de l'Ambermesnil se prêta fort amicalement à ce manège, et cerna le vieux vermicellier avec lequel elle réussit à avoir une conférence; mais après l'avoir trouvé pudibond, pour ne pas dire réfractaire aux tentatives que lui suggéra son désir particulier de le séduire pour son propre compte, elle sortit révoltée de sa grossièreté.

— Mon ange, dit-elle à sa chère amie, vous ne tirerez rien de cet homme-là! il est ridiculement défiant, c'est un grippe-sou, une bête, un sot, qui ne vous causera que du désagrément.

Il y eut entre monsieur Goriot et madame de l'Ambermesnil des choses telles que la comtesse ne voulut même plus se trouver avec lui. Le lendemain, elle partit en oubliant de payer six mois de pension, et en laissant une défroque prisée cinq francs. Quelque âpreté que madame Vauquer mît à ses recherches, elle ne put obtenir aucun renseignement dans Paris sur la comtesse de l'Ambermesnil. Elle parlait souvent de cette déplorable affaire, en se plaignant de son trop de confiance, quoiqu'elle fût plus méfiante que ne l'est une chatte; mais elle ressemblait à beaucoup de personnes qui se défient de leurs proches, et se livrent au premier venu. Fait moral, bizarre, mais vrai, dont la racine est facile à trouver dans le cœur humain. Peut-être certaines gens n'ont-ils plus rien à gagner auprès des personnes avec lesquelles ils vivent; après leur avoir montré le vide de leur âme, ils se sentent secrètement jugés par elles avec une sévérité méritée; mais, éprouvant un invincible besoin de flatteries qui leur manquent, ou dévorés par l'envie de paraître posséder les qualités qu'ils n'ont pas, ils espèrent surprendre l'estime ou le cœur de ceux qui leur sont étrangers, au risque d'en déchoir un jour.[1] Enfin il est des individus nés mercenaires qui ne font aucun bien à leurs amis ou à leurs proches, parce qu'ils le doivent; tandis qu'en rendant service à des inconnus, ils en recueillent un gain d'amour-propre: plus le cercle de leurs affections est près d'eux, moins ils aiment; plus il s'étend, plus serviables ils sont. Madame Vauquer tenait sans doute de ces deux natures, essentiellement mesquines, fausses, exécrables.

— Si j'avais été ici, lui disait alors Vautrin, ce malheur ne vous serait pas arrivé! je vous aurais joliment dévisagé[2] cette farceuse-là. Je connais leurs *frimousses*.[3]

Comme tous les esprits rétrécis, madame Vauquer avait l'habitude de ne pas sortir du cercle des événements, et de ne pas juger leurs causes. Elle aimait à s'en prendre à autrui de ses propres fautes. Quand cette perte eut lieu, elle considéra l'honnête vermicellier comme le principe de son infortune, et commença dès lors, disait-elle, à se dégriser sur son compte. Lorsqu'elle eut reconnu l'inutilité de ses agaceries et de ses frais de représentation,[1] elle ne tarda pas à en deviner la raison. Elle s'aperçut alors que son pensionnaire avait déjà, selon son expression, ses allures.[2] Enfin il lui fut prouvé que son espoir si mignonnement caressé reposait sur une base chimérique, et qu'elle ne tirerait jamais rien de cet homme-là, suivant le mot énergique de la comtesse, qui paraissait être une connaisseuse. Elle alla nécessairement[3] plus loin en aversion qu'elle n'était allée dans son amitié. Sa haine ne fut pas en raison de son amour, mais de ses espérances trompées. Si le cœur humain trouve des repos en montant les hauteurs de l'affection, il s'arrête rarement sur la pente rapide des sentiments haineux. Mais monsieur Goriot était son pensionnaire, la veuve fut donc obligée de réprimer les explosions de son amour-propre blessé, d'enterrer les soupirs que lui causa cette déception, et de dévorer ses désirs de vengeance, comme un moine vexé par son prieur. Les petits esprits satisfont leurs sentiments, bons ou mauvais, par des petitesses incessantes. La veuve employa sa malice de femme à inventer de sourdes persécutions contre sa victime.[4] Elle commença par retrancher les superfluités introduites dans sa pension. « Plus de cornichons, plus d'anchois : c'est des duperies ! » dit-elle à Sylvie, le matin où elle rentra dans son ancien programme. Monsieur Goriot était un homme frugal, chez qui la parcimonie nécessaire aux gens qui font eux-mêmes leur fortune était dégénérée en habitude. La soupe, le bouilli, un plat de légumes, avaient été, devaient toujours être son dîner de prédilection. Il fut donc bien difficile à madame Vauquer de tourmenter son pensionnaire, de qui elle ne pouvait en rien froisser les goûts. Désespérée de rencontrer un homme in-attaquable, elle se mit à le déconsidérer, et fit ainsi partager son aversion pour Goriot par ses pensionnaires, qui, par amusement, servirent ses vengeances. Vers la fin de la première année, la veuve en était venue à un tel degré de méfiance,[5] qu'elle se demandait pourquoi ce négociant, riche de sept à huit mille livres de rente, qui possédait une argenterie superbe et des bijoux aussi beaux que ceux d'une fille entretenue, demeurait chez elle, en lui payant une pension si modique relativement à sa fortune. Pendant la plus grande partie de cette première année, Goriot avait souvent dîné dehors une ou deux fois par semaine ; puis, insensiblement, il en était arrivé à ne plus dîner en ville que deux fois par mois. Les petites parties fines du

sieur Goriot convenaient trop bien aux intérêts de madame Vauquer
pour qu'elle ne fût pas mécontente de l'exactitude progressive avec
laquelle son pensionnaire prenait ses repas chez elle. Ces changements furent attribués autant à une lente diminution de fortune
qu'au désir de contrarier son hôtesse. Une des plus détestables
habitudes de ces esprits lilliputiens est de supposer leurs petitesses
chez les autres. Malheureusement, à la fin de la deuxième année,
monsieur Goriot justifia les bavardages dont il était l'objet, en
demandant à madame Vauquer de passer au second étage, et de
réduire sa pension à neuf cents francs. Il eut besoin d'une si stricte
économie qu'il ne fit plus de feu chez lui pendant l'hiver. La veuve
Vauquer voulut être payée d'avance; à quoi consentit monsieur
Goriot, que dès lors elle nomma le père Goriot. Ce fut à qui
devinerait les causes de cette décadence. Exploration difficile!
Comme l'avait dit la fausse comtesse, le père Goriot était un
sournois, un taciturne. Suivant la logique des gens à tête vide, tous
indiscrets parce qu'ils n'ont que des riens à dire, ceux qui ne parlent
pas de leurs affaires en doivent faire de mauvaises. Ce négociant si
distingué devint donc un fripon, ce galantin fut un vieux drôle.
Tantôt, selon Vautrin, qui vint vers cette époque habiter la Maison-
Vauquer, le père Goriot était un homme qui allait à la Bourse et qui,
suivant une expression assez énergique de la langue financière,
carottait sur les rentes[1] après s'y être ruiné. Tantôt c'était un de ces
petits joueurs qui vont hasarder et gagner tous les soirs dix francs au
jeu. Tantôt on en faisait un espion attaché à la haute police; mais
Vautrin prétendait qu'il n'était pas assez rusé pour *en être*.[2] Le père
Goriot était encore un avare qui prêtait à la petite semaine,[3] un
homme qui nourrissait des numéros à la loterie.[4] On en faisait tout
ce que le vice, la honte, l'impuissance engendrent de plus mystérieux.
Seulement, quelque ignobles que fussent sa conduite ou ses vices,
l'aversion qu'il inspirait n'allait pas jusqu'à le faire bannir: il payait
sa pension. Puis il était utile, chacun essayait sur lui sa bonne ou
mauvaise humeur par des plaisanteries ou par des bourrades.
L'opinion qui paraissait plus probable, et qui fut généralement
adoptée, était celle de madame Vauquer. A l'entendre, cet homme si
bien conservé, sain comme son œil et avec lequel on pouvait avoir
encore beaucoup d'agrément, était un libertin qui avait des goûts
étranges. Voici sur quels faits la veuve Vauquer appuyait ses
calomnies. Quelques mois après le départ de cette désastreuse
comtesse qui avait su vivre pendant six mois à ses dépens, un matin,
avant de se lever, elle entendit dans son escalier le froufrou d'une

robe de soie et le pas mignon d'une femme jeune et légère qui filait chez Goriot, dont la porte s'était intelligemment[1] ouverte. Aussitôt la grosse Sylvie vint dire à sa maîtresse qu'une fille trop jolie pour être honnête, *mise comme une divinité,* chaussée en brodequins de prunelle[2] qui n'étaient pas crottés, avait glissé comme une anguille de la rue jusqu'à sa cuisine, et lui avait demandé l'appartement de monsieur Goriot. Madame Vauquer et sa cuisinière se mirent aux écoutes, et surprirent plusieurs mots tendrement prononcés pendant la visite, qui dura quelque temps. Quand monsieur Goriot reconduisit *sa dame,* la grosse Sylvie prit aussitôt son panier, et feignit d'aller au marché, pour suivre le couple amoureux.

— Madame, dit-elle à sa maîtresse en revenant, il faut que monsieur Goriot soit diantrement riche tout de même, pour les mettre sur ce pied-là. Figurez-vous qu'il y avait au coin de l'Estrapade un superbe équipage dans lequel *elle* est montée.

Pendant le dîner, madame Vauquer alla tirer un rideau, pour empêcher que Goriot ne fût incommodé par le soleil dont un rayon lui tombait sur les yeux.

— Vous êtes aimé des belles, monsieur Goriot, le soleil vous cherche, dit-elle en faisant allusion à la visite qu'il avait reçue. Peste! vous avez bon goût, elle était bien jolie.

— C'était ma fille, dit-il avec une sorte d'orgueil dans lequel les pensionnaires voulurent voir la fatuité d'un vieillard qui garde les apparences.

Un mois après cette visite, monsieur Goriot en reçut une autre. Sa fille qui, la première fois, était venue en toilette du matin, vint après le dîner et habillée comme pour aller dans le monde. Les pensionnaires, occupés à causer dans le salon, purent voir en elle une jolie blonde, mince de taille, gracieuse, et beaucoup trop distinguée pour être la fille d'un père Goriot.

— Et de deux![3] dit la grosse Sylvie, qui ne la reconnut pas.

Quelques jours après, une autre fille, grande et bien faite, brune, à cheveux noirs et à l'œil vif, demanda monsieur Goriot.[4]

— Et de trois! dit Sylvie.

Cette seconde fille, qui la première fois était aussi venue voir son père le matin, vint quelques jours après, le soir, en toilette de bal et en voiture.

— Et de quatre! dirent madame Vauquer et la grosse Sylvie, qui ne reconnurent dans cette grande dame aucun vestige de la fille simplement mise le matin où elle fit sa première visite.

Goriot payait encore douze cents francs de pension. Madame

Vauquer trouva tout naturel qu'un homme riche eût quatre ou cinq maîtresses, et le trouva même fort adroit de les faire passer pour ses filles. Elle ne se formalisa point de ce qu'il les mandait[1] dans la Maison-Vauquer. Seulement, comme ces visites lui expliquaient l'indifférence de son pensionnaire à son égard, elle se permit, au commencement de la deuxième année, de l'appeler *vieux matou*.[2] Enfin, quand son pensionnaire tomba dans les neuf cents francs, elle lui demanda fort insolemment ce qu'il comptait faire de sa maison, en voyant descendre une de ces dames. Le père Goriot lui répondit que cette dame était sa fille aînée.

— Vous en avez donc trente-six,[3] des filles ? dit aigrement madame Vauquer.

— Je n'en ai que deux, répliqua le pensionnaire avec la douceur d'un homme ruiné qui arrive à toutes les docilités de la misère.

Vers la fin de la troisième année,[4] le père Goriot réduisit encore ses dépenses, en montant au troisième étage et en se mettant à quarante-cinq francs de pension par mois. Il se passa de tabac, congédia son perruquier et ne mit plus de poudre. Quand le père Goriot parut pour la première fois sans être poudré, son hôtesse laissa échapper une exclamation de surprise en apercevant la couleur de ses cheveux, ils étaient d'un gris sale et verdâtre. Sa physionomie, que des chagrins secrets avaient insensiblement rendue plus triste de jour en jour, semblait la plus désolée de toutes celles qui garnissaient la table. Il n'y eut alors plus aucun doute. Le père Goriot était un vieux libertin dont les yeux n'avaient été préservés de la maligne influence des remèdes nécessités par ses maladies que par l'habileté d'un médecin. La couleur dégoûtante de ses cheveux provenait de ses excès et des drogues[5] qu'il avait prises pour les continuer. L'état physique et moral du bonhomme donnait raison à ces radotages. Quand son trousseau fut usé, il acheta du calicot à quatorze sous l'aune pour remplacer son beau linge. Ses diamants, sa tabatière d'or, sa chaîne, ses bijoux, disparurent un à un. Il avait quitté l'habit bleu-barbeau, tout son costume cossu, pour porter, été comme hiver, une redingote de drap marron grossier, un gilet en poil de chèvre, et un pantalon gris en cuir de laine. Il devint[6] progressivement maigre; ses mollets tombèrent; sa figure, bouffie par le contentement d'un bonheur bourgeois, se rida démesurément; son front se plissa, sa mâchoire se dessina.[7] Durant la quatrième année de son établissement rue Neuve-Sainte-Geneviève, il ne se ressemblait plus. Le bon vermicellier de soixante-deux ans qui ne paraissait pas en avoir quarante, le bourgeois gros et gras, frais de bêtise, dont la tenue égrillarde réjouissait les passants, qui avait quelque chose de jeune dans le sourire, semblait être un septuagénaire hébété, vacillant, blafard. Ses yeux bleus si vivaces prirent des teintes ternes et gris-de-fer, ils avaient pâli, ne larmoyaient plus, et leur bordure rouge semblait pleurer du sang. Aux uns, il faisait horreur; aux autres, il faisait pitié. De jeunes étudiants en Médecine, ayant remarqué l'abaissement de sa lèvre inférieure et mesuré le sommet de son angle facial, le déclarèrent atteint de crétinisme, après l'avoir longtemps houspillé sans en rien tirer. Un soir, après le dîner, madame Vauquer lui ayant dit en manière de raillerie: « Eh bien! elles ne viennent donc plus vous voir, vos filles ? » en mettant en doute sa paternité, le père Goriot tressaillit comme si son hôtesse l'eût piqué avec un fer.

— Elles viennent quelquefois, répondit-il d'une voix émue.

— Ah! ah! vous les voyez encore quelquefois! s'écrièrent les étudiants. Bravo, père Goriot!

Mais le vieillard n'entendit pas les plaisanteries que sa réponse lui attirait, il était retombé dans un état méditatif que ceux qui l'observaient superficiellement prenaient pour un engourdissement sénile dû à son défaut d'intelligence. S'ils l'avaient bien connu, peut-être auraient-ils été vivement intéressés par le problème que présentait sa situation physique et morale; mais rien n'était plus difficile. Quoiqu'il fût aisé de savoir si Goriot avait réellement été vermicellier, et quel était le chiffre de sa fortune, les vieilles gens dont la curiosité s'éveilla sur son compte ne sortaient pas du quartier et vivaient dans la pension comme des huîtres sur un rocher.[1] Quant aux autres personnes, l'entraînement particulier de la vie parisienne leur faisait oublier, en sortant de la rue Neuve-Sainte-Geneviève, le pauvre vieillard dont ils se moquaient. Pour ces esprits étroits, comme pour ces jeunes gens insouciants, la sèche misère du père Goriot et sa stupide attitude étaient incompatibles avec une fortune et une capacité quelconques. Quant aux femmes qu'il nommait ses filles, chacun partageait l'opinion de madame Vauquer, qui disait, avec la logique sévère que l'habitude de tout supposer donne aux vieilles femmes occupées à bavarder pendant leurs soirées: « Si le père Goriot avait des filles aussi riches que paraissaient l'être toutes les dames qui sont venues le voir, il ne serait pas dans ma maison, au troisième, à quarante-cinq francs par mois, et n'irait pas vêtu comme un pauvre. » Rien ne pouvait démentir ces inductions. Aussi, vers la fin du mois de novembre 1819, époque à laquelle éclata ce drame, chacun dans la pension avait-il des idées arrêtées sur le pauvre vieillard. Il n'avait jamais eu ni fille ni femme; l'abus des plaisirs en faisait un colimaçon, un mollusque anthropomorphe[1] à classer dans les *Casquettifères*,[2] disait un employé au Muséum, un des habitués à cachet.[3] Poiret était un aigle, un gentleman auprès de Goriot. Poiret parlait, raisonnait, répondait, il ne disait rien, à la vérité, en parlant, raisonnant ou répondant, car il avait l'habitude de répéter en d'autres termes ce que les autres disaient; mais il contribuait à la conversation, il était vivant, il paraissait sensible; tandis que le père Goriot, disait encore l'employé au Muséum, était constamment à zéro de Réaumur.[4]

Eugène de Rastignac était revenu dans une disposition d'esprit que doivent avoir connue les jeunes gens supérieurs, ou ceux auxquels une position difficile communique momentanément les qualités des hommes d'élite. Pendant sa première année de séjour à Paris, le peu de travail que veulent les premiers grades à prendre dans la Faculté l'avait laissé libre de goûter les délices visibles du Paris matériel. Un étudiant[5] n'a pas trop de temps s'il veut connaître le répertoire de chaque théâtre, étudier les issues du labyrinthe parisien, savoir les usages, apprendre la langue et s'habituer aux plaisirs particuliers de la capitale; fouiller les bons et les mauvais endroits, suivre les cours qui amusent, inventorier les richesses des musées. Un étudiant se passionne alors pour des niaiseries qui lui paraissent grandioses. Il a son grand homme, un professeur du Collège de France,[6] payé pour se tenir à la hauteur de son auditoire. Il rehausse sa cravate et se pose pour la femme des premières galeries de l'Opéra-Comique. Dans ces initiations successives, il se dépouille de son aubier,[7] agrandit l'horizon de sa vie, et finit par concevoir la superposition des couches humaines qui composent la société. S'il a commencé par admirer les voitures au défilé des Champs-Élysées par un beau soleil, il arrive bientôt à les envier. Eugène avait subi cet apprentissage à son insu, quand il partit en vacances, après avoir été reçu bachelier ès-Lettres et bachelier en Droit. Ses illusions d'enfance,[8] ses idées de province avaient disparu. Son intelligence modifiée, son ambition exaltée lui firent voir juste au milieu du manoir paternel, au sein de la famille. Son père, sa mère, ses deux frères, ses deux sœurs, et une tante dont la fortune consistait en pensions, vivaient sur la petite terre de Rastignac. Ce domaine d'un revenu d'environ trois mille francs était soumis à l'incertitude qui régit le produit tout industriel de la vigne, et néanmoins il fallait en extraire chaque année douze cent francs pour lui. L'aspect de cette constante détresse qui lui était généreusement cachée, la comparaison qu'il fut forcé d'établir entre ses sœurs, qui lui semblaient si belles dans son enfance, et les femmes de Paris, qui lui avaient réalisé le type d'une beauté rêvée, l'avenir incertain de cette nombreuse famille qui reposait sur lui,[1] la parcimonieuse attention avec laquelle il vit serrer les plus minces productions, la boisson faite pour sa famille avec les marcs de pressoir,[2] enfin une foule de circonstances inutiles à consigner ici, décuplèrent son désir de parvenir et lui donnèrent soif des distinctions. Comme il arrive aux âmes grandes, il voulut ne rien devoir qu'à son mérite. Mais son esprit était éminemment méridional; à l'exécution, ses déterminations devaient donc être frappées de ces hésitations qui saisissent les jeunes gens quand ils se trouvent en pleine mer, sans savoir ni de quel côté diriger leurs forces, ni sous quel angle enfler leurs voiles. Si d'abord il voulut se jeter à corps perdu dans le travail, séduit bientôt par la nécessité de se créer des relations, il remarqua combien les femmes ont d'influence sur la vie sociale, et avisa soudain à se lancer dans le monde, afin d'y conquérir des protectrices: devaient-elles manquer à un jeune homme ardent et spirituel dont l'esprit et l'ardeur étaient rehaussés par une tournure élégante et par une sorte de beauté nerveuse à laquelle les femmes se laissent prendre volontiers? Ces idées l'assaillirent[3] au milieu des champs, pendant les promenades que jadis il faisait gaiement avec ses sœurs, qui le trouvèrent bien changé. Sa tante, madame de Marcillac, autrefois présentée à la Cour, y avait connu les sommités[4] aristocratiques. Tout à coup le jeune ambitieux reconnut, dans les souvenirs dont sa tante l'avait si souvent bercé, les éléments de plusieurs conquêtes sociales, au moins aussi importantes que celles qu'il entreprenait à l'École de Droit; il la questionna sur les liens de parenté qui pouvaient encore se renouer. Après avoir secoué les branches de l'arbre généalogique, la vieille dame estima que, de toutes les personnes qui pouvaient servir son neveu parmi la gent égoïste des parents riches, madame la vicomtesse de Beauséant serait la moins récalcitrante. Elle écrivit à cette jeune femme une lettre dans l'ancien style, et la remit à Eugène, en lui disant que, s'il réussissait auprès de la vicomtesse, elle lui ferait retrouver ses autres parents. Quelques jours après son arrivée, Rastignac envoya la lettre de sa tante à madame de Beauséant. La vicomtesse répondit par une invitation de bal pour le lendemain.

Telle était la situation générale de la pension bourgeoise à la fin du mois de novembre 1819. Quelques jours plus tard, Eugène, après être allé au bal de madame de Beauséant, rentra vers deux heures dans la nuit. Afin de regagner le temps perdu, le courageux étudiant s'était promis, en dansant, de travailler jusqu'au matin. Il allait passer la nuit pour la première fois au milieu de ce silencieux quartier, car il s'était mis sous le charme d'une fausse énergie en voyant les splendeurs du monde. Il n'avait pas dîné chez madame Vauquer. Les pensionnaires purent donc croire qu'il ne reviendrait du bal que le lendemain matin au petit jour, comme il était quelquefois rentré des fêtes du Prado ou des bals de l'Odéon,[1] en crottant ses bas de soie et gauchissant ses escarpins.[2] Avant de mettre les verrous à la porte, Christophe l'avait ouverte pour regarder dans la rue. Rastignac se présenta dans ce moment, et put monter à sa chambre sans faire de bruit, suivi de Christophe qui en faisait beaucoup. Eugène se déshabilla, se mit en pantoufles, prit une méchante redingote, alluma son feu de mottes, et se prépara lestement au travail, en sorte que Christophe couvrit encore par le tapage de ses gros souliers les apprêts peu bruyants du jeune homme. Eugène resta pensif pendant quelques moments avant de se plonger dans ses livres de Droit. Il venait de reconnaître en madame la vicomtesse de Beauséant l'une des reines de la mode à Paris, et dont la maison passait pour être la plus agréable du faubourg Saint-Germain.[3] Elle était d'ailleurs, et par son nom et par sa fortune, l'une des sommités du monde aristocratique. Grâce à sa tante de Marcillac, le pauvre étudiant avait été bien reçu dans cette maison, sans connaître l'étendue de cette faveur. Être admis dans ces salons dorés équivalait à un brevet de haute noblesse. En se montrant dans cette société, la plus exclusive de toutes, il avait conquis le droit d'aller partout. Ébloui par cette brillante assemblée, ayant à peine échangé quelques paroles avec la vicomtesse, Eugène s'était contenté de distinguer, parmi la foule des déités parisiennes qui se pressaient dans ce raoût,[4] une de ces femmes que doit adorer tout d'abord un jeune homme. La comtesse Anastasie de Restaud, grande et bien faite, passait pour avoir l'une des plus jolies tailles de Paris. Figurez-vous de grands yeux noirs, une main magnifique, un pied bien découpé, du feu dans les mouvements, une femme que le marquis de Ronquerolles nommait un cheval de pur sang. Cette finesse de nerfs ne lui ôtait aucun avantage; elle avait les formes pleines et rondes, sans qu'elle pût être accusée de trop d'embonpoint. *Cheval de pur sang, femme de race,* ces locutions commençaient à remplacer les anges du ciel, les figures ossianiques, toute l'ancienne mythologie amoureuse repoussée par le dandysme.[5] Mais pour Rastignac, madame Anastasie de Restaud fut la femme désirable. Il s'était ménagé deux tours dans la liste des cavaliers écrite sur l'éventail, et avait pu lui parler pendant la première contredanse. — Où vous rencontrer désormais, madame? lui avait-il dit brusquement avec cette force de passion qui plaît tant aux femmes. — Mais, dit-elle, au Bois, aux Bouffons,[1] chez moi, partout. Et l'aventureux Méridional s'était empressé de se lier avec cette délicieuse comtesse, autant qu'un jeune homme peut se lier avec une femme pendant une contredanse et une valse. En se disant cousin de madame de Beauséant, il fut invité par cette femme, qu'il prit pour une grande dame, et eut ses entrées chez elle. Au dernier sourire qu'elle lui jeta, Rastignac crut sa visite nécessaire. Il avait eu le bonheur de rencontrer un homme qui ne s'était pas moqué de son ignorance, défaut mortel au milieu des illustres impertinents de l'époque, les Maulincourt, les Ronquerolles, les Maxime de Trailles, les de Marsay, les Ajuda-Pinto, les Vandenesse, qui étaient là dans la gloire de leurs fatuités et mêlés aux femmes les plus élégantes, lady Brandon, la duchesse de Langeais, la comtesse de Kergarouët, madame de Sérisy, la duchesse de Carigliano, la comtesse Ferraud, madame de Lanty, la marquise d'Aiglemont, madame Firmiani, la marquise de Listomère et la marquise d'Espard, la duchesse de Maufrigneuse et les Grandlieu.[2] Heureusement donc, le naïf étudiant tomba sur le marquis de Montriveau, l'amant de la duchesse de Langeais, un général simple comme un enfant, qui lui apprit que la comtesse de Restaud demeurait rue du Helder. Être jeune, avoir soif du monde, avoir faim d'une femme, et voir s'ouvrir pour soi deux maisons ! mettre le pied au faubourg Saint-Germain chez la vicomtesse de Beauséant, le genou dans la Chaussée-d'Antin chez la comtesse de Restaud ! plonger d'un regard dans les salons de Paris en enfilade, et se croire assez joli garçon pour y trouver aide et protection dans un cœur de femme ! se sentir assez ambitieux pour donner un superbe coup de pied à la corde roide sur laquelle il faut marcher avec l'assurance du sauteur qui ne tombera pas, et avoir trouvé dans une charmante femme le meilleur des balanciers ! Avec ces pensées et devant cette femme qui se dressait sublime auprès d'un feu de mottes, entre le Code[3] et la misère, qui n'aurait comme Eugène sondé l'avenir par une méditation, qui ne l'aurait meublé de succès ? Sa pensée vagabonde escomptait si drûment[4] ses joies futures qu'il se croyait auprès de madame de Restaud quand un soupir semblable à un *ban* de saint Joseph[5] troubla le silence de la nuit, retentit au cœur du jeune homme de manière à le lui faire prendre pour le râle d'un moribond. Il ouvrit doucement sa porte, et quand il fut dans le corridor, il aperçut une ligne de lumière tracée au bas de la porte du père Goriot. Eugène craignit que son voisin ne se trouvât indisposé, il approcha son œil de la serrure, regarda dans la chambre, et vit le vieillard occupé de travaux qui lui parurent trop criminels pour qu'il

ne crût pas rendre service à la société en examinant bien ce que
machinait nuitamment le soi-disant vermicellier. Le père Goriot, qui
sans doute avait attaché sur la barre d'une table renversée un plat et
une espèce de soupière en vermeil, tournait une espèce de câble
autour de ces objets richement sculptés, en les serrant avec une si
grande force qu'il les tordait vraisemblablement pour les convertir
en lingots.[1] — Peste! quel homme! se dit Rastignac en voyant le
bras nerveux du vieillard qui, à l'aide de cette corde, pétrissait sans
bruit l'argent doré, comme une pâte. Mais serait-ce donc un voleur
ou un recéleur qui, pour se livrer plus sûrement à son commerce,
affecterait la bêtise, l'impuissance, et vivrait en mendiant? se dit
Eugène en se relevant un moment. L'étudiant appliqua de nouveau
son œil à la serrure. Le père Goriot, qui avait déroulé son câble, prit
la masse d'argent, la mit sur la table après y avoir étendu sa couverture,
et l'y roula pour l'arrondir en barre, opération dont il s'acquitta avec
une facilité merveilleuse. — Il serait donc aussi fort que l'était
Auguste, roi de Pologne?[2] se dit Eugène quand la barre ronde fut à
peu près façonnée. Le père Goriot regarda tristement son ouvrage,
des larmes sortirent de ses yeux, il souffla le rat-de-cave[3] à la lueur
duquel il avait tordu ce vermeil, et Eugène l'entendit se coucher en
poussant un soupir. — Il est fou, pensa l'étudiant.

— Pauvre enfant! dit à haute voix le père Goriot.

A cette parole, Rastignac jugea prudent de garder le silence sur cet
événement, et de ne pas inconsidérément condamner son voisin. Il
allait rentrer quand il distingua soudain un bruit assez difficile à
exprimer, et qui devait être produit par des hommes en chaussons de
lisière[4] montant l'escalier. Eugène prêta l'oreille, et reconnut en effet
le son alternatif de la respiration de deux hommes. Sans avoir
entendu ni le cri de la porte ni les pas des hommes, il vit tout à coup
une faible lueur au second étage, chez monsieur Vautrin. — Voilà
bien des mystères dans une pension bourgeoise! se dit-il. Il descendit
quelques marches, se mit à écouter, et le son de l'or[5] frappa son
oreille. Bientôt la lumière fut éteinte, les deux respirations se firent
entendre derechef sans que la porte eût crié. Puis, à mesure que les
deux hommes descendirent, le bruit alla s'affaiblissant.

— Qui va là? cria madame Vauquer en ouvrant la fenêtre de sa
chambre.

— C'est moi qui rentre, maman Vauquer, dit Vautrin de sa grosse
voix.

— C'est singulier! Christophe avait mis le verrou, se dit Eugène
en rentrant dans sa chambre. Il faut veiller pour bien savoir ce qui se

passe autour de soi, dans Paris. Détourné par ces petits événements de sa méditation ambitieusement amoureuse, il se mit au travail. Distrait par les soupçons qui lui venaient sur le compte du père Goriot, plus distrait encore par la figure de madame de Restaud, qui de moments en moments se posait devant lui comme la messagère d'une brillante destinée, il finit par se coucher et par dormir à poings fermés. Sur dix nuits promises au travail par les jeunes gens, ils en donnent sept au sommeil. Il faut avoir plus de vingt ans pour veiller.

Le lendemain matin régnait à Paris un de ces épais brouillards qui l'enveloppent et l'embrument si bien que les gens les plus exacts sont trompés par le temps. Les rendez-vous d'affaires se manquent. Chacun se croit à huit heures quand midi sonne. Il était neuf heures et demie, madame Vauquer n'avait pas encore bougé de son lit. Christophe et la grosse Sylvie, attardés aussi, prenaient tranquillement leur café, préparé avec les couches supérieures du lait destiné aux pensionnaires, et que Sylvie faisait longtemps bouillir, afin que madame Vauquer ne s'aperçût pas de cette dîme[1] illégalement levée.

— Sylvie, dit Christophe en mouillant sa première rôtie, monsieur Vautrin, qu'est[2] un bon homme tout de même, a encore vu deux personnes cette nuit. Si madame s'en inquiétait, ne faudrait rien lui dire.

— Vous a-t-il donné quelque chose ?

— Il m'a donné cent sous pour son mois, une manière de me dire : « Tais-toi. »

— Sauf lui et madame Couture, qui ne sont pas regardants, les autres voudraient nous retirer de la main gauche ce qu'ils nous donnent de la main droite au jour de l'an, dit Sylvie.

— Encore, qu'est-ce qu'ils donnent ! fit Christophe, une méchante pièce *et* de cent sous. Voilà depuis deux ans le père Goriot qui fait ses souliers lui-même. Ce *grigou* de Poiret se passe de cirage, et le boirait plutôt que de le mettre à ses savates. Quant au gringalet d'étudiant, il me donne quarante sous. Quarante sous ne payent pas mes brosses, et il vend ses vieux habits, par-dessus le marché. Qué baraque ![3]

— Bah ! fit Sylvie en buvant de petites gorgées de café, nos places sont encore les meilleures du quartier : on y vit bien. Mais, à propos du gros papa Vautrin, Christophe, vous a-t-on dit quelque chose ?

— Oui, j'ai rencontré il y a quelques jours un monsieur dans la rue, qui m'a dit : — N'est-ce pas chez vous que demeure un gros monsieur qui a des favoris qu'il teint ? Moi j'ai dit : « Non, monsieur, il ne les teint pas. Un homme gai comme lui, il n'en a pas le temps. »

C

J'ai donc dit ça à monsieur Vautrin, qui m'a répondu : « Tu as bien fait, mon garçon ! Réponds toujours comme ça. Rien n'est plus désagréable que de laisser connaître nos infirmités. Ça peut faire manquer des mariages. »

— Eh bien ! à moi, au marché, on a voulu m'englauder[1] aussi pour me faire dire si je lui voyais passer sa chemise. C'te farce ! Tiens, dit-elle en s'interrompant, voilà dix heures quart moins qui sonnent au Val-de-Grâce, et personne ne bouge.

— Ah bah ! ils sont tous sortis. Madame Couture et sa jeune personne sont allées manger le bon Dieu[2] à Saint-Étienne dès huit heures. Le père Goriot est sorti avec un paquet. L'étudiant ne reviendra qu'après son cours, à dix heures. Je les ai vus partir en faisant mes escaliers ; que le père Goriot m'a donné un coup avec ce qu'il portait, qu'était dur comme du fer. Qué qui fait donc, ce bonhomme-là ? Les autres le font aller comme une toupie, mais c'est un brave homme tout de même, et qui vaut mieux qu'eux tous. Il ne donne pas grand' chose ; mais les dames chez lesquelles il m'envoie quelquefois allongent de fameux pourboires, et sont joliment ficelées.[3]

— Celles qu'il appelle ses filles, hein ? Elles sont une douzaine.

— Je ne suis jamais allé que chez deux, les mêmes qui sont venues ici.

— Voilà madame qui se remue ; elle va faire son sabbat :[4] faut que j'y aille. Vous veillerez au lait, Christophe, rapport au chat.[5]

— Comment, Sylvie, voilà dix heures quart moins, vous m'avez laissée dormir comme une marmotte ! Jamais pareille chose n'est arrivée.

— C'est le brouillard, qu'est à couper au couteau.

— Mais le déjeuner ?

— Bah ! vos pensionnaires avaient bien le diable au corps ; ils ont tous décanillé[6] dès le patron-jacquette.

— Parle donc bien, Sylvie, reprit madame Vauquer : on dit le patron-minette.[7]

— Ah ! madame, je dirai comme vous voudrez. Tant y a que vous pouvez déjeuner à dix heures. La Michonnette et le Poireau n'ont pas bougé. Il n'y a qu'eux qui soient dans la maison, et ils dorment comme des souches qui sont.

— Mais, Sylvie, tu les mets tous les deux ensemble, comme si. . . .

— Comme si, quoi ? reprit Sylvie en laissant échapper un gros rire bête. Les deux font la paire.

— C'est singulier, Sylvie: comment monsieur Vautrin est-il donc rentré cette nuit après que Christophe a eu mis les verrous?

— Bien au contraire, madame. Il a entendu monsieur Vautrin, et est descendu pour lui ouvrir la porte. Et voilà ce que vous avez cru....

— Donne-moi ma camisole, et va vite voir au déjeuner. Arrange le reste du mouton avec des pommes de terre, et donne des poires cuites, de celles qui coûtent deux liards la pièce.

Quelques instants après, madame Vauquer descendit au moment où son chat venait de renverser d'un coup de patte l'assiette qui couvrait un bol de lait, et le lapait en toute hâte.

— Mistigris! s'écria-t-elle. Le chat se sauva, puis revint se frotter à ses jambes. Oui, oui, fais ton capon,[1] vieux lâche! lui dit-elle. Sylvie! Sylvie!

— Eh bien! quoi, madame?

— Voyez donc ce qu'a bu le chat.

— C'est la faute de cet animal de Christophe, à qui j'avais dit de mettre le couvert. Où est-il passé? Ne vous inquiétez pas, madame; ce sera le café du père Goriot. Je mettrai de l'eau dedans, il ne s'en apercevra pas. Il ne fait attention à rien, pas même à ce qu'il mange.

— Où donc est-il allé, ce chinois-là?[2] dit madame Vauquer en plaçant les assiettes.

— Est-ce qu'on sait? Il fait des trafics des cinq cents diables.

— J'ai trop dormi, dit madame Vauquer.

— Mais aussi madame est-elle fraîche comme une rose....

En ce moment la sonnette se fit entendre, et Vautrin entra dans le salon en chantant de sa grosse voix:

> *J'ai longtemps parcouru le monde,*
> *Et l'on m'a vu de toute part ...*

— Oh! oh! bonjour, maman Vauquer, dit-il en apercevant l'hôtesse, qu'il prit galamment dans ses bras.

— Allons, finissez donc.

— Dites impertinent! reprit-il. Allons, dites-le. Voulez-vous bien le dire? Tenez, je vais mettre le couvert avec vous. Ah! je suis gentil, n'est-ce pas?

> *Courtiser la brune et la blonde,*
> *Aimer, soupirer ...*

— Je viens de voir quelque chose de singulier.

> *... au hasard.*[3]

— Quoi ? dit la veuve.

— Le père Goriot était à huit heures et demie rue Dauphine, chez l'orfèvre qui achète de vieux couverts et des galons.[1] Il lui a vendu pour une bonne somme un ustensile de ménage, en vermeil, assez joliment tortillé pour un homme qui n'est pas de la manique.[2]

— Bah! vraiment?

— Oui. Je revenais ici après avoir conduit un de mes amis qui s'expatrie par les Messageries royales;[3] j'ai attendu le père Goriot pour voir: histoire de rire. Il a remonté dans ce quartier-ci, rue des Grès, où il est entré dans la maison d'un usurier connu, nommé Gobseck, un fier drôle, capable de faire des dominos avec les os de son père;[4] un juif, un arabe, un grec, un bohémien,[5] un homme qu'on serait bien embarrassé de dévaliser, il met ses écus à la Banque.

— Qu'est-ce que fait donc ce père Goriot?

— Il ne fait rien, dit Vautrin, il défait. C'est un imbécile assez bête pour se ruiner à aimer les filles qui...

— Le voilà! dit Sylvie.

— Christophe, cria le père Goriot, monte avec moi. Christophe suivit le père Goriot, et redescendit bientôt.

— Où vas-tu? dit madame Vauquer à son domestique.

— Faire une commission pour monsieur Goriot.

— Qu'est-ce que c'est que ça? dit Vautrin en arrachant des mains de Christophe une lettre sur laquelle il lut: *A madame la comtesse Anastasie de Restaud.* Et tu vas? reprit-il en rendant la lettre à Christophe.

— Rue du Helder. J'ai ordre de ne remettre ceci qu'à madame la comtesse.

— Qu'est-ce qu'il y a là-dedans? dit Vautrin en mettant la lettre au jour; un billet de banque? non. Il entr'ouvrit l'enveloppe. — Un billet acquitté,[6] s'écria-t-il. Fourche![7] il est galant, le roquentin.[8] Va, vieux Lascar, dit-il en coiffant de sa large main Christophe, qu'il fit tourner sur lui-même comme un dé, tu auras un bon pourboire.

Le couvert était mis. Sylvie faisait bouillir le lait. Madame Vauquer allumait le poêle, aidée par Vautrin, qui fredonnait toujours:

> *J'ai longtemps parcouru le monde*
> *Et l'on m'a vu de toute part...*

Quand tout fut prêt, madame Couture et mademoiselle Taillefer rentrèrent.

— D'où venez-vous donc si matin, ma belle dame? dit madame Vauquer à madame Couture.

— Nous venons de faire nos dévotions à Saint-Étienne-du-Mont, ne devons-nous pas aller aujourd'hui chez monsieur Taillefer? Pauvre petite, elle tremble comme la feuille, reprit madame Couture en s'asseyant devant le poêle à la bouche duquel elle présenta ses souliers qui fumèrent.

— Chauffez-vous donc, Victorine, dit madame Vauquer.

— C'est bien, mademoiselle, de prier le bon Dieu d'attendrir le cœur de votre père, dit Vautrin en avançant une chaise à l'orpheline. Mais ça ne suffit pas. Il vous faudrait un ami qui se chargeât de dire son fait[1] à ce marsouin-là,[2] un sauvage qui a, dit-on, trois millions, et qui ne vous donne pas de dot. Une belle fille a besoin de dot dans ce temps-ci.

— Pauvre enfant, dit madame Vauquer, Allez, mon chou, votre monstre de père attire le malheur à plaisir[3] sur lui.

A ces mots, les yeux de Victorine se mouillèrent de larmes, et la veuve s'arrêta sur un signe que lui fit madame Couture.

— Si nous pouvions seulement le voir, si je pouvais lui parler, lui remettre la dernière lettre de sa femme, reprit la veuve du Commissaire-Ordonnateur. Je n'ai jamais osé la risquer par la poste; il connaît mon écriture. . . .

— *O femmes innocentes, malheureuses et persécutées,* s'écria Vautrin en interrompant, voilà donc où vous en êtes? D'ici à quelques jours je me mêlerai de vos affaires, et tout ira bien.

— Oh! monsieur, dit Victorine en jetant un regard à la fois humide et brûlant à Vautrin, qui ne s'en émut pas, si vous saviez un moyen d'arriver à mon père, dites-lui bien que son affection et l'honneur de ma mère me sont plus précieux que toutes les richesses du monde. Si vous obteniez quelque adoucissement à sa rigueur, je prierais Dieu pour vous. Soyez sûr d'une reconnaissance . . .

— *J'ai longtemps parcouru le monde,* chanta Vautrin d'une voix ironique.

En ce moment, Goriot, mademoiselle Michonneau, Poiret descendirent, attirés peut-être par l'odeur du roux que faisait Sylvie pour accommoder les restes du mouton. A l'instant où les sept convives s'attablèrent en se souhaitant le bonjour, dix heures sonnèrent, l'on entendit dans la rue le pas de l'étudiant.

— Ah! bien, monsieur Eugène, dit Sylvie, aujourd'hui vous allez déjeuner avec tout le monde.

L'étudiant salua les pensionnaires, et s'assit auprès du père Goriot.

— Il vient de m'arriver une singulière aventure, dit-il en se servant abondamment du mouton et se coupant un morceau de pain que madame Vauquer mesurait toujours de l'œil.

— Une aventure! dit Poiret.

— Eh bien! pourquoi vous en étonneriez-vous, vieux chapeau? dit Vautrin à Poiret. Monsieur est bien fait pour en avoir.

Mademoiselle Taillefer coula timidement un regard sur le jeune étudiant.

— Dites-nous votre aventure, demanda madame Vauquer.

— Hier j'étais au bal chez madame la vicomtesse de Beauséant, une cousine à moi, qui possède une maison magnifique, des appartements habillés de soie, enfin qui nous a donné une fête superbe, où je me suis amusé comme un roi. . . .

— Telet, dit Vautrin en interrompant net.

— Monsieur, reprit vivement Eugène, que voulez-vous dire?

— Je dis *telet*, parce que les roitelets[1] s'amusent beaucoup plus que les rois.

— C'est vrai: j'aimerais mieux être ce petit oiseau sans souci que roi, parce . . . fit Poiret l'*idémiste*.[2]

— Enfin, reprit l'étudiant en lui coupant la parole, je danse avec une des plus belles femmes du bal, une comtesse ravissante, la plus délicieuse créature que j'aie jamais vue. Elle était coiffée avec des fleurs de pêcher, elle avait au côté le plus beau bouquet de fleurs, des fleurs naturelles qui embaumaient; mais, bah! il faudrait que vous l'eussiez vue, il est impossible de peindre une femme animée par la danse. Eh bien! ce matin j'ai rencontré cette divine comtesse, sur les neuf heures, à pied, rue des Grès. Oh! le cœur m'a battu, je me figurais. . . .

— Qu'elle venait ici, dit Vautrin en jetant un regard profond à l'étudiant. Elle allait sans doute chez le papa Gobseck, un usurier. Si jamais vous fouillez des cœurs de femmes à Paris, vous y trouverez l'usurier avant l'amant.[3] Votre comtesse se nomme Anastasie de Restaud, et demeure rue du Helder.

A ce nom, l'étudiant regarda fixement Vautrin. Le père Goriot leva brusquement la tête, il jeta sur les deux interlocuteurs un regard lumineux et plein d'inquiétude qui surprit les pensionnaires.

— Christophe arrivera trop tard, elle y sera donc allée, s'écria douloureusement Goriot.

— J'ai deviné, dit Vautrin en se penchant à l'oreille de madame Vauquer.

Goriot mangeait machinalement et sans savoir ce qu'il mangeait.

Jamais il n'avait semblé plus stupide et plus absorbé qu'il l'était en ce moment.

— Qui diable, monsieur Vautrin, a pu vous dire son nom? demanda Eugène.

— Ah! ah! voilà, répondit Vautrin. Le père Goriot le savait bien, lui! pourquoi ne le saurais-je pas?

— Monsieur Goriot, s'écria l'étudiant.

— Quoi! dit le pauvre vieillard. Elle était donc bien belle hier?

— Qui?

— Madame de Restaud.

— Voyez-vous le vieux grigou, dit madame Vauquer à Vautrin, comme ses yeux s'allument.

— Il l'entretiendrait donc? dit à voix basse mademoiselle Michonneau à l'étudiant.

— Oh! oui, elle était furieusement belle, reprit Eugène, que le père Goriot regardait avidement. Si madame de Beauséant n'avait pas été là, ma divine comtesse eût été la reine du bal, les jeunes gens n'avaient d'yeux que pour elle, j'étais le douzième inscrit sur sa liste, elle dansait toutes les contredanses. Les autres femmes enrageaient. Si une créature a été heureuse hier, c'était bien elle. On a bien raison de dire qu'il n'y a rien de plus beau que frégate à la voile, cheval au galop et femme qui danse.

— Hier en haut de la roue, chez une duchesse, dit Vautrin; ce matin en bas de l'échelle chez un escompteur: voilà les Parisiennes. Si leurs maris ne peuvent entretenir leur luxe effréné, elles se vendent. Si elles ne savent pas se vendre, elles éventreraient leurs mères pour y chercher de quoi briller. Enfin elles font les cent mille coups.[1] Connu, connu!

Le visage du père Goriot, qui s'était allumé comme le soleil d'un beau jour en entendant l'étudiant, devint sombre à cette cruelle observation de Vautrin.

— Eh bien! dit madame Vauquer, où donc est votre aventure? Lui avez-vous parlé? lui avez-vous demandé si elle voulait apprendre le Droit?

— Elle ne m'a pas vu, dit Eugène. Mais rencontrer une des plus jolies femmes de Paris rue des Grès, à neuf heures, une femme qui a dû rentrer du bal à deux heures du matin, n'est-ce pas singulier? Il n'y a que Paris pour ces aventures-là.

— Bah! il y en a de bien plus drôles, s'écria Vautrin.

Mademoiselle Taillefer avait à peine écouté, tant elle était préoccupée par la tentative qu'elle allait faire. Madame Couture lui fit signe de se lever pour aller s'habiller. Quand les deux dames sortirent, le père Goriot les imita.

— Eh bien! l'avez-vous vu? dit madame Vauquer à Vautrin et à ses autres pensionnaires. Il est clair qu'il s'est ruiné pour ces femmes-là.

— Jamais on ne me fera croire, s'écria l'étudiant, que la belle comtesse de Restaud appartienne au père Goriot.

— Mais, lui dit Vautrin en l'interrompant, nous ne tenons pas à vous le faire croire. Vous êtes encore trop jeune pour bien connaître Paris, vous saurez plus tard qu'il s'y rencontre ce que nous nommons des *hommes à passions*. . . .[1] (A ces mots, mademoiselle Michonneau regarda Vautrin d'un air intelligent. Vous eussiez dit un cheval de régiment entendant le son de la trompette.) — Ah! ah! fit Vautrin en s'interrompant pour lui jeter un regard profond, *que nous n'avons néu* nos petites passions, nous?[2] (La vieille fille baissa les yeux comme une religieuse qui voit des statues.) — Eh bien! reprit-il, ces gens-là chaussent une idée[3] et n'en démordent pas. Ils n'ont soif que d'une certaine eau prise à une certaine fontaine, et souvent croupie; pour en boire, ils vendraient leurs femmes, leurs enfants; ils vendraient leur âme au diable. Pour les uns, cette fontaine est le jeu, la Bourse, une collection de tableaux ou d'insectes, la musique; pour d'autres, c'est une femme qui sait leur cuisiner des friandises. A ceux-là, vous leur offririez toutes les femmes de la terre, ils s'en moquent, ils ne veulent que celle qui satisfait leur passion. Souvent cette femme ne les aime pas du tout, vous les rudoie,[4] leur vend fort cher des bribes de satisfactions; eh bien! mes farceurs ne se lassent pas, et mettraient leur dernière couverture au Mont-de-Piété[5] pour lui apporter leur dernier écu. Le père Goriot est un de ces gens-là. La comtesse l'exploite parce qu'il est discret, et voilà le beau monde! Le pauvre bonhomme ne pense qu'à elle. Hors de sa passion, vous le voyez, c'est une bête brute. Mettez-le sur ce chapitre-là, son visage étincelle comme un diamant. Il n'est pas difficile de deviner ce secret-là. Il a porté ce matin du vermeil à la fonte, et je l'ai vu entrant[6] chez le papa Gobseck, rue des Grès. Suivez bien! En revenant, il a envoyé chez la comtesse de Restaud ce niais de Christophe qui nous a montré l'adresse de la lettre dans laquelle était un billet acquitté. Il est clair que si la comtesse allait aussi chez le vieil escompteur, il y avait urgence. Le père Goriot a galamment financé pour elle. Il ne faut pas coudre deux idées pour voir clair là-dedans. Cela vous prouve, mon jeune étudiant, que, pendant que votre comtesse riait, dansait, faisait ses singeries, balançait ses fleurs de pêcher, et pinçait sa robe, elle était dans ses petits souliers,[1] comme on dit, en pensant à ses lettres de change protestées, ou à celles de son amant.[2]

— Vous me donnez une furieuse envie de savoir la vérité. J'irai demain chez madame de Restaud, s'écria Eugène.

— Oui, dit Poiret, il faut aller demain chez madame de Restaud.

— Vous y trouverez peut-être le bonhomme Goriot qui viendra toucher le montant de ses galanteries.

— Mais, dit Eugène avec un air de dégoût, votre Paris est donc un bourbier.

— Et un drôle de bourbier, reprit Vautrin. Ceux qui s'y crottent en voiture sont d'honnêtes gens, ceux qui s'y crottent à pied sont des fripons.[3] Ayez le malheur d'y décrocher n'importe quoi, vous êtes montré sur la place du Palais-de-Justice comme une curiosité. Volez un million, vous êtes marqué dans les salons comme une vertu. Vous payez trente millions à la Gendarmerie et à la Justice pour maintenir cette morale-là. Joli!

— Comment, s'écria madame Vauquer, le père Goriot aurait fondu son déjeuner de vermeil?

— N'y avait-il pas deux tourterelles sur le couvercle? dit Eugène.

— C'est bien cela.

— Il y tenait donc beaucoup, il a pleuré quand il a eu pétri l'écuelle et le plat. Je l'ai vu par hasard, dit Eugène.

— Il y tenait comme à sa vie,[4] répondit la veuve.

— Voyez-vous le bonhomme, combien il est passionné, s'écria Vautrin. Cette femme-là sait lui chatouiller l'âme.

L'étudiant remonta chez lui. Vautrin sortit. Quelques instants après, madame Couture et Victorine montèrent dans un fiacre que Sylvie alla leur chercher. Poiret offrit son bras à mademoiselle Michonneau, et tous deux allèrent se promener au Jardin-des-Plantes, pendant les deux belles heures de la journée.

— Eh bien! les voilà donc quasiment mariés, dit la grosse Sylvie. Ils sortent ensemble aujourd'hui pour la première fois. Ils sont tous deux si secs que, s'ils se cognent, ils feront feu comme un briquet.

— Gare au châle de mademoiselle Michonneau, dit en riant madame Vauquer, il prendra comme de l'amadou.

A quatre heures du soir, quand Goriot rentra, il vit, à la lueur de deux lampes fumeuses, Victorine dont les yeux étaient rouges. Madame Vauquer écoutait le récit de la visite infructueuse faite à monsieur Taillefer pendant la matinée. Ennuyé de recevoir sa fille et cette vieille femme, Taillefer les avait laissé parvenir jusqu'à lui pour s'expliquer avec elles.

— Ma chère dame, disait madame Couture à madame Vauquer, figurez-vous qu'il n'a pas même fait asseoir Victorine, qu'est restée constamment debout. A moi, il m'a dit, sans se mettre en colère, tout froidement, de nous épargner la peine de venir chez lui; que mademoiselle, sans dire sa fille, se nuisait dans son esprit en l'importunant (une fois par an, le monstre!); que la mère de Victorine ayant été épousée sans fortune, elle n'avait rien à prétendre; enfin les choses les plus dures, qui ont fait fondre en larmes cette pauvre petite. La petite s'est jetée alors aux pieds de son père, et lui a dit avec courage qu'elle n'insistait autant que pour sa mère, qu'elle obéirait à ses volontés sans murmure, mais qu'elle le suppliait de lire le testament de la pauvre défunte; elle a pris la lettre et la lui a présentée en disant les plus belles choses du monde et les mieux senties, je ne sais pas où elle les a prises, Dieu les lui dictait, car la pauvre enfant était si bien inspirée qu'en l'entendant, moi, je pleurais comme une bête. Savez-vous ce que faisait cette horreur d'homme, il se coupait les ongles, il a pris cette lettre que la pauvre madame Taillefer avait trempée de larmes, et l'a jetée sur la cheminée en disant: « C'est bon! » Il a voulu relever sa fille qui lui prenait les mains pour les lui baiser, mais il les a retirées.[1] Est-ce pas une scélératesse? Son grand dadais de fils est entré sans saluer sa sœur.

— C'est donc des monstres? dit le père Goriot.

— Et puis, dit madame Couture sans faire attention à l'exclamation du bonhomme, le père et le fils s'en sont allés en me saluant et en me priant de les excuser, ils avaient des affaires pressantes. Voilà notre visite. Au moins, il a vu sa fille. Je ne sais pas comment il peut la renier, elle lui ressemble comme deux gouttes d'eau.

Les pensionnaires, internes et externes, arrivèrent les uns après les autres, en se souhaitant mutuellement le bonjour, et se disant de ces riens qui constituent, chez certaines classes parisiennes, un esprit drolatique dans lequel la bêtise entre comme élément principal, et dont le mérite consiste particulièrement dans le geste ou la prononciation.[2] Cette espèce d'argot varie continuellement. La plaisanterie qui en est le principe n'a jamais un mois d'existence. Un événement politique, un procès en cour d'assises, une chanson des rues, les farces d'un acteur, tout sert à entretenir ce jeu d'esprit qui consiste surtout à prendre les idées et les mots comme des volants, et à se les renvoyer sur des raquettes. La récente invention du Diorama, qui portait l'illusion de l'optique à un plus haut degré que dans les Panoramas,[3] avait amené dans quelques ateliers de peinture la plaisanterie de parler en *rama*, espèce de charge[4] qu'un jeune peintre, habitué de la pension Vauquer, y avait inoculée.

— Eh bien! *monsieurre* Poiret, dit l'employé au Muséum, comment va cette petite *santérama*? Puis, sans attendre sa réponse: Mesdames, vous avez du chagrin, dit-il à madame Couture et à Victorine.

— Allons-nous *dinaire*? s'écria Horace Bianchon,[1] un étudiant en médecine, ami de Rastignac, ma petite estomac[2] est descendue *usque ad talones*.[3]

— Il fait un fameux *froitorama*! dit Vautrin. Dérangez-vous donc, père Goriot! Que diable! votre pied prend toute la gueule du poêle.

— Illustre monsieur Vautrin, dit Bianchon, pourquoi dites-vous *froitorama*? il y a une faute, c'est *froidorama*.

— Non, dit l'employé au Muséum, c'est *froitorama*, par la règle: j'ai froid aux pieds.

— Ah! ah!

— Voici son excellence le marquis de Rastignac, docteur en droit-travers,[4] s'écria Bianchon en saisissant Eugène par le cou et le serrant de manière à l'étouffer. Ohé! les autres, ohé!

Mademoiselle Michonneau entra doucement, salua les convives sans rien dire, et s'alla placer près des trois femmes.

— Elle me fait toujours grelotter, cette vieille chauvesouris, dit à voix basse Bianchon à Vautrin en montrant mademoiselle Michonneau. Moi qui étudie le système de Gall, je lui trouve les bosses de Judas.[5]

— Monsieur l'a connu? dit Vautrin.

— Qui ne l'a pas rencontré! répondit Bianchon. Ma parole d'honneur, cette vieille fille blanche me fait l'effet de ces longs vers qui finissent par ronger une poutre.

— Voilà ce que c'est, jeune homme, dit le quadragénaire en peignant ses favoris.

> *Et rose, elle a vécu ce que vivent les roses,*
> *L'espace d'un matin.*[6]

— Ah! ah! voici une fameuse *soupeaurama*, dit Poiret en voyant Christophe qui entrait en tenant respectueusement le potage.

— Pardonnez-moi, monsieur, dit madame Vauquer, c'est une soupe aux choux.

Tous les jeunes gens éclatèrent de rire.

— Enfoncé,[7] Poiret!

— Poirrrrrette enfoncé!

— Marquez deux points à maman Vauquer, dit Vautrin.

— Quelqu'un a-t-il fait attention au brouillard de ce matin ? dit l'employé.

— C'était, dit Bianchon, un brouillard frénétique et sans exemple, un brouillard lugubre, mélancolique, vert, poussif, un brouillard Goriot.

— Goriorama, dit le peintre, parce qu'on n'y voyait goutte.[1]

— Hé, milord Gâôriotte, il être questiônne de véaus.[2]

Assis au bas-bout de la table, près de la porte par laquelle on servait, le père Goriot leva la tête en flairant un morceau de pain qu'il avait sous sa serviette, par une vieille habitude commerciale qui reparaissait quelquefois.

— Eh bien ! lui cria aigrement madame Vauquer d'une voix qui domina le bruit des cuillers, des assiettes et des voix, est-ce que vous ne trouvez pas le pain bon ?

— Au contraire, madame, répondit-il, il est fait avec de la farine d'Étampes, première qualité.

— A quoi voyez-vous cela ? lui dit Eugène.

— A la blancheur, au goût.

— Au goût du nez, puisque vous le sentez, dit madame Vauquer. Vous devenez si économe que vous finirez par trouver le moyen de vous nourrir en humant l'air de la cuisine.

— Prenez alors un brevet d'invention, cria l'employé au Muséum, vous ferez une belle fortune.

— Laissez-donc, il fait ça pour nous persuader qu'il a été vermicellier, dit le peintre.

— Votre nez est donc une cornue, demanda encore l'employé au Muséum.

— Cor quoi ? fit Bianchon.

— Cor-nouille.

— Cor-nemuse.

— Cor-naline.

— Cor-niche.

— Cor-nichon.

— Cor-beau.

— Cor-nac.

— Cor-norama.

Ces huit réponses partirent de tous les côtés de la salle avec la rapidité d'un feu de file,[3] et prêtèrent d'autant plus à rire, que le pauvre père Goriot regardait les convives d'un air niais, comme un homme qui tâche de comprendre une langue étrangère.

— Cor ? dit-il à Vautrin qui se trouvait près de lui.

— Cor aux pieds, mon vieux! dit Vautrin en enfonçant le chapeau du père Goriot par une tape qu'il lui appliqua sur la tête et qui le lui fit descendre jusque sur les yeux.

Le pauvre vieillard, stupéfait de cette brusque attaque, resta pendant un moment immobile. Christophe emporta l'assiette du bonhomme, croyant qu'il avait fini sa soupe; en sorte que quand Goriot, après avoir relevé son chapeau, prit sa cuiller, il frappa sur la table. Tous les convives éclatèrent de rire.

— Monsieur, dit le vieillard, vous êtes un mauvais plaisant, et si vous vous permettez encore de me donner de pareils renfoncements. . . .

— Eh bien, quoi, papa? dit Vautrin en l'interrompant.

— Eh bien! vous payerez cela bien cher quelque jour. . . .

— En enfer, pas vrai? dit le peintre, dans ce petit coin noir où l'on met les enfants méchants!

— Eh bien! mademoiselle, dit Vautrin à Victorine, vous ne mangez pas. Le papa s'est donc montré récalcitrant?

— Une horreur, dit madame Couture.

— Il faut le mettre à la raison, dit Vautrin.

— Mais, dit Rastignac, qui se trouvait assez près de Bianchon, mademoiselle pourrait intenter un procès sur la question des aliments, puisqu'elle ne mange pas. Eh! eh! voyez donc comme le père Goriot examine mademoiselle Victorine.

Le vieillard oubliait de manger pour contempler la pauvre jeune fille dans les traits de laquelle éclatait une douleur vraie, la douleur de l'enfant méconnu qui aime son père.

— Mon cher, dit Eugène à voix basse, nous nous sommes trompés sur le père Goriot. Ce n'est ni un imbécile ni un homme sans nerfs. Applique-lui ton système de Gall, et dis-moi ce que tu en penseras. Je lui ai vu cette nuit tordre un plat de vermeil, comme si ç'eût été de la cire, et dans ce moment l'air de son visage trahit des sentiments extraordinaires. Sa vie me paraît être trop mystérieuse pour ne pas valoir la peine d'être étudiée. Oui, Bianchon, tu as beau rire, je ne plaisante pas.

— Cet homme est un fait médical, dit Bianchon, d'accord; s'il veut, je le dissèque.

— Non, tâte-lui la tête.

— Ah! bien, sa bêtise est peut-être contagieuse.

Le lendemain Rastignac s'habilla fort élégamment, et alla, vers trois heures de l'après-midi, chez madame de Restaud en se livrant pendant la route à ces espérances étourdiment folles qui rendent la vie des jeunes gens si belle d'émotions : ils ne calculent alors ni les obstacles ni les dangers, ils voient en tout le succès, poétisent leur existence par le seul jeu de leur imagination, et se font malheureux ou tristes par le renversement de projets qui ne vivaient encore que dans leurs désirs effrénés ;[1] s'ils n'étaient pas ignorants et timides, le monde social serait impossible. Eugène marchait avec mille précautions pour ne se point crotter, mais il marchait en pensant à ce qu'il dirait à madame de Restaud, il s'approvisionnait d'esprit, il inventait les reparties d'une conversation imaginaire, il préparait ses mots fins, ses phrases à la Talleyrand,[2] en supposant de petites circonstances favorables à la déclaration sur laquelle il fondait son avenir. Il se crotta, l'étudiant, il fut forcé de faire cirer ses bottes et brosser son pantalon au Palais-Royal. « Si j'étais riche, se dit-il en changeant une pièce de trente sous qu'il avait prise *en cas de malheur*, je serais allé en voiture, j'aurais pu penser à mon aise. » Enfin il arriva rue du Helder et demanda la comtesse de Restaud. Avec la rage froide d'un homme sûr de triompher un jour, il reçut le coup d'œil méprisant des gens qui l'avaient vu traversant la cour à pied, sans avoir entendu le bruit d'une voiture à la porte. Ce coup d'œil lui fut d'autant plus sensible qu'il avait déjà compris son infériorité en entrant dans cette cour, où piaffait un beau cheval richement attelé à l'un de ces cabriolets pimpants qui affichent le luxe d'une existence dissipatrice, et sous-entendent l'habitude de toutes les félicités parisiennes. Il se mit, à lui tout seul, de mauvaise humeur. Les tiroirs ouverts dans son cerveau[3] et qu'il comptait trouver pleins d'esprit se fermèrent, il devint stupide. En attendant la réponse de la comtesse, à laquelle un valet de chambre allait dire les noms du visiteur, Eugène se posa sur un seul pied devant une croisée de l'antichambre, s'appuya le coude sur une espagnolette, et regarda machinalement dans la cour. Il trouvait le temps long, il s'en serait allé s'il n'avait pas été doué de cette ténacité méridionale qui enfante des prodiges quand elle va en ligne droite.

— Monsieur, dit le valet de chambre, madame est dans son boudoir et fort occupée, elle ne m'a pas répondu ; mais, si monsieur veut passer au salon, il y a déjà quelqu'un.

Tout en admirant l'épouvantable pouvoir de ces gens qui, d'un seul mot, accusent ou jugent leurs maîtres, Rastignac ouvrit délibérément la porte par laquelle était sorti le valet de chambre, afin sans doute de faire croire à ces insolents valets qu'il connaissait les êtres de la maison ; mais déboucha fort étourdiment dans une pièce où se trouvaient des lampes, des buffets, un appareil à chauffer des serviettes pour le bain, et qui menait à la fois dans un corridor obscur et dans un escalier dérobé. Les rires étouffés qu'il entendit dans l'antichambre mirent le comble à sa confusion.

— Monsieur, le salon est par ici, lui dit le valet de chambre avec ce faux respect qui semble être une raillerie de plus.

Eugène revint sur ses pas avec une telle précipitation qu'il se heurta contre une baignoire, mais il retint assez heureusement son chapeau pour l'empêcher de tomber dans le bain.[1] En ce moment, une porte s'ouvrit au fond du long corridor éclairé par une petite lampe, Rastignac y entendit à la fois la voix de madame de Restaud, celle du père Goriot, et le bruit d'un baiser. Il rentra dans la salle à manger, la traversa, suivit le valet de chambre, et rentra dans un premier salon où il resta posé devant la fenêtre, en s'apercevant qu'elle avait vue sur la cour. Il voulait voir si ce père Goriot était bien réellement son père Goriot. Le cœur lui battait étrangement, il se souvenait des épouvantables réflexions de Vautrin. Le valet de chambre attendait Eugène à la porte du salon, mais il en sortit tout à coup un élégant jeune homme, qui dit impatiemment: « Je m'en vais, Maurice. Vous direz à madame la comtesse que je l'ai attendue plus d'une demi-heure. » Cet impertinent, qui sans doute avait le droit de l'être, chantonna quelque roulade italienne en se dirigeant vers la fenêtre où stationnait Eugène, autant pour voir la figure de l'étudiant que pour regarder dans la cour.

— Mais monsieur le comte ferait mieux d'attendre encore un instant, Madame a fini, dit Maurice en retournant à l'antichambre.

En ce moment, le père Goriot débouchait près de la porte cochère par la sortie du petit escalier. Le bonhomme tirait son parapluie et se disposait à le déployer, sans faire attention que la grande porte était ouverte pour donner passage à un jeune homme décoré qui conduisait un tilbury. Le père Goriot n'eut que le temps de se jeter en arrière pour n'être pas écrasé. Le taffetas du parapluie avait effrayé le cheval, qui fit un léger écart en se précipitant vers le perron. Ce jeune homme détourna la tête d'un air de colère, regarda le père Goriot, et lui fit, avant qu'il ne sortît, un salut qui peignait la considération forcée que l'on accorde aux usuriers dont on a besoin, ou ce respect nécessaire exigé par un homme taré, mais dont on rougit plus tard. Le père Goriot répondit par un petit salut amical, plein de bonhomie.[2] Ces événements se passèrent avec la rapidité de l'éclair. Trop attentif pour s'apercevoir qu'il n'était pas seul, Eugène entendit tout à coup la voix de la comtesse.

— Ah! Maxime, vous vous en alliez, dit-elle avec un ton de reproche où se mêlait un peu de dépit.

La comtesse n'avait pas fait attention à l'entrée du tilbury. Rastignac se retourna brusquement et vit la comtesse coquettement vêtue d'un peignoir en cachemire blanc, à nœuds roses, coiffée négligemment, comme le sont les femmes de Paris au matin; elle embaumait, elle avait sans doute pris un bain, et sa beauté, pour ainsi dire assouplie, semblait plus voluptueuse; ses yeux étaient humides. L'œil des jeunes gens sait tout voir: leurs esprits s'unissent aux rayonnements de la femme comme une plante aspire dans l'air des substances qui lui sont propres.[1] Eugène sentit donc la fraîcheur épanouie des mains de cette femme sans avoir besoin d'y toucher. Il voyait, à travers le cachemire, les teintes rosées du corsage que le peignoir, légèrement entr'ouvert, laissait parfois à nu, et sur lequel son regard s'étalait. Les ressources du busc[2] étaient inutiles à la comtesse, la ceinture marquait seule sa taille flexible, son cou invitait à l'amour, ses pieds étaient jolis dans les pantoufles. Quand Maxime prit cette main pour la baiser, Eugène aperçut alors Maxime, et la comtesse aperçut Eugène.[3]

— Ah! c'est vous, monsieur de Rastignac, je suis bien aise de vous voir, dit-elle d'un air auquel savent obéir les gens d'esprit.

Maxime regardait alternativement Eugène et la comtesse d'une manière assez significative pour faire décamper l'intrus. « Ah çà, ma chère, j'espère que tu vas me mettre ce petit drôle à la porte! » Cette phrase était une traduction claire et intelligible des regards du jeune homme impertinemment fier que la comtesse Anastasie avait nommé Maxime, et dont elle consultait le visage de cette intention soumise qui dit tous les secrets d'une femme sans qu'elle s'en doute. Rastignac se sentit une haine violente pour ce jeune homme. D'abord les beaux cheveux blonds et bien frisés de Maxime lui apprirent combien les siens étaient horribles. Puis Maxime avait des bottes fines et propres, tandis que les siennes, malgré le soin qu'il avait pris en marchant, s'étaient empreintes d'une légère teinte de boue. Enfin Maxime portait une redingote qui lui serrait élégamment la taille et le faisait ressembler à une jolie femme, tandis qu'Eugène avait à deux heures et demie un habit noir. Le spirituel enfant de la Charente sentit la supériorité que la mise donnait à ce dandy, mince et grand, à l'œil clair, au teint pâle, un de ces hommes capables de ruiner des orphelins. Sans attendre la réponse d'Eugène, madame de Restaud se sauva comme à tire-d'aile[4] dans l'autre salon, en laissant flotter les pans de son peignoir qui se roulaient et se déroulaient de manière à lui donner l'apparence d'un papillon; et Maxime la suivit. Eugène furieux suivit Maxime et la comtesse. Ces trois personnages se trouvèrent donc en présence, à la hauteur de la cheminée, au milieu du grand salon. L'étudiant savait bien qu'il allait gêner cet odieux Maxime; mais, au risque de déplaire à madame de Restaud, il voulut gêner le dandy. Tout à coup, en se souvenant d'avoir vu ce jeune homme au bal de madame de Beauséant, il devina ce qu'était Maxime pour madame de Restaud; et avec cette audace juvénile qui fait commettre de grandes sottises ou obtenir de grand succès, il se dit: « Voilà mon rival, je veux triompher de lui. » L'imprudent! il ignorait que le comte Maxime de Trailles se laissait insulter, tirait le premier et tuait son homme. Eugène était un adroit chasseur, mais il n'avait pas encore abattu vingt poupées[1] sur vingt-deux dans un tir. Le jeune comte se jeta dans une bergère au coin du feu, prit les pincettes et fouilla le foyer par un mouvement si violent, si grimaud,[2] que le beau visage d'Anastasie se chagrina soudain. La jeune femme se tourna vers Eugène, et lui lança un de ces regards froidement interrogatifs qui disent si bien: Pourquoi ne vous en allez-vous pas? que les gens bien élevés savent aussitôt faire de ces phrases qu'il faudrait appeler des phrases de sortie.

Eugène prit un air agréable et dit: — Madame, j'avais hâte de vous voir pour. . . .

Il s'arrêta tout court. Une porte s'ouvrit. Le monsieur qui conduisait le tilbury se montra soudain, sans chapeau, ne salua pas la comtesse, regarda soucieusement Eugène, et tendit la main à Maxime, en lui disant: « Bonjour » avec une expression fraternelle qui surprit singulièrement Eugène. Les jeunes gens de province ignorent combien est douce la vie à trois.[3]

— Monsieur de Restaud, dit la comtesse à l'étudiant en lui montrant son mari.

Eugène s'inclina profondément.

— Monsieur, dit-elle en continuant et en présentant Eugène au comte de Restaud, est monsieur de Rastignac, parent de madame la vicomtesse de Beauséant par les Marcillac, et que j'ai eu le plaisir de rencontrer à son dernier bal.

Parent de madame la vicomtesse de Beauséant par les Marcillac! ces mots, que la comtesse prononça presque emphatiquement, par suite de l'espèce d'orgueil qu'éprouve une maîtresse de maison à prouver qu'elle n'a chez elle que des gens de distinction, furent d'un effet magique, le comte quitta son air froidement cérémonieux et salua l'étudiant.

— Enchanté, dit-il, monsieur, de pouvoir faire votre connaissance.

Le comte Maxime de Trailles lui-même jeta sur Eugène un regard inquiet et quitta tout à coup son air impertinent. Ce coup de baguette, dû à la puissante intervention d'un nom, ouvrit trente cases[1] dans le cerveau du méridional, et lui rendit l'esprit qu'il avait préparé. Une soudaine lumière lui fit voir clair dans l'atmosphère de la haute société parisienne, encore ténébreuse pour lui. La Maison Vauquer, le père Goriot étaient alors bien loin de sa pensée.

— Je croyais les Marcillac éteints? dit le comte de Restaud à Eugène.

— Oui, monsieur, répondit-il. Mon grand-oncle, le chevalier de Rastignac, a épousé l'héritière de la famille de Marcillac. Il n'a eu qu'une fille, qui a épousé le maréchal de Clarimbault, aïeul maternel de madame de Beauséant. Nous sommes la branche cadette, branche d'autant plus pauvre que mon grand-oncle, vice-amiral, a tout perdu au service du Roi. Le gouvernement révolutionnaire n'a pas voulu admettre nos créances dans la liquidation qu'il a faite de la Compagnie des Indes.[2]

— Monsieur votre grand-oncle ne commandait-il pas le *Vengeur* avant 1789?

— Précisément.

— Alors, il a connu mon grand-père, qui commandait le *Warwick*.[3]

Maxime haussa légèrement les épaules en regardant madame de Restaud, et eut l'air de lui dire: « S'il se met à causer marine avec celui-là, nous sommes perdus. » Anastasie comprit le regard de monsieur de Trailles. Avec cette admirable puissance que possèdent les femmes, elle se mit à sourire en disant: « Venez, Maxime; j'ai quelque chose à vous demander. Messieurs, nous vous laisserons naviguer de conserve[4] sur le *Warwick* et sur le *Vengeur*. » Elle se leva et fit un signe plein de traîtrise railleuse à Maxime, qui prit avec elle la route du boudoir. A peine ce couple *morganatique*,[5] jolie expression allemande qui n'a pas son équivalent en français, avait-il atteint la porte, que le comte interrompit sa conversation avec Eugène.

— Anastasie! restez donc, ma chère, s'écria-t-il avec humeur, vous savez bien que. . . .

— Je reviens, je reviens, dit-elle en l'interrompant, il ne me faut qu'un moment pour dire à Maxime ce dont je veux le charger.

Elle revint promptement. Comme toutes les femmes qui, forcées d'observer le caractère de leurs maris pour pouvoir se conduire à leur fantaisie, savent reconnaître jusqu'où elles peuvent aller afin de ne pas perdre une confiance précieuse, et qui alors ne les choquent jamais dans les petites choses de la vie, la comtesse avait vu d'après les inflexions de la voix du comte qu'il n'y aurait aucune sécurité à rester dans le boudoir. Ces contretemps étaient dus à Eugène. Aussi la comtesse montra-t-elle l'étudiant d'un air et par un geste pleins de dépit à Maxime, qui dit fort épigrammatiquement au comte, à sa femme et à Eugène: — Écoutez, vous êtes en affaires, je ne veux pas vous gêner; adieu. Il se sauva.

— Restez donc, Maxime! cria le comte.

— Venez dîner, dit la comtesse qui, laissant encore une fois Eugène et le comte, suivit Maxime dans le premier salon où ils restèrent assez de temps ensemble pour croire que monsieur de Restaud congédierait Eugène.

Rastignac les entendait tour à tour éclatant de rire, causant, se taisant; mais le malicieux étudiant faisait de l'esprit avec monsieur de Restaud, le flattait ou l'embarquait dans des discussions, afin de revoir la comtesse et de savoir quelles étaient ses relations avec le père Goriot. Cette femme, évidemment amoureuse de Maxime; cette femme, maîtresse de son mari, liée secrètement au vieux vermicellier, lui semblait tout un mystère. Il voulait pénétrer ce mystère, espérant ainsi pouvoir régner en souverain sur cette femme si éminemment Parisienne.

— Anastasie, dit le comte appelant de nouveau sa femme.

— Allons, mon pauvre Maxime, dit-elle au jeune homme, il faut se résigner. A ce soir. . . .

— J'espère, *Nasie*, lui dit-il à l'oreille, que vous consignerez ce petit jeune homme dont les yeux s'allumaient comme des charbons quand votre peignoir s'entr'ouvrait. Il vous ferait des déclarations, vous compromettrait, et vous me forceriez à le tuer.

— Êtes-vous fou, Maxime? dit-elle. Ces petits étudiants ne sont-ils pas, au contraire, d'excellents paratonnerres?[1] Je le ferai, certes, prendre en grippe à Restaud.

Maxime éclata de rire et sortit suivi de la comtesse, qui se mit à la fenêtre pour le voir montant en voiture, faire piaffer son cheval, et agitant son fouet. Elle ne revint que quand la grande porte fut fermée.

— Dites donc, lui cria le comte quand elle rentra, ma chère, la terre où demeure la famille de monsieur n'est pas loin de Verteuil, sur la Charente. Le grand-oncle de monsieur et mon grand-père se connaissaient.

— Enchantée d'être en pays de connaissance, dit la comtesse distraite.

— Plus que vous ne le croyez, dit à voix basse Eugène.

— Comment? dit-elle vivement.

— Mais, reprit l'étudiant, je viens de voir sortir de chez vous un monsieur avec lequel je suis porte à porte dans la même pension, le père Goriot.

A ce nom enjolivé[1] du mot *père*, le comte, qui tisonnait, jeta les pincettes dans le feu, comme si elles lui eussent brûlé les mains, et se leva.

— Monsieur, vous auriez pu dire monsieur Goriot! s'écria-t-il.

La comtesse pâlit d'abord en voyant l'impatience de son mari, puis elle rougit, et fut évidemment embarrassée; elle répondit d'une voix qu'elle voulut rendre naturelle, et d'un air faussement dégagé: « Il est impossible de connaître quelqu'un que nous aimions mieux ... » Elle s'interrompit, regarda son piano, comme s'il se réveillait en elle quelque fantaisie, et dit: — Aimez-vous la musique, monsieur?

— Beaucoup, répondit Eugène devenu rouge et bêtifié par l'idée confuse qu'il eut d'avoir commis quelque lourde sottise.

— Chantez-vous? s'écria-t-elle en s'en allant à son piano dont elle attaqua vivement toutes les touches en les remuant depuis l'ut d'en bas jusqu'au fa d'en haut. Rrrrah!

— Non, madame.

Le comte de Restaud se promenait de long en large.

— C'est dommage, vous êtes privé d'un grand moyen de succès. — *Ca-a-ro, ca-a-ro, ca-a-a-a-ro, non du-bita-re*,[2] chanta la comtesse.

En prononçant le nom du père Goriot, Eugène avait donné un coup de baguette magique, mais dont l'effet était inverse de celui qu'avaient frappé ces mots: parent de madame de Beauséant. Il se trouvait dans la situation d'un homme introduit par faveur chez un amateur de curiosités, et qui, touchant par mégarde une armoire pleine de figures sculptées, fait tomber trois ou quatre têtes mal collées. Il aurait voulu se jeter dans un gouffre. Le visage de madame de Restaud était sec, froid, et ses yeux devenus indifférents fuyaient ceux du malencontreux étudiant.

— Madame, dit-il, vous avez à causer avec monsieur de Restaud, veuillez agréer mes hommages, et me permettre...

— Toutes les fois que vous viendrez, dit précipitamment la comtesse en arrêtant Eugène par un geste, vous êtes sûr de nous faire, à monsieur de Restaud comme à moi, le plus vif plaisir.

Eugène salua profondément le couple et sortit suivi de monsieur de Restaud, qui, malgré ses instances, l'accompagna jusque dans l'antichambre.

— Toutes les fois que monsieur se présentera, dit le comte à Maurice, ni madame ni moi nous n'y serons.

Quand Eugène mit pied sur le perron, il s'aperçut qu'il pleuvait.

— Allons, se dit-il, je suis venu faire une gaucherie dont j'ignore la cause et la portée, je gâterai par-dessus le marché mon habit et mon chapeau. Je devrais rester dans un coin à piocher le Droit, ne penser qu'à devenir un rude magistrat. Puis-je aller dans le monde quand, pour y manœuvrer convenablement, il faut un tas de cabriolets, de bottes cirées, d'agrès[1] indispensables, de chaînes d'or, dès le matin des gants de daim blancs qui coûtent six francs, et toujours des gants jaunes le soir? Vieux drôle de père Goriot, va!

Quand il se trouva sous la porte de la rue, le cocher d'une voiture de louage, qui venait sans doute de remiser[2] de nouveaux mariés et qui ne demandait pas mieux que de voler à son maître quelques courses de contrebande, fit à Eugène un signe en le voyant sans parapluie, en habit noir, gilet blanc, gants jaunes et bottes cirées. Eugène était sous l'empire de ces rages sourdes qui poussent un jeune homme à s'enfoncer de plus en plus dans l'abîme où il est entré, comme s'il esperait y trouver une heureuse issue. Il consentit par un mouvement de tête à la demande du cocher. Sans avoir plus de vingt-deux sous dans sa poche, il monta dans la voiture où quelques grains de fleurs d'oranger et des brins de cannetille[3] attestaient le passage des mariés.

— Où monsieur va-t-il? demanda le cocher, qui n'avait déjà plus ses gants blancs.

— Parbleu! se dit Eugène, puisque je m'enfonce, il faut au moins que cela me serve à quelque chose! Allez à l'hôtel de Beauséant, ajouta-t-il à haute voix.

— Lequel? dit le cocher.

Mot sublime qui confondit Eugène. Cet élégant inédit[4] ne savait pas qu'il y avait deux hôtels de Beauséant, il ne connaissait pas combien il était riche en parents qui ne se souciaient pas de lui.

— Le vicomte de Beauséant, rue. . . .

— De Grenelle, dit le cocher en hochant la tête et l'interrompant. Voyez-vous, il y a encore l'hôtel du comte et du marquis de Beauséant, rue Saint-Dominique, ajouta-t-il en relevant le marche-pied.

— Je le sais bien, répondit Eugène d'un air sec. Tout le monde aujourd'hui se moque donc de moi! dit-il en jetant son chapeau sur les coussins de devant. Voilà une escapade qui va me coûter la rançon d'un roi. Mais au moins je vais faire ma visite à ma soi-disant cousine d'une manière solidement aristocratique. Le père Goriot me coûte déjà au moins dix francs, le vieux scélérat! Ma foi, je vais raconter mon aventure à madame de Beauséant, peut-être la ferai-je rire. Elle saura sans doute le mystère des liaisons criminelles de ce vieux rat sans queue et de cette belle femme. Il vaut mieux plaire à ma cousine que de me cogner contre cette femme immorale, qui me fait l'effet d'être bien coûteuse. Si le nom de la belle vicomtesse est si puissant, de quel poids doit donc être sa personne? Adressons-nous en haut. Quand on s'attaque à quelque chose dans le ciel, il faut viser Dieu!

Ces paroles sont la formule brève des mille et une pensées entre lesquelles il flottait. Il reprit un peu de calme et d'assurance en voyant tomber la pluie. Il se dit que s'il allait dissiper deux des précieuses pièces de cent sous qui lui restaient, elles seraient heureusement employées à la conservation de son habit, de ses bottes et de son chapeau. Il n'entendit pas sans un mouvement d'hilarité son cocher criant: *La porte, s'il vous plaît?* Un suisse rouge et doré fit grogner sur ses gonds la porte de l'hôtel, et Rastignac vit avec une douce satisfaction sa voiture passant sous le porche, tournant dans la cour, et s'arrêtant sous la marquise du perron. Le cocher à grosse houppelande bleue bordée de rouge vint déplier le marchepied. En descendant de sa voiture, Eugène entendit des rires étouffés qui partaient sous le péristyle. Trois ou quatre valets avaient déjà plaisanté sur cet équipage de mariée vulgaire. Leur rire éclaira l'étudiant au moment où il compara cette voiture à l'un des plus élégants coupés de Paris, attelé de deux chevaux fringants qui avaient des roses à l'oreille, qui mordaient leur frein, et qu'un cocher poudré, bien cravaté, tenait en bride comme s'ils eussent voulu s'échapper. A la Chaussée-d'Antin, madame de Restaud avait dans sa cour le fin cabriolet de l'homme de vingt-six ans. Au faubourg Saint-Germain, attendait le luxe d'un grand seigneur, un équipage que trente mille francs n'auraient pas payé.

— Qui donc est là? se dit Eugène en comprenant un peu tardivement qu'il devait se rencontrer à Paris bien peu de femmes qui ne fussent occupées, et que la conquête d'une de ces reines coûtait plus que du sang. Diantre! ma cousine aura sans doute aussi son Maxime.

Il monta le perron la mort dans l'âme. A son aspect la porte vitrée s'ouvrit; il trouva les valets sérieux comme des ânes qu'on étrille. La fête à laquelle il avait assisté s'était donnée dans les grands appartements de réception, situés au rez-de-chaussée de l'hôtel de Beauséant. N'ayant pas eu le temps, entre l'invitation et le bal, de faire une visite à sa cousine, il n'avait donc pas encore pénétré dans les appartements de madame de Beauséant ; il allait donc voir pour la première fois les merveilles de cette élégance personnelle qui trahit l'âme et les mœurs d'une femme de distinction. Étude d'autant plus curieuse que le salon de madame de Restaud lui fournissait un terme de comparaison. A quatre heures et demie la vicomtesse était visible. Cinq minutes plus tôt, elle n'eût pas reçu son cousin. Eugène, qui ne savait rien des diverses étiquettes parisiennes, fut conduit par un grand escalier plein de fleurs, blanc de ton, à rampe dorée, à tapis rouge, chez madame de Beauséant, dont il ignorait la biographie verbale, une de ces changeantes histoires qui se content tous les soirs d'oreille à oreille dans les salons de Paris.

La vicomtesse était liée depuis trois ans avec un des plus célèbres et des plus riches seigneurs portugais, le marquis d'Ajuda-Pinto. C'était une de ces liaisons innocentes qui ont tant d'attraits pour les personnes ainsi liées, qu'elles ne peuvent supporter personne en tiers. Aussi le vicomte de Beauséant avait-il donné lui-même l'exemple au public en respectant, bon gré, mal gré, cette union morganatique. Les personnes qui, dans les premiers jours de cette amitié, vinrent voir la vicomtesse à deux heures, y trouvaient le marquis d'Ajuda-Pinto. Madame de Beauséant, incapable de fermer sa porte, ce qui eût été fort inconvenant, recevait si froidement les gens et contemplait si studieusement sa corniche, que chacun comprenait combien il la gênait. Quand on sut dans Paris qu'on gênait madame de Beauséant en venant la voir entre deux et quatre heures, elle se trouva dans la solitude la plus complète. Elle allait aux Bouffons ou à l'Opéra en compagnie de monsieur de Beauséant et de monsieur d'Ajuda-Pinto ; mais en homme qui sait vivre, monsieur de Beauséant quittait toujours sa femme et le Portugais après les y avoir installés. Monsieur d'Ajuda devait se marier. Il épousait une demoiselle de Rochefide. Dans toute la haute société une seule personne ignorait encore ce mariage, cette personne était madame de Beauséant. Quelques-unes de ses amies lui en avaient bien parlé vaguement ; elle en avait ri, croyant que ses amies voulaient troubler un bonheur jalousé. Cependant les bans allaient se publier. Quoiqu'il fût venu pour notifier ce mariage à la vicomtesse, le beau Portugais n'avait pas encore osé dire un traître mot. Pourquoi ? rien sans doute n'est plus difficile que de notifier à une femme un semblable *ultimatum*. Certains hommes se trouvent plus à l'aise sur le terrain, devant un homme qui leur menace le cœur avec une épée, que devant une femme qui, après avoir débité ses élégies pendant deux heures, fait la morte et demande des sels. En ce moment donc monsieur d'Ajuda-Pinto était sur les épines, et voulait sortir, en se disant que madame de Beauséant apprendrait cette nouvelle, il lui écrirait, il serait plus commode de traiter ce galant assassinat par correspondance que de vive voix. Quand le valet de chambre de la vicomtesse annonça monsieur Eugène de Rastignac, il fit tressaillir de joie le marquis d'Ajuda-Pinto. Sachez-le bien, une femme aimante est encore plus ingénieuse à se créer des doutes qu'elle n'est habile à varier le plaisir. Quand elle est sur le point d'être quittée, elle devine plus rapidement le sens d'un geste que le coursier de Virgile[1] ne flaire les lointains corpuscules qui lui annoncent l'amour. Aussi comptez que madame de Beauséant surprit ce tressaillement involontaire, léger, mais naïvement épouvantable. Eugène ignorait qu'on ne doit jamais se présenter chez qui que ce soit à Paris sans s'être fait conter par les amis de la maison l'histoire du mari, celle de la femme ou des enfants, afin de n'y commettre aucune de ces balourdises dont on dit pittoresquement en Pologne: *Attelez cinq bœufs à votre char!* sans doute pour vous tirer du mauvais pas où vous vous embourbez. Si ces malheurs de la conversation n'ont encore aucun nom en France, on les y suppose sans doute impossibles, par suite de l'énorme publicité qu'y obtiennent les médisances. Après s'être embourbé chez madame de Restaud, qui ne lui avait pas même laissé le temps d'atteler les cinq bœufs à son char, Eugène seul était capable de recommencer son métier de bouvier, en se présentant chez madame de Beauséant. Mais s'il avait horriblement gêné madame de Restaud et monsieur de Trailles, il tirait d'embarras monsieur d'Ajuda.

— Adieu, dit le Portugais en s'empressant de gagner la porte quand Eugène entra dans un petit salon coquet, gris et rose, où le luxe semblait n'être que de l'élégance.

— Mais à ce soir, dit madame de Beauséant en retournant la tête et jetant un regard au marquis. N'allons-nous pas aux Bouffons?

— Je ne le puis, dit-il en prenant le bouton de la porte.

Madame de Beauséant se leva, le rappela près d'elle, sans faire la moindre attention à Eugène, qui, debout, étourdi par les scintillements d'une richesse merveilleuse, croyait à la réalité des contes arabes,[2] et ne savait où se fourrer en se trouvant en présence de cette femme sans être remarqué par elle. La vicomtesse avait levé l'index de sa main droite, et par un joli mouvement désignait au marquis une place devant elle. Il y eut dans ce geste un si violent despotisme de passion que le marquis laissa le bouton de la porte et vint. Eugène le regarda non sans envie.

— Voilà, se dit-il, l'homme au coupé! Mais il faut donc avoir des chevaux fringants, des livrées et de l'or à flots pour obtenir le regard d'une femme de Paris? Le démon du luxe le mordit au cœur, la fièvre du gain le prit, la soif de l'or lui sécha la gorge. Il avait cent trente francs pour son trimestre. Son père, sa mère, ses frères, ses sœurs, sa tante, ne dépensaient pas deux cents francs par mois, à eux tous. Cette rapide comparaison entre sa situation présente et le but auquel il fallait parvenir contribuèrent à le stupéfier.

— Pourquoi, dit la vicomtesse en riant, ne *pouvez-vous pas* venir aux Italiens?

— Des affaires! Je dîne chez l'ambassadeur d'Angleterre.

— Vous les quitterez.

Quand un homme trompe, il est invinciblement forcé d'entasser mensonges sur mensonges. Monsieur d'Ajuda dit alors en riant: «Vous l'exigez?»

— Oui, certes.

— Voilà ce que je voulais me faire dire, répondit-il en jetant un de ces fins regards qui auraient rassuré toute autre femme. Il prit la main de la vicomtesse, la baisa et partit.

Eugène passa la main dans ses cheveux et se tortilla pour saluer en croyant que madame de Beauséant allait penser à lui; tout à coup elle s'élance,[1] se précipite dans la galerie, accourt à la fenêtre et regarde monsieur d'Ajuda pendant qu'il montait en voiture; elle prête l'oreille à l'ordre, et entend le chasseur[2] répétant au cocher: «Chez monsieur de Rochefide.» Ces mots, et la manière dont d'Ajuda se plongea dans sa voiture, furent l'éclair et la foudre pour cette femme, qui revint en proie à de mortelles appréhensions. Les plus horribles catastrophes ne sont que cela dans le grand monde. La vicomtesse rentra dans sa chambre à coucher, se mit à sa table, et prit un joli papier.

Du moment, écrivait-elle, *où vous dînez chez les Rochefide, et non à l'ambassade anglaise, vous me devez une explication, je vous attends.*

Après avoir redressé quelques lettres défigurées par le tremblement convulsif de sa main, elle mit un C qui voulait dire Claire de Bourgogne, et sonna.

— Jacques, dit-elle à son valet de chambre qui vint aussitôt, vous irez à sept heures et demie chez monsieur de Rochefide, vous y demanderez le marquis d'Ajuda. Si monsieur le marquis y est, vous lui ferez parvenir ce billet sans demander de réponse; s'il n'y est pas, vous reviendrez et me rapporterez ma lettre.

— Madame la vicomtesse a quelqu'un dans son salon.

— Ah! c'est vrai, dit-elle en poussant la porte.

Eugène commençait à se trouver très mal à l'aise, il aperçut enfin la vicomtesse qui lui dit d'un ton dont l'émotion lui remua les fibres du cœur: « Pardon, monsieur, j'avais un mot à écrire, je suis maintenant tout à vous. » Elle ne savait ce qu'elle disait, car voici ce qu'elle pensait: « Ah! il veut épouser mademoiselle de Rochefide. Mais est-il donc libre? Ce soir ce mariage sera brisé, ou je. . . . Mais il n'en sera plus question demain. »

— Ma cousine . . . répondit Eugène.

— Hein? fit la vicomtesse en lui jetant un regard dont l'impertinence glaça l'étudiant.

Eugène comprit ce hein. Depuis trois heures il avait appris tant de choses, qu'il s'était mis sur le qui-vive.

— Madame, reprit-il en rougissant. Il hésita, puis il dit en continuant: Pardonnez-moi; j'ai besoin de tant de protection qu'un bout de parenté n'aurait rien gâté.

Madame de Beauséant sourit, mais tristement: elle sentait déjà le malheur qui grondait dans son atmosphère.

— Si vous connaissiez la situation dans laquelle se trouve ma famille, dit-il en continuant, vous aimeriez à jouer le rôle d'une de ces fées fabuleuses qui se plaisaient à dissiper les obstacles autour de leurs filleuls.

— Eh bien! mon cousin, dit-elle en riant, à quoi puis-je vous être bonne?

— Mais le sais-je? Vous appartenir par un lien de parenté qui se perd dans l'ombre est déjà toute une fortune. Vous m'avez troublé, je ne sais plus ce que je venais vous dire. Vous êtes la seule personne que je connaisse à Paris. Ah! je voulais vous consulter en vous demandant de m'accepter comme un pauvre enfant qui désire se coudre à votre jupe, et qui saurait mourir pour vous.

— Vous tueriez quelqu'un pour moi?

— J'en tuerais deux, fit Eugène.

— Enfant! Oui, vous êtes un enfant, dit-elle en réprimant quelques larmes; vous aimeriez sincèrement, vous!

— Oh! fit-il en hochant la tête.

La vicomtesse s'intéressa vivement à l'étudiant pour une réponse d'ambitieux. Le méridional en était à son premier calcul. Entre le boudoir bleu de madame de Restaud et le salon rose de madame de

Beauséant, il avait fait trois années de ce *Droit parisien* dont on ne parle pas, quoiqu'il constitue une haute jurisprudence sociale qui, bien apprise et bien pratiquée, mène à tout.

— Ah! j'y suis, dit Eugène. J'avais remarqué madame de Restaud à votre bal, je suis allé ce matin chez elle.

— Vous avez dû bien la gêner, dit en souriant madame de Beauséant.

— Eh! oui, je suis un ignorant qui mettra contre lui tout le monde, si vous me refusez votre secours. Je crois qu'il est fort difficile de rencontrer à Paris une femme jeune, belle, riche, élégante qui soit inoccupée, et il m'en faut une qui m'apprenne ce que, vous autres femmes, vous savez si bien expliquer: la vie. Je trouverai partout un monsieur de Trailles. Je venais donc à vous pour vous demander le mot d'une énigme, et vous prier de me dire de quelle nature est la sottise que j'y ai faite. J'ai parlé d'un père. . . .

— Madame la duchesse de Langeais, dit Jacques en coupant la parole à l'étudiant, qui fit le geste d'un homme violemment contrarié.

— Si vous voulez réussir, dit la vicomtesse à voix basse, d'abord ne soyez pas aussi démonstratif.[1]

— Eh! bonjour, ma chère, reprit-elle en se levant et allant au-devant de la duchesse dont elle pressa les mains avec l'effusion caressante qu'elle aurait pu montrer pour une sœur et à laquelle la duchesse répondit par les plus jolies câlineries.

— Voilà deux bonnes amies, se dit Rastignac. J'aurai dès lors deux protectrices; ces deux femmes doivent avoir les mêmes affections, et celle-ci s'intéressera sans doute à moi.

— A quelle heureuse pensée dois-je le bonheur de te voir, ma chère Antoinette ? dit madame de Beauséant.

— Mais j'ai vu monsieur d'Ajuda-Pinto entrant chez monsieur de Rochefide, et j'ai pensé qu'alors vous étiez seule.

Madame de Beauséant ne se pinça point les lèvres, elle ne rougit pas, son regard resta le même, son front parut s'éclaircir pendant que la duchesse prononçait ces fatales paroles.

— Si j'avais su que vous fussiez occupée . . . ajouta la duchesse en se tournant vers Eugène.

— Monsieur est monsieur Eugène de Rastignac, un de mes cousins, dit la vicomtesse. Avez-vous des nouvelles du général Montriveau ?[2] fit-elle. Sérizy m'a dit hier qu'on ne le voyait plus, l'avez-vous eu chez vous aujourd'hui ?

La duchesse, qui passait pour être abandonnée par monsieur de Montriveau, de qui elle était éperdument éprise, sentit au cœur la pointe de cette question, et rougit en répondant : — Il était hier à l'Élysée.[1]

— De service, dit madame de Beauséant.

— Clara, vous savez sans doute, reprit la duchesse en jetant des flots de malignité par ses regards, que demain les bans de monsieur d'Ajuda-Pinto et de mademoiselle de Rochefide se publient ?

Ce coup était trop violent, la vicomtesse pâlit et répondit en riant : — Un de ces bruits dont s'amusent les sots. Pourquoi monsieur d'Ajuda porterait-il chez les Rochefide un des plus beaux noms du Portugal ? Les Rochefide sont des gens anoblis d'hier.

— Mais Berthe réunira, dit-on, deux cent mille livres de rente.

— Monsieur d'Ajuda est trop riche pour faire de ces calculs.

— Mais, ma chère, mademoiselle de Rochefide est charmante.

— Ah !

— Enfin il y dîne aujourd'hui, les conditions sont arrêtées. Vous m'étonnez étrangement d'être si peu instruite.

— Quelle sottise avez-vous donc faite, monsieur ? dit madame de Beauséant. Ce pauvre enfant est si nouvellement jeté dans le monde, qu'il ne comprend rien, ma chère Antoinette, à ce que nous disons. Soyez bonne pour lui, remettons à causer de cela demain. Demain, voyez-vous, tout sera sans doute officiel, et vous pourrez être officieuse à coup sûr.

La duchesse tourna sur Eugène un de ces regards impertinents qui enveloppent un homme des pieds à la tête, l'aplatissent, et le mettent à l'état de zéro.

— Madame, j'ai, sans le savoir, plongé un poignard dans le cœur de madame de Restaud. Sans le savoir, voilà ma faute, dit l'étudiant que son génie avait assez bien servi et qui avait découvert les mordantes épigrammes cachées sous les phrases affectueuses de ces deux femmes. Vous continuez à voir, et vous craignez peut-être les gens qui sont dans le secret du mal qu'ils vous font, tandis que celui qui blesse en ignorant la profondeur de sa blessure est regardé comme un sot, un maladroit qui ne sait profiter de rien, et chacun le méprise.

Madame de Beauséant jeta sur l'étudiant un de ces regards fondants où les grandes âmes savent mettre tout à la fois de la reconnaissance et de la dignité. Ce regard fut comme un baume qui calma la plaie que venait de faire au cœur de l'étudiant le coup d'œil d'huissier-priseur[2] par lequel la duchesse l'avait évalué.

— Figurez-vous que je venais, dit Eugène en continuant, de capter la bienveillance du comte de Restaud ; car, dit-il en se tournant vers la duchesse d'un air à la fois humble et malicieux, il faut vous dire, madame, que je ne suis encore qu'un pauvre diable d'étudiant, bien seul, bien pauvre. . . .

— Ne dites pas cela, monsieur de Rastignac. Nous autres femmes, nous ne voulons jamais de ce dont personne ne veut.

— Bah! fit Eugène, je n'ai que vingt-deux ans, il faut savoir supporter les malheurs de son âge. D'ailleurs, je suis à confesse; et il est impossible de se mettre à genoux dans un plus joli confessionnal: on y fait les péchés dont on s'accuse dans l'autre.

La duchesse prit un air froid à ce discours antireligieux, dont elle proscrivit le mauvais goût en disant à la vicomtesse. — Monsieur arrive. . . .

Madame de Beauséant se prit à rire franchement et de son cousin et de la duchesse.

— Il arrive, ma chère, et cherche une institutrice qui lui enseigne le bon goût.

— Madame la duchesse, reprit Eugène, n'est-il pas naturel de vouloir s'initier aux secrets de ce qui nous charme? (Allons, se dit-il en lui-même, je suis sûr que je leur fais des phrases de coiffeur.)[1]

— Mais madame de Restaud est, je crois, l'écolière de monsieur de Trailles, dit la duchesse.

— Je n'en savais rien, madame, reprit l'étudiant. Aussi me suis-je étourdiment jeté entre eux. Enfin, je m'étais assez bien entendu avec le mari, je me voyais souffert pour un temps par la femme, lorsque je me suis avisé de leur dire que je connaissais un homme que je venais de voir sortant par un escalier dérobé, et qui avait au fond d'un couloir embrassé la comtesse.

— Qui est-ce? dirent les deux femmes.

— Un vieillard qui vit à raison de deux louis par mois, au fond du faubourg Saint-Marceau, comme moi, pauvre étudiant; un véritable malheureux dont tout le monde se moque, et que nous appelons le père Goriot.

— Mais, enfant que vous êtes, s'écria la vicomtesse, madame de Restaud est une demoiselle Goriot.

— La fille d'un vermicellier, reprit la duchesse, une petite femme qui s'est fait présenter le même jour qu'une fille de pâtissier. Ne vous en souvenez-vous pas, Clara? Le Roi s'est mis à rire, et a dit en latin un bon mot sur la farine. Des gens, comment donc? des gens. . . .

— *Ejusdem farinæ*,[2] dit Eugène.

— C'est cela, dit la duchesse.

— Ah! c'est son père, reprit l'étudiant en faisant un geste d'horreur.

— Mais oui; ce bonhomme avait deux filles dont il est quasi fou, quoique l'une et l'autre l'aient à peu près renié.

— La seconde n'est-elle pas, dit la vicomtesse en regardant madame de Langeais, mariée à un banquier dont le nom est allemand, un baron de Nucingen? Ne se nomme-t-elle pas Delphine? N'est-ce pas une blonde qui a une loge de côté à l'Opéra, qui vient aussi aux Bouffons, et rit très haut pour se faire remarquer?

La duchesse sourit en disant: — Mais, ma chère, je vous admire. Pourquoi vous occupez-vous donc tant de ces gens-là? Il a fallu être amoureux fou, comme l'était Restaud, pour s'être enfariné de mademoiselle Anastasie. Oh! il n'en sera pas le bon marchand![1] Elle est entre les mains de monsieur de Trailles, qui la perdra.

— Elles ont renié leur père, répétait Eugène.

— Eh bien! oui, leur père, le père, un père, reprit la vicomtesse, un bon père qui leur a donné, dit-on, à chacune cinq ou six cent mille francs pour faire leur bonheur en les mariant bien, et qui ne s'était réservé que huit à dix mille livres de rente pour lui, croyant que ses filles resteraient ses filles, qu'il s'était créé chez elles deux existences, deux maisons où il serait adoré, choyé. En deux ans, ses gendres l'ont banni de leur société comme le dernier des misérables....

Quelques larmes roulèrent dans les yeux d'Eugène, récemment rafraîchi par les pures et saintes émotions de la famille, encore sous le charme des croyances jeunes, et qui n'en était qu'à sa première journée sur le champ de bataille de la civilisation parisienne. Les émotions véritables sont si communicatives, que pendant un moment ces trois personnes se regardèrent en silence.

— Eh! mon Dieu, dit madame de Langeais, oui, cela semble bien horrible, et nous voyons cependant cela tous les jours. N'y a-t-il pas une cause à cela? Dites-moi, ma chère, avez-vous pensé jamais à ce qu'est un gendre? Un gendre est un homme pour qui nous élèverons, vous ou moi, une chère petite créature à laquelle nous tiendrons par mille liens, qui sera pendant dix-sept ans la joie de la famille, qui en est l'âme blanche, dirait Lamartine, et qui en deviendra la peste. Quand cet homme nous l'aura prise, il commencera par saisir son amour comme une hache, afin de couper dans le cœur et au vif de cet ange tous les sentiments par lesquels elle s'attachait à sa famille. Hier, notre fille était tout pour nous, nous étions tout pour elle; le lendemain elle se fait notre ennemie. Ne voyons-nous pas cette tragédie s'accomplissant tous les jours? Ici, la belle-fille est de la dernière impertinence avec le beau-père, qui a tout sacrifié pour son fils. Plus loin, un gendre met sa belle-mère à la porte. J'entends

demander ce qu'il y a de dramatique aujourd'hui dans la société;
mais le drame du gendre est effrayant, sans compter nos mariages
qui sont devenus de fort sottes choses. Je me rends parfaitement
compte de ce qui est arrivé à ce vieux vermicellier. Je crois me
rappeler que ce Foriot. . . .

— Goriot, madame.

— Oui, ce Moriot a été président de sa section[1] pendant la
Révolution; il a été dans le secret de la fameuse disette,[2] et a
commencé sa fortune par vendre dans ce temps-là des farines dix
fois plus qu'elles ne lui coûtaient. Il en a eu tant qu'il en a voulu.
L'intendant de ma grand'mère lui en a vendu pour des sommes
immenses. Ce Goriot partageait sans doute, comme tous ces gens-là,
avec le Comité de Salut Public.[3] Je me souviens que l'intendant
disait à ma grand'mère qu'elle pouvait rester en toute sûreté à
Grandvilliers, parce que ses blés étaient une excellente carte civique.
Eh bien! ce Loriot, qui vendait du blé aux coupeurs de têtes, n'a eu
qu'une passion. Il adore, dit-on, ses filles. Il a juché[4] l'aînée dans la
maison de Restaud, et greffé l'autre sur le baron de Nucingen, un
riche banquier qui fait le royaliste. Vous comprenez bien que, sous
l'empire, les deux gendres ne se sont pas trop formalisés d'avoir ce
vieux Quatre-vingt-treize[5] chez eux; ça pouvait encore aller avec
Buonaparte. Mais quand les Bourbons[6] sont revenus, le bonhomme
a gêné monsieur de Restaud, et plus encore le banquier. Les filles,
qui aimaient peut-être toujours leur père, ont voulu ménager la
chèvre et le chou,[7] le père et le mari; elles ont reçu le Goriot quand
elles n'avaient personne; elles ont imaginé des prétextes de tendresse.
« Papa, venez, nous serons mieux, parce que nous serons seuls! » etc.
Moi, ma chère, je crois que les sentiments vrais ont des yeux et une
intelligence: le cœur de ce pauvre Quatre-vingt-treize a donc saigné.
Il a vu que ses filles avaient honte de lui; que, si elles aimaient leurs
maris, il nuisait à ses gendres. Il fallait donc se sacrifier. Il s'est
sacrifié, parce qu'il était père: il s'est banni de lui-même. En voyant
ses filles contentes, il comprit qu'il avait bien fait. Le père et les
enfants ont été complices de ce petit crime. Nous voyons cela
partout. Ce père Doriot n'aurait-il pas été une tache de cambouis[8]
dans le salon de ses filles? il y aurait été gêné, il se serait ennuyé. Ce
qui arrive à ce père peut arriver à la plus jolie femme avec l'homme
qu'elle aimera le mieux: si elle l'ennuie de son amour, il s'en va, il
fait des lâchetés pour la fuir. Tous les sentiments en sont là. Notre
cœur est un trésor, videz-le d'un coup, vous êtes ruinés. Nous ne
pardonnons pas plus à un sentiment de s'être montré tout entier

qu'à un homme de ne pas avoir un sou à lui.[1] Ce père avait tout donné. Il avait donné, pendant vingt ans, ses entrailles, son amour; il avait donné[2] sa fortune en un jour. Le citron bien pressé, ses filles ont laissé le zeste au coin des rues.

— Le monde est infâme, dit la vicomtesse en effilant son châle et sans lever les yeux, car elle était atteinte au vif par les mots que madame de Langeais avait dits, pour elle, en racontant cette histoire.

— Infâme! non, reprit la duchesse; il va son train, voilà tout. Si je vous en parle ainsi, c'est pour montrer que je ne suis pas la dupe du monde. Je pense comme vous, dit-elle en pressant la main de la vicomtesse. Le monde est un bourbier, tâchons de rester sur les hauteurs. Elle se leva, embrassa madame de Beauséant au front en lui disant: « Vous êtes bien belle en ce moment, ma chère. Vous avez les plus jolies couleurs que j'aie vues jamais. » Puis elle sortit après avoir légèrement incliné la tête en regardant le cousin.

— Le père Goriot est sublime! dit Eugène en se souvenant de l'avoir vu tordant son vermeil la nuit.

Madame de Beauséant n'entendit pas, elle était pensive. Quelques moments de silence s'écoulèrent, et le pauvre étudiant, par une sorte de stupeur honteuse, n'osait ni s'en aller, ni rester, ni parler.

— Le monde est infâme et méchant, dit enfin la vicomtesse. Aussitôt qu'un malheur nous arrive, il se rencontre toujours un ami prêt à venir nous le dire, et à nous fouiller le cœur avec un poignard en nous en faisant admirer le manche. Déjà le sarcasme, déjà les railleries! Ah! je me défendrai. Elle releva la tête comme une grande dame qu'elle était, et des éclairs sortirent de ses yeux fiers. — Ah! fit-elle en voyant Eugène, vous êtes là!

— Encore, dit-il piteusement.

— Eh bien! monsieur de Rastignac, traitez ce monde comme il mérite de l'être.[3] Vous voulez parvenir, je vous aiderai. Vous sonderez combien est profonde la corruption féminine, vous toiserez la largeur de la misérable vanité des hommes. Quoique j'aie bien lu dans ce livre du monde, il y avait des pages qui cependant m'étaient inconnues. Maintenant je sais tout. Plus froidement vous calculerez, plus avant vous irez. Frappez sans pitié, vous serez craint. N'acceptez les hommes et les femmes que comme des chevaux de poste que vous laisserez crever à chaque relais,[4] vous arriverez ainsi au faîte de vos désirs. Voyez-vous, vous ne serez rien ici si vous n'avez pas une femme qui s'intéresse à vous. Il vous la faut jeune, riche, élégante. Mais si vous avez un sentiment vrai, cachez-le comme un trésor; ne le laissez jamais soupçonner, vous seriez perdu. Vous ne seriez plus

le bourreau, vous deviendriez la victime.[1] Si jamais vous aimiez,
gardez bien votre secret! ne le livrez pas avant d'avoir bien su à qui
vous ouvrirez votre cœur. Pour préserver par avance cet amour qui
n'existe pas encore, apprenez à vous méfier de ce monde-ci. Écoutez-
moi, Miguel. . . . (Elle se trompait naïvement de nom sans s'en
apercevoir.) Il existe quelque chose de plus épouvantable que ne
l'est l'abandon du père par ses deux filles, qui le voudraient mort.
C'est la rivalité des deux sœurs entre elles. Restaud a de la naissance,
sa femme a été adoptée, elle a été présentée; mais sa sœur, sa riche
sœur, la belle madame Delphine de Nucingen, femme d'un homme
d'argent, meurt de chagrin; la jalousie la dévore, elle est à cent
lieues de sa sœur; sa sœur n'est plus sa sœur; ces deux femmes se
renient[2] entre elles comme elles renient leur père. Aussi, madame de
Nucingen laperait-elle toute la boue qu'il y a entre la rue Saint-
Lazare et la rue de Grenelle pour entrer dans mon salon. Elle a cru
que de Marsay la ferait arriver à son but, et elle s'est faite l'esclave de
de Marsay, elle assomme de Marsay. De Marsay se soucie fort peu
d'elle. Si vous me la présentez, vous serez son Benjamin,[3] elle vous
adorera. Aimez-la si vous pouvez après, sinon servez-vous d'elle.
Je la verrai une ou deux fois, en grande soirée, quand il y aura
cohue;[4] mais je ne la recevrai jamais le matin. Je la saluerai, cela
suffira. Vous vous êtes fermé la porte de la comtesse pour avoir
prononcé le nom du père Goriot. Oui, mon cher, vous iriez vingt
fois chez madame Restaud, vingt fois vous la trouveriez absente.
Vous avez été consigné. Eh bien! que le père Goriot vous introduise
près de madame Delphine de Nucingen. La belle madame de
Nucingen sera pour vous une enseigne. Soyez l'homme qu'elle
distingue, les femmes raffoleront de vous. Ses rivales, ses amies, ses
meilleures amies voudront vous enlever à elle. Il y a des femmes qui
aiment l'homme déjà choisi par une autre, comme il y a de pauvres
bourgeoises qui, en prenant nos chapeaux, espèrent avoir nos
manières. Vous aurez des succès. A Paris, le succès est tout, c'est la
clef du pouvoir. Si les femmes vous trouvent de l'esprit, du talent,
les hommes le croiront, si vous ne les détrompez pas. Vous pourrez
alors tout vouloir, vous aurez le pied partout. Vous saurez alors ce
qu'est le monde, une réunion de dupes et de fripons. Ne soyez ni
parmi les uns ni parmi les autres. Je vous donne mon nom comme un
fil d'Ariane[5] pour entrer dans ce labyrinthe. Ne le compromettez
pas, dit-elle en recourbant son cou et jetant un regard de reine à
l'étudiant, rendez-le moi blanc. Allez, laissez-moi. Nous autres
femmes, nous avons aussi nos batailles à livrer.

D

— S'il vous fallait un homme de bonne volonté pour aller mettre
le feu à une mine ? dit Eugène en l'interrompant.

— Eh bien ? dit-elle.

Il se frappa le cœur, sourit au sourire de sa cousine, et sortit. Il
était cinq heures. Eugène avait faim, il craignit de ne pas arriver à
temps pour l'heure du dîner. Cette crainte lui fit sentir le bonheur
d'être rapidement emporté dans Paris. Ce plaisir purement machinal
le laissa tout entier aux pensées qui l'assaillaient. Lorsqu'un jeune
homme de son âge est atteint par le mépris, il s'emporte, il enrage, il
menace du poing la société tout entière, il veut se venger et doute
aussi de lui-même. Rastignac était en ce moment accablé par ces
mots : *Vous vous êtes fermé la porte de la comtesse.* — J'irai ! se dit-il, et
si madame de Beauséant a raison, si je suis consigné … je …
Madame de Restaud me trouvera dans tous les salons où elle va.
J'apprendrai à faire des armes, à tirer le pistolet, je lui tuerai son
Maxime ! Et de l'argent ! lui criait sa conscience, où donc en prendras-
tu ? Tout à coup la richesse étalée chez la comtesse de Restaud brilla
devant ses yeux. Il avait vu là le luxe dont une demoiselle Goriot
devait être amoureuse, des dorures, des objets de prix en évidence,
le luxe inintelligent du parvenu, le gaspillage de la femme entretenue.
Cette fascinante image fut soudainement écrasée par le grandiose
hôtel de Beauséant. Son imagination, transportée dans les hautes
régions de la société parisienne, lui inspira mille pensées mauvaises
au cœur, en lui élargissant la tête et la conscience. Il vit le monde
comme il est :[1] les lois et la morale impuissantes chez les riches, et vit
dans la fortune l'*ultima ratio mundi*.[2] « Vautrin a raison, la fortune est
la vertu ! » se dit-il.

Arrivé rue Neuve-Sainte-Geneviève, il monta rapidement chez
lui, descendit pour donner dix francs au cocher, et vint dans cette
salle à manger nauséabonde où il aperçut, comme des animaux à un
râtelier, les dix-huit convives en train de se repaître. Le spectacle de
ces misères et l'aspect de cette salle lui furent horribles. La transition
était trop brusque, le contraste trop complet,[3] pour ne pas développer
outre mesure chez lui le sentiment de l'ambition. D'un côté, les
fraîches et charmantes images de la nature sociale la plus élégante,
des figures jeunes, vives, encadrées par les merveilles de l'art et du
luxe, des têtes passionnées pleines de poésie ; de l'autre, de sinistres
tableaux bordés de fange, et des faces où les passions n'avaient laissé
que leurs cordes et leur mécanisme. Les enseignements que la
colère d'une femme abandonnée[4] avait arrachés à madame de
Beauséant, ses offres captieuses revinrent dans sa mémoire, et la

misère les commenta. Rastignac résolut d'ouvrir deux tranchées parallèles pour arriver à la fortune, de s'appuyer sur la science et sur l'amour, d'être un savant docteur et un homme à la mode. Il était encore bien enfant! Ces deux lignes sont des asymptotes[1] qui ne peuvent jamais se rejoindre.

— Vous êtes bien sombre, monsieur le marquis, lui dit Vautrin, qui lui jeta un de ces regards par lesquels cet homme semblait s'initier aux secrets les plus cachés du cœur.

— Je ne suis pas disposé à souffrir les plaisanteries de ceux qui m'appellent monsieur le marquis, répondit-il. Ici, pour être vraiment marquis, il faut avoir cent mille livres de rente, et quand on vit dans la Maison Vauquer on n'est pas précisément le favori de la Fortune.

Vautrin regarda Rastignac d'un air paternel et méprisant, comme s'il eût dit: « Marmot! dont je ne ferais qu'une bouchée! » Puis il répondit: — Vous êtes de mauvaise humeur, parce que vous n'avez peut-être pas réussi auprès de la belle comtesse de Restaud.

— Elle m'a fermé sa porte pour lui avoir dit que son père mangeait à notre table, s'écria Rastignac.

Tous les convives s'entre-regardèrent. Le père Goriot baissa les yeux, et se retourna pour les essuyer.

— Vous m'avez jeté du tabac dans l'œil, dit-il à son voisin.

— Qui vexera le père Goriot s'attaquera désormais à moi, répondit Eugène en regardant le voisin de l'ancien vermicellier; il vaut mieux que nous tous. Je ne parle pas des dames, dit-il en se retournant vers mademoiselle Taillefer.

Cette phrase fut un dénoûment, Eugène l'avait prononcée d'un air qui imposa silence aux convives. Vautrin seul lui dit en goguenardant: — Pour prendre le père Goriot à votre compte, et vous établir son éditeur responsable,[2] il faut savoir bien tenir une épée et bien tirer le pistolet.

— Ainsi ferai-je, dit Eugène.

— Vous êtes donc entré en campagne aujourd'hui?

— Peut-être, répondit Rastignac. Mais je ne dois compte de mes affaires à personne, attendu que je ne cherche pas à deviner celles que les autres font la nuit. Vautrin regarda Rastignac de travers.

— Mon petit, quand on ne veut pas être dupe des marionnettes, il faut entrer tout à fait dans la baraque,[3] et ne pas se contenter de regarder par les trous de la tapisserie. Assez causé, ajouta-t-il en voyant Eugène près de se gendarmer. Nous aurons ensemble un petit bout de conversation quand vous le voudrez.

Le dîner devint sombre et froid. Le père Goriot, absorbé par la profonde douleur que lui avait causée la phrase de l'étudiant, ne comprit pas que les dispositions des esprits étaient changées à son égard, et qu'un jeune homme en état d'imposer silence à la persécution avait pris sa défense.

— Monsieur Goriot, dit madame Vauquer à voix basse, serait donc le père d'une comtesse à c't'heure ?[1]

— Et d'une baronne, lui répliqua Rastignac.

— Il n'a que ça à faire, dit Bianchon à Rastignac, je lui ai pris la tête : il n'y a qu'une bosse, celle de la paternité, ce sera un *Père Éternel*.[2]

Eugène était trop sérieux pour que la plaisanterie de Bianchon le fît rire. Il voulait profiter des conseils de madame de Beauséant, et se demandait où et comment il se procurerait de l'argent. Il devint soucieux en voyant les savanes[3] du monde qui se déroulaient à ses yeux à la fois vides et pleines ; chacun le laissa seul dans la salle à manger quand le dîner fut fini.

— Vous avez donc vu ma fille ? lui dit Goriot d'une voix émue.

Réveillé de sa méditation par le bonhomme, Eugène lui prit la main, et le contemplant avec une sorte d'attendrissement : — Vous êtes un brave et digne homme, répondit-il. Nous causerons de vos filles plus tard. Il se leva sans vouloir écouter le père Goriot, et se retira dans sa chambre, où il écrivit à sa mère la lettre suivante :

« Ma chère mère, vois si tu n'as pas une troisième mamelle à « t'ouvrir pour moi. Je suis dans une situation à faire promptement « fortune. J'ai besoin de douze cents francs, et il me les faut à tout « prix. Ne dis rien de ma demande à mon père, il s'y opposerait « peut-être, et si je n'avais pas cet argent, je serais en proie à un « désespoir qui me conduirait à me brûler la cervelle. Je t'expliquerai « mes motifs aussitôt que je te verrai, car il faudrait t'écrire des « volumes pour te faire comprendre la situation dans laquelle je suis. « Je n'ai pas joué, ma bonne mère, je ne dois rien ; mais si tu tiens à « me conserver la vie que tu m'as donnée, il faut me trouver cette « somme. Enfin, je vais chez la vicomtesse de Beauséant, qui m'a « pris sous sa protection. Je dois aller dans le monde, et n'ai pas un « sou pour avoir des gants propres. Je saurai ne manger que du pain, « ne boire que de l'eau, je jeûnerai au besoin ; mais je ne puis me « passer des outils avec lesquels on pioche la vigne dans ce pays-ci. « Il s'agit pour moi de faire mon chemin ou de rester dans la boue. « Je sais toutes les espérances que vous avez mises en moi, et veux « les réaliser promptement. Ma bonne mère, vends quelques-uns de

« tes anciens bijoux, je les remplacerai bientôt. Je connais assez la
« situation de notre famille pour savoir apprécier de tels sacrifices,
« et tu dois croire que je ne te demande pas de les faire en vain, sinon
« je serais un monstre. Ne vois dans ma prière que le cri d'une
« impérieuse nécessité. Notre avenir est tout entier dans ce subside,
« avec lequel je dois ouvrir la campagne ; car cette vie de Paris est un
« combat perpétuel. Si, pour compléter la somme, il n'y a pas
« d'autres ressources que de vendre les dentelles de ma tante, dis-lui
« que je lui en enverrai de plus belles. » Etc.

Il écrivit à chacune de ses sœurs en leur demandant leurs économies,
et, pour les leur arracher sans qu'elles parlassent en famille du
sacrifice qu'elles ne manqueraient pas de lui faire avec bonheur, il
intéressa leur délicatesse en attaquant les cordes de l'honneur qui
sont si bien tendues et résonnent si fort dans de jeunes cœurs.
Quand il eut écrit ces lettres, il éprouva néanmoins une trépidation
involontaire : il palpitait, il tressaillait. Ce jeune ambitieux connaissait
la noblesse immaculée de ces âmes ensevelies dans la solitude,[1] il
savait quelles peines il causerait à ses deux sœurs, et aussi quelles
seraient leurs joies ; avec quel plaisir elles s'entretiendraient en
secret de ce frère bien-aimé, au fond du clos. Sa conscience se dressa
lumineuse, et les lui montra comptant en secret leur petit trésor : il
les vit, déployant le génie malicieux des jeunes filles pour lui
envoyer *incognito* cet argent, essayant une première tromperie pour
être sublimes. « Le cœur d'une sœur est un diamant de pureté, un
abîme de tendresse ! » se dit-il. Il avait honte d'avoir écrit. Combien
seraient puissants leurs vœux, combien pur serait l'élan de leurs
âmes vers le ciel ! Avec quelle volupté ne se sacrifieraient-elles pas !
De quelle douleur serait atteinte sa mère, si elle ne pouvait envoyer
toute la somme ! Ces beaux sentiments, ces effroyables sacrifices
allaient lui servir d'échelon pour arriver à Delphine de Nucingen.
Quelques larmes, derniers grains d'encens jetés sur l'autel sacré de la
famille,[2] lui sortirent des yeux. Il se promena dans une agitation
pleine de désespoir. Le père Goriot, le voyant ainsi par sa porte qui
était restée entre-bâillée, entra et lui dit : — Qu'avez-vous, monsieur ?

— Ah ! mon bon voisin, je suis encore fils et frère comme vous
êtes père. Vous avez raison de trembler pour la comtesse Anastasie,
elle est à un monsieur Maxime de Trailles qui la perdra.

Le père Goriot se retira en balbutiant quelques paroles dont
Eugène ne saisit pas le sens. Le lendemain, Rastignac alla jeter ses
lettres à la poste. Il hésita jusqu'au dernier moment, mais il les lança

dans la boîte en disant: « Je réussirai! » Le mot du joueur, du grand capitaine, mot fataliste qui perd plus d'hommes qu'il n'en sauve. Quelques jours après, Eugène alla chez madame de Restaud et ne fut pas reçu. Trois fois, il y retourna, trois fois encore il trouva la porte close, quoiqu'il se présentât à des heures où le comte Maxime de Trailles n'y était pas. La vicomtesse avait eu raison. L'étudiant n'étudia plus. Il allait aux cours pour y répondre à l'appel, et quand il avait attesté sa présence, il décampait. Il s'était fait le raisonnement que se font la plupart des étudiants. Il réservait ses études pour le moment où il s'agirait de passer ses examens; il avait résolu d'entasser ses inscriptions[1] de seconde et de troisième année, puis d'apprendre le Droit sérieusement et d'un seul coup au dernier moment. Il avait ainsi quinze mois de loisirs pour naviguer sur l'océan de Paris, pour s'y livrer à la traite des femmes,[2] ou y pêcher la fortune. Pendant cette semaine, il vit deux fois madame de Beauséant, chez laquelle il n'allait qu'au moment où sortait la voiture du marquis d'Ajuda. Pour quelques jours encore cette illustre femme, la plus poétique figure du faubourg Saint-Germain, resta victorieuse, et fit suspendre le mariage de mademoiselle de Rochefide avec le marquis d'Ajuda-Pinto. Mais ces derniers jours, que la crainte de perdre son bonheur rendit les plus ardents de tous, devaient précipiter la catastrophe. Le marquis d'Ajuda, de concert avec les Rochefide, avait regardé cette brouille et ce raccommodement comme une circonstance heureuse: ils espéraient que madame de Beauséant s'accoutumerait à l'idée de ce mariage et finirait par sacrifier ses matinées à un avenir prévu dans la vie des hommes. Malgré les plus saintes promesses renouvelées chaque jour, monsieur d'Ajuda jouait donc la comédie, la vicomtesse aimait à être trompée. « Au lieu de sauter noblement par la fenêtre, elle se laissait rouler dans les escaliers, » disait la duchesse de Langeais, sa meilleure amie. Néanmoins, ces dernières lueurs brillèrent assez longtemps pour que la vicomtesse restât à Paris et y servît son jeune parent auquel elle portait une sorte d'affection superstitieuse. Eugène s'était montré pour elle plein de dévouement et de sensibilité dans une circonstance où les femmes ne voient de pitié, de consolation vraie dans aucun regard. Si un homme leur dit alors de douces paroles, il les dit par spéculation.

Dans le désir de parfaitement bien connaître son échiquier avant de tenter l'abordage de la maison de Nucingen, Rastignac voulut se mettre au fait de la vie antérieure du père Goriot, et recueillit des renseignements certains, qui peuvent se réduire à ceci.

Jean-Joachim Goriot était, avant la Révolution, un simple ouvrier vermicellier, habile, économe, et assez entreprenant pour avoir acheté le fonds de son maître, que le hasard rendit victime du premier soulèvement de 1789. Il s'était établi rue de la Jussienne, près de la Halle-aux-Blés, et avait eu le gros bon sens d'accepter la présidence de sa section, afin de faire protéger son commerce par les personnages les plus influents de cette dangereuse époque. Cette sagesse avait été l'origine de sa fortune qui commença dans la disette, fausse ou vraie, par suite de laquelle les grains acquirent un prix énorme à Paris. Le peuple se tuait à la porte des boulangers, tandis que certaines personnes allaient chercher sans émeute des pâtes[1] d'Italie chez les épiciers. Pendant cette année, le citoyen Goriot amassa les capitaux qui plus tard lui servirent à faire son commerce avec toute la supériorité que donne une grande masse d'argent à celui qui la possède. Il lui arriva ce qui arrive à tous les hommes qui n'ont qu'une capacité relative. Sa médiocrité le sauva. D'ailleurs, sa fortune n'étant connue qu'au moment où il n'y avait plus de danger à être riche, il n'excita l'envie de personne. Le commerce des grains semblait avoir absorbé toute son intelligence. S'agissait-il de blés, de farines, de grenailles, de reconnaître leurs qualités, les provenances, de veiller à leur conservation, de prévoir les cours,[2] de prophétiser l'abondance ou la pénurie des récoltes, de se procurer les céréales à bon marché, de s'en approvisionner en Sicile, en Ukraine, Goriot n'avait pas son second. A lui voir conduire ses affaires, expliquer les lois sur l'exportation, sur l'importation des grains, étudier leur esprit, saisir leurs défauts, un homme l'eût jugé capable d'être ministre d'État. Patient, actif, énergique, constant, rapide dans ses expéditions, il avait un coup d'œil d'aigle, il devançait tout, prévoyait tout, savait tout, cachait tout; diplomate pour concevoir, soldat pour marcher.[3] Sorti de sa spécialité, de sa simple et obscure boutique sur le pas de laquelle il demeurait pendant ses heures d'oisiveté, l'épaule appuyée au montant de la porte, il redevenait l'ouvrier stupide et grossier, l'homme incapable de comprendre un raisonnement, insensible à tous les plaisirs de l'esprit, l'homme qui s'endormait au spectacle, un de ces Dolibans[4] parisiens, forts seulement en bêtise. Ces natures se ressemblent presque toutes.[5] A presque toutes, vous trouveriez un sentiment sublime au cœur. Deux sentiments exclusifs avaient rempli le cœur du vermicellier, en avaient absorbé l'humide, comme le commerce des grains employait toute l'intelligence de sa cervelle. Sa femme, fille unique d'un riche fermier de la Brie, fut pour lui l'objet d'une admiration religieuse, d'un amour sans bornes. Goriot avait admiré en elle une nature frêle et forte, sensible et jolie, qui contrastait vigoureusement avec la sienne. S'il est un sentiment inné dans le cœur de l'homme, n'est-ce pas l'orgueil de la protection exercée à tout moment en faveur d'un être faible? joignez-y l'amour, cette reconnaissance vive de toutes les âmes franches pour le principe de leurs plaisirs, et vous comprendrez une foule de bizarreries morales. Après sept ans de bonheur sans nuages, Goriot, malheureusement pour lui, perdit sa femme: elle commençait à prendre de l'empire sur lui, en dehors de la sphère des sentiments. Peut-être eût-elle cultivé cette nature inerte, peut-être y eût-elle jeté l'intelligence des choses du monde et de la vie. Dans cette situation, le sentiment de la paternité se développa chez Goriot jusqu'à la déraison. Il reporta ses affections trompées par la mort sur ses deux filles, qui d'abord satisfirent pleinement tous ses sentiments.[1] Quelque brillantes que fussent les propositions qui lui furent faites par des négociants ou des fermiers jaloux de lui donner leurs filles, il voulut rester veuf. Son beau-père, le seul homme pour lequel il avait eu du penchant, prétendait savoir pertinemment que Goriot avait juré de ne pas faire d'infidélité à sa femme, quoique morte. Les gens de la Halle, incapables de comprendre cette sublime folie, en plaisantèrent, et donnèrent à Goriot quelque grotesque sobriquet. Le premier d'entre eux qui, en buvant le vin d'un marché,[2] s'avisa de le prononcer, reçut du vermicellier un coup de poing sur l'épaule qui l'envoya, la tête la première, sur une borne de la rue Oblin. Le dévouement irréfléchi, l'amour ombrageux et délicat que portait Goriot à ses filles était si connu, qu'un jour un de ses concurrents, voulant le faire partir du marché pour rester maître du cours, lui dit que Delphine venait d'être renversée par un cabriolet. Le vermicellier, pâle et blême, quitta aussitôt la Halle. Il fut malade pendant plusieurs jours par suite de la réaction des sentiments contraires auxquels le livra cette fausse alarme. S'il n'appliqua pas sa tape meurtrière sur l'épaule de cet homme, il le chassa de la Halle en le forçant, dans une circonstance critique, à faire faillite. L'éducation de ses deux filles fut naturellement déraisonnable. Riche de plus de soixante mille livres de rente, et ne dépensant pas douze cents francs pour lui, le bonheur de Goriot était de satisfaire les fantaisies de ses filles: les plus excellents maîtres furent chargés de les douer des talents qui signalent une bonne éducation; elles eurent une demoiselle de compagnie; heureusement pour elles, ce fut une femme d'esprit et de goût; elles allaient à cheval, elles avaient voiture, elles vivaient comme auraient vécu les maîtresses d'un vieux seigneur riche; il leur suffisait d'exprimer les plus coûteux désirs pour voir leur père s'empressant de les combler; il ne demandait qu'une caresse en retour de ses offrandes. Goriot mettait ses filles au rang des anges, et nécessairement au-dessus de lui, le pauvre homme! il aimait jusqu'au mal qu'elles lui faisaient.[1] Quand ses filles furent en âge d'être mariées, elles purent choisir leurs maris suivant leurs goûts: chacune d'elles devait avoir en dot la moitié de la fortune de son père. Courtisée pour sa beauté par le comte de Restaud, Anastasie avait des penchants aristocratiques qui la portèrent à quitter la maison paternelle pour s'élancer dans les hautes sphères sociales. Delphine aimait l'argent: elle épousa Nucingen, banquier d'origine allemande qui devint baron du Saint-Empire. Goriot resta vermicellier. Ses filles et gendres se choquèrent bientôt de lui voir continuer ce commerce, quoique ce fût toute sa vie. Après avoir subi pendant cinq ans leurs instances, il consentit à se retirer avec le produit de son fonds, et les bénéfices de ces dernières années; capital que madame Vauquer, chez laquelle il était venu s'établir, avait estimé rapporter de huit à dix mille livres de rente. Il se jeta dans cette pension par suite du désespoir qui l'avait saisi en voyant ses deux filles obligées par leurs maris de refuser non seulement de le prendre chez elles, mais encore de l'y recevoir ostensiblement.

Ces renseignements étaient tout ce que savait un monsieur Muret[2] sur le compte du père Goriot, dont il avait acheté le fonds. Les suppositions que Rastignac avait entendu faire par la duchesse de Langeais se trouvaient ainsi confirmées. Ici se termine l'exposition de cette obscure, mais effroyable tragédie parisienne.[3]

II. L'ENTRÉE DANS LE MONDE

Vers la fin de cette première semaine du mois de décembre, Rastignac reçut deux lettres, l'une de sa mère, l'autre de sa sœur aînée. Ces écritures si connues le firent à la fois palpiter d'aise et trembler de terreur. Ces deux frêles papiers contenaient un arrêt de vie ou de mort sur ses espérances. S'il concevait quelque terreur en se rappelant la détresse de ses parents, il avait trop bien éprouvé leur prédilection pour ne pas craindre d'avoir aspiré leurs dernières gouttes de sang.[1] La lettre de sa mère était ainsi conçue:

« Mon cher enfant, je t'envoie ce que tu m'as demandé. Fais un bon emploi de cet argent, je ne pourrais, quand il s'agirait de te sauver la vie, trouver une seconde fois une somme si considérable sans que ton père en fût instruit, ce qui troublerait l'harmonie de notre ménage. Pour nous la procurer, nous serions obligés de donner des garanties sur notre terre. Il m'est impossible de juger le mérite de projets que je ne connais pas; mais de quelle nature sont-ils donc pour te faire craindre de me les confier? Cette explication ne demandait pas des volumes, il ne nous faut qu'un mot à nous autres mères, et ce mot m'aurait évité les angoisses de l'incertitude. Je ne saurais te cacher l'impression douloureuse que ta lettre m'a causée. Mon cher fils, quel est donc le sentiment qui t'a contraint à jeter un tel effroi dans mon cœur? tu as dû bien souffrir en m'écrivant, car j'ai bien souffert en te lisant. Dans quelle carrière t'engages-tu donc? Ta vie, ton bonheur seraient attachés à paraître ce que tu n'es pas, à voir un monde où tu ne saurais aller sans faire des dépenses d'argent que tu ne peux soutenir, sans perdre un temps précieux pour tes études? Mon bon Eugène, crois-en le cœur de ta mère, les voies tortueuses ne mènent à rien de grand.[2] La patience et la résignation doivent être les vertus des jeunes gens qui sont dans ta position. Je ne te gronde pas, je ne voudrais communiquer à notre offrande aucune amertume. Mes paroles sont celles d'une mère aussi confiante que prévoyante. Si tu sais quelles sont tes obligations, je sais, moi, combien ton cœur est pur, combien tes intentions sont excellentes. Aussi puis-je te dire sans crainte: Va, mon bien-aimé, marche! Je tremble parce que je suis mère; mais chacun de tes pas sera tendrement accompagné de nos vœux et de nos bénédictions. Sois prudent, cher enfant. Tu dois être sage comme un homme, les destinées de cinq personnes qui te sont chères reposent sur ta tête. Oui, toutes nos fortunes sont en toi, comme ton bonheur est le nôtre. Nous prions tous Dieu de te seconder dans tes entreprises. Ta tante Marcillac a été, dans cette circonstance, d'une bonté inouïe : elle allait jusqu'à concevoir ce que tu me dis de tes gants. Mais elle a un faible pour l'aîné, disait-elle gaiement. Mon Eugène, aime bien ta tante, je ne te dirai ce qu'elle a fait pour toi que quand tu auras réussi ; autrement, son argent te brûlerait les doigts. Vous ne savez pas, enfants, ce que c'est que de sacrifier des souvenirs ! Mais que ne vous sacrifierait-on pas ? Elle me charge de te dire qu'elle te baise au front, et voudrait te communiquer par ce baiser la force d'être souvent heureux. Cette bonne et excellente femme t'aurait écrit si elle n'avait pas la goutte aux doigts. Ton père va bien. La récolte de 1819 passe nos espérances. Adieu, cher enfant. Je ne dirai rien de tes sœurs : Laure t'écrit. Je lui laisse le plaisir de babiller sur les petits événements de la famille. Fasse le ciel que tu réussisses ! Oh ! oui, réussis, mon Eugène, tu m'as fait connaître une douleur trop vive pour que je puisse la supporter une seconde fois. J'ai su ce que c'était d'être pauvre, en désirant la fortune pour la donner à mon enfant. Allons, adieu. Ne nous laisse pas sans nouvelles, et prends ici le baiser que ta mère t'envoie. »

Quand Eugène eut achevé cette lettre, il était en pleurs, il pensait au père Goriot tordant son vermeil et le vendant pour aller payer la lettre de change de sa fille. « Ta mère a tordu ses bijoux ! se disait-il. Ta tante a pleuré sans doute en vendant quelques-unes de ses reliques ! De quel droit maudirais-tu Anastasie ? Tu viens d'imiter pour l'égoïsme de ton avenir ce qu'elle a fait pour son amant ! Qui, d'elle ou de toi, vaut mieux ? » L'étudiant se sentit les entrailles rongées par une sensation de chaleur intolérable. Il voulait renoncer au monde, il voulait ne pas prendre cet argent. Il éprouva ces nobles et beaux remords secrets dont le mérite est rarement apprécié par les hommes quand ils jugent leurs semblables, et qui font souvent absoudre par les anges du ciel le criminel condamné par les juristes de la terre. Rastignac ouvrit la lettre de sa sœur, dont les expressions innocemment gracieuses lui rafraîchirent le cœur.

« Ta lettre est venue bien à propos, cher frère. Agathe et moi nous voulions employer notre argent de tant de manières différentes, que nous ne savions plus à quel achat nous résoudre. Tu as fait comme le domestique du roi d'Espagne quand il a renversé les montres de son maître, tu nous as mises d'accord. Vraiment, nous étions constamment en querelle pour celui de nos désirs auquel nous donnerions la préférence, et nous n'avions pas deviné, mon bon Eugène, l'emploi qui comprenait tous nos désirs. Agathe a sauté de joie. Enfin, nous avons été comme deux folles pendant toute la journée, *à telles enseignes*[1] (style de tante) que ma mère nous disait de son air sévère: « Mais qu'avez-vous donc, mesdemoiselles ? » Si nous avions été grondées un brin, nous en aurions été, je crois, encore plus contentes. Une femme doit trouver bien du plaisir à souffrir pour celui qu'elle aime! Moi seule étais rêveuse et chagrine au milieu de ma joie. Je ferai sans doute une mauvaise femme, je suis trop dépensière. Je m'étais acheté deux ceintures, un joli poinçon pour percer les œillets de mes corsets, des niaiseries, en sorte que j'avais moins d'argent que cette grosse Agathe, qui est économe, et entasse ses écus comme une pie. Elle avait deux cents francs! Moi, mon pauvre ami, je n'ai que cinquante écus. Je suis bien punie, je voudrais jeter ma ceinture dans le puits, il me sera toujours pénible de la porter. Je t'ai volé. Agathe a été charmante. Elle m'a dit: » Envoyons les trois cent cinquante francs, à nous deux! » Mais je n'ai pas tenu à te raconter les choses comme elles se sont passées. Sais-tu comment nous avons fait pour obéir à tes commandements, nous avons pris notre glorieux argent, nous sommes allées nous promener toutes deux, et quand une fois nous avons eu gagné la grande route, nous avons couru à Ruffec, où nous avons tout bonnement donné la somme à monsieur Grimbert, qui tient le bureau des Messageries royales! Nous étions légères comme des hirondelles en revenant. « Est-ce que le bonheur nous allégirait[2] ? » me dit Agathe. Nous nous sommes dit mille choses que je ne vous répéterai pas, monsieur le Parisien, il était trop question de vous. Oh! cher frère, nous t'aimons bien, voilà tout en deux mots. Quant au secret, selon ma tante, de petites masques comme nous sont capables de tout, même de se taire. Ma mère est allée mystérieusement à Angoulême avec ma tante, et toutes deux ont gardé le silence sur la haute politique de leur voyage, qui n'a pas eu lieu sans de longues conférences d'où nous avons été bannies, ainsi que monsieur le baron. De grandes conjectures occupent les esprits dans l'État de Rastignac. La robe de mousseline semée de fleurs à jour[3] que brodent les infantes pour sa majesté la reine avance dans le plus profond secret. Il n'y a plus que deux laizes[4] à faire. Il a été décidé qu'on ne ferait pas de mur du côté de Verteuil, il y aura une haie. Le menu peuple y perdra des fruits, des espaliers, mais on y gagnera une belle vue pour les étrangers. Si l'héritier présomptif avait besoin de mouchoirs, il est prévenu que la douairière de Marcillac, en fouillant dans ses trésors et ses malles, désignées sous le nom de Pompéia et d'Herculanum, a découvert une pièce de belle toile de Hollande, qu'elle ne se connaissait pas; les princesses Agathe et Laure mettent à ses ordres leur fil, leur aiguille, et des mains toujours un peu trop rouges. Les deux jeunes princes don Henri et don Gabriel ont conservé la funeste habitude de se gorger de raisiné, de faire enrager leurs sœurs, de ne vouloir rien apprendre, de s'amuser à dénicher des oiseaux, de tapager et de couper, malgré les lois de l'État, des osiers pour se faire des badines. Le nonce du pape, vulgairement appelé monsieur le curé, menace de les excommunier s'ils continuent à laisser les saints canons de la grammaire pour les canons du sureau belliqueux.[1] Adieu, cher frère, jamais lettre n'a porté tant de vœux faits pour ton bonheur, ni tant d'amour satisfait. Tu auras donc bien des choses à nous dire quand tu viendras! Tu me diras tout, à moi, je suis l'aînée. Ma tante nous a laissé soupçonner que tu avais des succès dans le monde.

L'on parle d'une dame et l'on se tait du reste.[2]

Avec nous s'entend! Dis donc Eugène, si tu voulais, nous pourrions nous passer de mouchoirs, et nous te ferions des chemises. Réponds-moi vite à ce sujet. S'il te fallait promptement de belles chemises bien cousues, nous serions obligées de nous y mettre tout de suite; et s'il y avait à Paris des façons que nous ne connussions pas, tu nous enverrais un modèle, surtout pour les poignets. Adieu, adieu! je t'embrasse au front du côté gauche, sur la tempe qui m'appartient exclusivement. Je laisse l'autre feuillet pour Agathe, qui m'a promis de ne rien lire de ce que je te dis. Mais, pour en être plus sûre, je resterai près d'elle pendant qu'elle t'écrira. Ta sœur qui t'aime.

« LAURE DE RASTIGNAC ».

— Oh! oui, se dit Eugène, oui, la fortune à tout prix! Des trésors ne payeraient pas ce dévouement. Je voudrais leur apporter tous les bonheurs ensemble. Quinze cent cinquante francs! se dit-il après une pause. Il faut que chaque pièce porte coup! Laure a raison. Nom d'une femme! Je n'ai que des chemises de grosse toile. Pour le bonheur d'un autre, une jeune fille devient rusée autant qu'un voleur. Innocente pour elle et prévoyante pour moi, elle est comme l'ange du ciel qui pardonne les fautes de la terre sans les comprendre.

Le monde était à lui! Déjà son tailleur avait été convoqué, sondé, conquis. En voyant monsieur de Trailles, Rastignac avait compris l'influence qu'exercent les tailleurs sur la vie des jeunes gens. Hélas! il n'existe pas de moyenne entre ces deux termes: un tailleur est ou un ennemi mortel, ou un ami donné par la facture.[1] Eugène rencontra dans le sien un homme qui avait compris la paternité de son commerce, et qui se considérait comme un trait d'union entre le présent et l'avenir des jeunes gens. Aussi Rastignac reconnaissant a-t-il fait la fortune de cet homme par un de ces mots auxquels il excella plus tard.[2] — Je lui connais, disait-il, deux pantalons qui ont fait faire des mariages de vingt mille livres de rente.

Quinze cents francs et des habits à discrétion![3] En ce moment le pauvre méridional ne douta plus de rien, et descendit au déjeuner avec cet air indéfinissable que donne à un jeune homme la possession d'une somme quelconque. A l'instant où l'argent se glisse dans la poche d'un étudiant, il se dresse en lui-même une colonne fantastique sur laquelle il s'appuie. Il marche mieux qu'auparavant, il se sent un point d'appui pour son levier, il a le regard plein, direct, il a les mouvements agiles;[4] la veille, humble et timide, il aurait reçu des coups: le lendemain, il en donnerait à un premier ministre. Il se passe en lui des phénomènes inouïs: il veut tout et peut tout, il désire à tort et à travers, il est gai, généreux, expansif. Enfin, l'oiseau naguère sans ailes a retrouvé son envergure. L'étudiant sans argent happe un brin de plaisir comme un chien qui dérobe un os à travers mille périls, il le casse, en suce la moelle, et court encore; mais le jeune homme qui fait mouvoir dans son gousset quelques fugitives pièces d'or déguste ses jouissances, il les détaille, il s'y complaît, il se balance dans le ciel, il ne sait plus ce que signifie le mot *misère*. Paris lui appartient tout entier. Age où tout est luisant, où tout scintille et flambe! âge de force joyeuse dont personne ne profite, ni l'homme, ni la femme! âge des dettes et des vives craintes qui décuplent tous les plaisirs! Qui n'a pas pratiqué la rive gauche de la Seine, entre la rue Saint-Jacques et la rue des Saints-Pères, ne connaît rien à la vie humaine! — « Ah! si les femmes de Paris savaient! se disait Rastignac en dévorant les poires cuites, à un liard la pièce, servies par madame Vauquer, elles viendraient se faire aimer ici. » En ce moment un facteur des Messageries royales se présenta dans la salle à manger, après avoir fait sonner la porte à claire-voie. Il demanda monsieur Eugène de Rastignac, auquel il tendit deux sacs à prendre, et un registre à émarger. Rastignac fut alors sanglé comme d'un coup de fouet par le regard profond que lui lança Vautrin.

— Vous aurez de quoi payer des leçons d'armes et des séances au tir, lui dit cet homme.

— Les galions sont arrivés,[1] lui dit madame Vauquer en regardant les sacs.

Mademoiselle Michonneau craignait de jeter les yeux sur l'argent, de peur de montrer sa convoitise.

— Vous avez une bonne mère, dit madame Couture.

— Monsieur a une bonne mère, répéta Poiret.

— Oui, la maman s'est saignée, dit Vautrin. Vous pourrez maintenant faire vos farces, aller dans le monde, y pêcher des dots, et danser avec des comtesses qui ont des fleurs de pêcher sur la tête. Mais croyez-moi, jeune homme, fréquentez le tir.

Vautrin fit le geste d'un homme qui vise son adversaire. Rastignac voulut donner pour boire au facteur, et ne trouva rien dans sa poche. Vautrin fouilla dans la sienne, et jeta vingt sous à l'homme.

— Vous avez bon crédit, reprit-il en regardant l'étudiant.

Rastignac fut forcé de le remercier, quoique depuis les mots aigrement échangés, le jour où il était revenu de chez madame de Beauséant, cet homme lui fût insupportable. Pendant ces huit jours Eugène et Vautrin étaient restés silencieusement en présence, et s'observaient l'un l'autre. L'étudiant se demandait vainement pourquoi. Sans doute les idées se projettent en raison directe de la force avec laquelle elles se conçoivent, et vont frapper là où le cerveau les envoie, par une loi mathématique comparable à celle qui dirige les bombes au sortir du mortier.[2] Divers en sont les effets. S'il est des natures tendres où les idées se logent et qu'elles ravagent, il est aussi des natures vigoureusement munies, des crânes à remparts d'airain sur lesquels les volontés des autres s'aplatissent et tombent comme les balles devant une muraille; puis il est encore des natures flasques et cotonneuses où les idées d'autrui viennent mourir commes des boulets s'amortissent dans la terre molle des redoutes. Rastignac avait une de ces têtes pleines de poudre qui sautent au moindre choc. Il était trop vivacement jeune pour ne pas être accessible à cette projection des idées, à cette contagion des sentiments[3] dont tant de bizarres phénomènes nous frappent à notre insu. Sa vue morale avait la portée lucide de ses yeux de lynx. Chacun de ses doubles sens[4] avait cette longueur mystérieuse, cette flexibilité d'aller et de retour qui nous émerveille chez les gens supérieurs, bretteurs habiles à saisir le défaut de toutes les cuirasses. Depuis un mois il s'était d'ailleurs développé chez Eugène autant de qualités que de défauts. Ses défauts, le monde et l'accomplissement de ses croissants désirs les lui avaient demandés. Parmi ses qualités se trouvait cette vivacité méridionale qui fait marcher droit à la difficulté pour la résoudre, et qui ne permet pas à un homme d'outre-Loire de rester dans une incertitude quelconque; qualité que les gens du Nord nomment un défaut: pour eux, si ce fut l'origine de la fortune de Murat,¹ ce fut aussi la cause de sa mort. Il faudrait conclure de là que quand un Méridional sait unir la fourberie du Nord à l'audace d'outre-Loire, il est complet et reste roi de Suède.² Rastignac ne pouvait donc³ pas demeurer longtemps sous le feu des batteries de Vautrin sans savoir si cet homme était son ami ou son ennemi. De moment en moment, il lui semblait que ce singulier personnage pénétrait ses passions et lisait dans son cœur, tandis que chez lui tout était si bien clos qu'il semblait avoir la profondeur immobile d'un sphinx qui sait, voit tout, et ne dit rien. En se sentant le gousset plein, Eugène se mutina.

— Faites-moi le plaisir d'attendre, dit-il à Vautrin qui se levait pour sortir après avoir savouré les dernières gorgées de son café.

— Pourquoi? répondit le quadragénaire en mettant son chapeau à larges bords et prenant une canne en fer avec laquelle il faisait souvent des moulinets en homme qui n'aurait pas craint d'être assailli par quatre voleurs.

— Je vais vous rendre, reprit Rastignac qui défit promptement un sac et compta cent quarante francs à madame Vauquer. Les bons comptes font les bons amis, dit-il à la veuve. Nous sommes quittes jusqu'à la Saint-Sylvestre.⁴ Changez-moi ces cent sous.

— Les bons amis font les bons comptes, répéta Poiret en regardant Vautrin.

— Voici vingt sous, dit Rastignac en tendant une pièce au sphinx en perruque.

— On dirait que vous avez peur de me devoir quelque chose? s'écria Vautrin en plongeant un regard divinateur dans l'âme du jeune homme auquel il jeta un de ces sourires goguenards et diogéniques⁵ desquels Eugène avait été sur le point de se fâcher cent fois.

— Mais ... oui, répondit l'étudiant qui tenait ses deux sacs à la main et s'était levé pour monter chez lui.

Vautrin sortait par la porte qui donnait dans le salon, et l'étudiant se disposait à s'en aller par celle qui menait sur le carré de l'escalier.

— Savez-vous, monsieur le marquis de Rastignacorama, que ce que vous me dites n'est pas exactement poli, dit alors Vautrin en fouettant la porte du salon et venant à l'étudiant qui le regarda froidement.

Rastignac ferma la porte de la salle à manger, en emmenant avec lui Vautrin au bas de l'escalier, dans le carré qui séparait la salle à manger de la cuisine, où se trouvait une porte pleine donnant sur le jardin, et surmontée d'un long carreau garni de barreaux en fer. Là, l'étudiant dit devant Sylvie qui déboucha de sa cuisine: — *Monsieur* Vautrin, je ne suis pas marquis, et je ne m'appelle pas Rastignacorama.

— Ils vont se battre, dit mademoiselle Michonneau d'un air indifférent.

— Se battre! répéta Poiret.

— Que, non, répondit madame Vauquer en caressant sa pile d'écus.

— Mais les voilà qui vont sous les tilleuls, cria mademoiselle Victorine en se levant pour regarder dans le jardin. Ce pauvre jeune homme a pourtant raison.

— Remontons, ma chère petite, dit madame Couture, ces affaires-là ne nous regardent pas.

Quand madame Couture et Victorine se levèrent, elles rencontrèrent, à la porte, la grosse Sylvie qui leur barra le passage.

— Quoi qui n'y a donc? dit-elle. Monsieur Vautrin a dit à monsieur Eugène: « Expliquons-nous! » Puis il l'a pris par le bras, et les voilà qui marchent dans nos artichauts.

En ce moment Vautrin parut. — Maman Vauquer, dit-il en souriant, ne vous effrayez de rien, je vais essayer mes pistolets sous les tilleuls.

— Oh! monsieur, dit Victorine en joignant les mains, pourquoi voulez-vous tuer monsieur Eugène?

Vautrin fit deux pas en arrière et contempla Victorine. — Autre histoire, s'écria-t-il d'une voix railleuse qui fit rougir la pauvre fille. Il est bien gentil, n'est-ce pas, ce jeune homme-là? reprit-il. Vous me donnez une idée. Je ferai votre bonheur à tous deux, ma belle enfant.

Madame Couture avait pris sa pupille par le bras et l'avait entraînée en lui disant à l'oreille: — Mais, Victorine, vous êtes inconcevable ce matin.

— Je ne veux pas qu'on tire des coups de pistolet chez moi, dit madame Vauquer. N'allez-vous pas effrayer tout le voisinage et amener la police, à c't'heure!

— Allons, du calme, maman Vauquer, répondit Vautrin. Là, là, tout beau, nous irons au tir. Il rejoignit Rastignac, qu'il prit

familièrement par le bras: — Quand je vous aurais prouvé qu'à
trente-cinq pas je mets cinq fois de suite ma balle dans un as de
pique, lui dit-il, cela ne vous ôterait pas votre courage. Vous m'avez
l'air d'être un peu rageur, et vous vous feriez tuer comme un
imbécile.

— Vous reculez, dit Eugène.

— Ne m'échauffez pas la bile, répondit Vautrin. Il ne fait pas froid
ce matin, venez nous asseoir là-bas, dit-il en montrant les sièges
peints en vert. Là, personne ne nous entendra. J'ai à causer avec
vous. Vous êtes un bon petit jeune homme auquel je ne veux pas de
mal. Je vous aime, foi de Tromp . . .¹ (mille tonnerres!), foi de
Vautrin. Pourquoi vous aimé-je je vous le dirai. En attendant, je
vous connais comme si je vous avais fait, et vais vous le prouver.
Mettez vos sacs là, reprit-il en lui montrant la table ronde.

Rastignac posa son argent sur la table et s'assit en proie à une
curiosité que développa chez lui au plus haut degré le changement
soudain opéré dans les manières de cet homme, qui, après avoir
parlé de le tuer, se posait comme son protecteur.

— Vous voudriez bien savoir qui je suis, ce que j'ai fait, ou ce que
je fais, reprit Vautrin. Vous êtes trop curieux, mon petit. Allons, du
calme.² Vous allez en entendre bien d'autres! J'ai eu des malheurs.
Écoutez-moi d'abord, vous me répondrez après. Voilà ma vie
antérieure en trois mots. Qui suis-je? Vautrin. Que fais-je? Ce qui
me plaît. Passons. Voulez-vous connaître mon caractère? Je suis bon
avec ceux qui me font du bien ou dont le cœur parle au mien. A
ceux-là tout est permis, ils peuvent me donner des coups de pied
dans les os des jambes sans que je leur dise: *Prends garde!* Mais, nom
d'une pipe! je suis méchant comme le diable avec ceux qui me
tracassent, ou qui ne me reviennent pas. Et il est bon de vous
apprendre que je me soucie de tuer un homme comme de ça! dit-il
en lançant un jet de salive. Seulement je m'efforce de le tuer
proprement, quand il le faut absolument. Je suis ce que vous appelez
un artiste. J'ai lu les Mémoires de Benvenuto Cellini,³ tel que vous
me voyez, et en italien encore! J'ai appris de cet homme-là, qui était
un fier luron, à imiter la Providence qui nous tue à tort et à travers,
et à aimer le beau partout où il se trouve. N'est-ce pas d'ailleurs une
belle partie à jouer que d'être seul contre tous les hommes et d'avoir
la chance? J'ai bien réfléchi à la constitution actuelle de votre
désordre social. Mon petit, le duel est un jeu d'enfant, une sottise.
Quand de deux hommes vivants l'un doit disparaître, il faut être
imbécile pour s'en remettre au hasard. Le duel? croix ou pile! voilà.

Je mets cinq balles de suite dans un as de pique en renfonçant chaque nouvelle balle sur l'autre, et à trente-cinq pas encore! quand on est doué de ce petit talent-là, l'on peut se croire sûr d'abattre son homme. Eh bien! j'ai tiré sur un homme à vingt pas, je l'ai manqué. Le drôle n'avait jamais manié de sa vie un pistolet. Tenez! dit cet homme extraordinaire en défaisant son gilet et montrant sa poitrine velue comme le dos d'un ours, mais garnie d'un crin fauve qui causait une sorte de dégoût mêlé d'effroi, ce blanc-bec m'a roussi le poil, ajouta-t-il en mettant le doigt de Rastignac sur un trou qu'il avait au sein. Mais dans ce temps-là j'étais un enfant, j'avais votre âge, vingt et un ans. Je croyais encore à quelque chose, à l'amour d'une femme, un tas de bêtises dans lesquelles vous allez vous embarbouiller. Nous nous serions battus, pas vrai? Vous auriez pu me tuer. Supposez que je sois en terre, où seriez-vous? Il faudrait décamper, aller en Suisse, manger l'argent de papa, qui n'en a guère. Je vais vous éclairer, moi, la position dans laquelle vous êtes; mais je vais le faire avec la supériorité d'un homme qui, après avoir examiné les choses d'ici-bas, a vu qu'il n'y avait que deux partis à prendre: ou une stupide obéissance ou la révolte.[1] Je n'obéis à rien, est-ce clair? Savez-vous ce qu'il vous faut, à vous, au train dont vous allez? un million, et promptement; sans quoi, avec notre petite tête, nous pourrions aller flâner dans les filets de Saint-Cloud,[2] pour voir s'il y a un Être-Suprême. Ce million, je vais vous le donner. Il fit une pause en regardant Eugène. — Ah! ah! vous faites meilleure mine à votre petit papa Vautrin. En entendant ce mot-là, vous êtes comme une jeune fille à qui l'on dit: « A ce soir », et qui se toilette en se pourléchant comme un chat qui boit du lait. A la bonne heure. Allons donc! A nous deux![3] Voici votre compte, jeune homme. Nous avons, là-bas, papa, maman, grand'tante, deux sœurs (dix-huit et dix-sept ans), deux petits frères (quinze et dix ans), voilà le contrôle de l'équipage. La tante élève vos sœurs. Le curé vient apprendre le latin aux deux frères. La famille mange plus de bouillie de marrons que de pain blanc, le papa ménage ses culottes, maman se donne à peine une robe d'hiver et une robe d'été, nos sœurs font comme elles peuvent. Je sais tout, j'ai été dans le Midi. Les choses sont comme cela chez vous, si l'on vous envoie douze cents francs par an, et que votre terrine[4] ne rapporte que trois mille francs. Nous avons une cuisinière et un domestique, il faut garder le décorum, papa est baron. Quant à nous, nous avons de l'ambition, nous avons les Beauséant pour alliés et nous allons à pied, nous voulons la fortune et nous n'avons pas le sou, nous mangeons les *ratatouilles*[5] de

maman Vauquer et nous aimons les beaux dîners du faubourg
Saint-Germain, nous couchons sur un grabat et nous voulons un
hôtel! Je ne blâme pas vos vouloirs. Avoir de l'ambition, mon petit
cœur, ce n'est pas donné à tout le monde. Demandez aux femmes
quels hommes elles recherchent, les ambitieux. Les ambitieux ont les
reins plus forts, le sang plus riche en fer, le cœur plus chaud que ceux
des autres hommes. Et la femme se trouve si heureuse et si belle aux
heures où elle est forte, qu'elle préfère à tous les hommes celui dont
la force est énorme, fût-elle en danger d'être brisée par lui. Je fais
l'inventaire de vos désirs afin de vous poser la question. Cette
question, la voici. Nous avons une faim de loup, nos quenottes sont
incisives, comment nous y prendrons-nous pour approvisionner la
marmite? Nous avons d'abord le Code à manger,[1] ce n'est pas
amusant, et ça n'apprend rien; mais il le faut. Soit. Nous nous
faisons avocat pour devenir président d'une cour d'assises, envoyer
les pauvres diables qui valent mieux que nous avec T. F.[2] sur l'épaule,
afin de prouver aux riches qu'ils peuvent dormir tranquillement. Ce
n'est pas drôle, et puis c'est long. D'abord, deux années à droguer[3]
dans Paris, à regarder, sans y toucher, les *nanans* dont nous sommes
friands. C'est fatigant de désirer toujours sans jamais se satisfaire. Si
vous étiez pâle et de la nature des mollusques, vous n'auriez rien à
craindre; mais nous avons le sang fiévreux des lions et un appétit à
faire vingt sottises par jour. Vous succomberez donc à ce supplice,
le plus horrible que nous ayons aperçu dans l'enfer du bon Dieu.
Admettons que vous soyez sage, que vous buviez du lait et que vous
fassiez des élégies; il faudra, généreux comme vous l'êtes, commencer,
après bien des ennuis et des privations à rendre un chien enragé, par
devenir le substitut[4] de quelque drôle, dans un trou de ville où le
gouvernement vous jettera mille francs d'appointements, comme on
jette une soupe à un dogue de boucher. Aboie après les voleurs,
plaide pour le riche, fais guillotiner des gens de cœur. Bien obligé!
Si vous n'avez pas de protections, vous pourrirez dans votre
tribunal de province. Vers trente ans, vous serez juge à douze cents
francs par an, si vous n'avez pas encore jeté la robe aux orties.[5]
Quand vous aurez atteint la quarantaine, vous épouserez quelque
fille de meunier, riche d'environ six mille livres de rente. Merci.
Ayez des protections, vous serez procureur du roi[6] à trente ans, avec
mille écus d'appointements, et vous épouserez la fille du maire. Si
vous faites quelques-unes de ces petites bassesses politiques, comme
de lire sur un bulletin Villèle au lieu de Manuel[7] (ça rime, ça met la
conscience en repos), vous serez, à quarante ans, procureur général,

et pourrez devenir député. Remarquez, mon cher enfant, que nous aurons fait des accrocs à notre petite conscience, que nous aurons eu vingt ans d'ennuis, de misères secrètes, et que nos sœurs auront coiffé sainte Catherine.[1] J'ai l'honneur de vous faire observer de plus qu'il n'y a que vingt procureurs généraux en France, et que vous êtes vingt mille aspirants au grade, parmi lesquels il se rencontre des farceurs qui vendraient leur famille pour monter d'un cran. Si le métier vous dégoûte, voyons autre chose. Le baron de Rastignac veut-il être avocat? Oh! joli. Il faut pâtir pendant dix ans, dépenser mille francs par mois, avoir une bibliothèque, un cabinet, aller dans le monde, baiser la robe d'un avoué pour avoir des causes, balayer le palais avec sa langue. Si ce métier vous menait à bien, je ne dirais pas non; mais trouvez-moi dans Paris cinq avocats qui, à cinquante ans, gagnent plus de cinquante mille francs par an? Bah! plutôt que de m'amoindrir ainsi l'âme, j'aimerais mieux me faire corsaire. D'ailleurs, où prendre des écus? Tout ça n'est pas gai. Nous avons une ressource dans la dot d'une femme. Voulez-vous vous marier? ce sera vous mettre une pierre au cou; puis, si vous vous mariez pour de l'argent, que deviennent nos sentiments d'honneur, notre noblesse! Autant commencer aujourd'hui votre révolte contre les conventions humaines. Ce ne serait rien que se coucher comme un serpent devant une femme, lécher les pieds de la mère, faire des bassesses à dégoûter une truie, pouah! si vous trouviez au moins le bonheur. Mais vous serez malheureux comme les pierres d'égout[2] avec une femme que vous aurez épousée ainsi. Vaut encore mieux guerroyer avec les hommes que de lutter avec sa femme. Voilà le carrefour de la vie, jeune homme, choisissez. Vous avez déjà choisi: vous êtes allé chez notre cousin de Beauséant, et vous y avez flairé le luxe. Vous êtes allé chez madame de Restaud, la fille du père Goriot, et vous y avez flairé la Parisienne. Ce jour-là vous êtes revenu avec un mot écrit sur votre front, et que j'ai bien su lire: *Parvenir!* parvenir à tout prix.[3] Bravo! ai-je dit, voilà un gaillard qui me va. Il vous a fallu de l'argent. Où en prendre? Vous avez saigné vos sœurs. Tous les frères *flouent*[4] plus ou moins leurs sœurs. Vos quinze cents francs arrachés, Dieu sait comme! dans un pays où l'on trouve plus de châtaignes que de pièces de cent sous, vont filer comme des soldats à la maraude. Après, que ferez-vous? vous travaillerez? Le travail, compris comme vous le comprenez en ce moment, donne, dans les vieux jours, un appartement chez maman Vauquer à des gars de la force de Poiret.[5] Une rapide fortune est le problème que se proposent de résoudre en ce moment cinquante mille jeunes gens qui se

trouvent tous dans votre position. Vous êtes une unité de ce
nombre-là. Jugez des efforts que vous avez à faire et de l'acharnement
du combat. Il faut vous manger les uns les autres comme des
araignées dans un pot,[1] attendu qu'il n'y a pas cinquante mille bonnes
places. Savez-vous comment on fait son chemin ici ? par l'éclat du
génie ou par l'adresse de la corruption. Il faut entrer dans cette
masse d'hommes comme un boulet de canon, ou s'y glisser comme
une peste.[2] L'honnêteté ne sert à rien. L'on plie sous le pouvoir du
génie, on le hait, on tâche de le calomnier, parce qu'il prend sans
partager ; mais on plie s'il persiste ; en un mot, on l'adore à genoux
quand on n'a pas pu l'enterrer sous la boue. La corruption est en
force, le talent est rare. Ainsi, la corruption est l'arme de la médiocrité
qui abonde, et vous en sentirez partout la pointe. Vous verrez des
femmes dont les maris ont six mille francs d'appointements pour
tout potage, et qui dépensent plus de dix mille francs à leur toilette.
Vous verrez des employés à douze cents francs acheter des terres.
Vous verrez des femmes se prostituer pour aller dans la voiture du
fils d'un pair de France, qui peut courir à Longchamps[3] sur la
chaussée du milieu. Vous avez vu le pauvre bêta de père Goriot
obligé de payer la lettre de change endossée par sa fille, dont le mari
a cinquante mille livres de rente. Je vous défie de faire deux pas dans
Paris sans rencontrer des manigances infernales. Je parierais ma tête
contre un pied de cette salade que vous donnerez dans un guêpier
chez la première femme qui vous plaira, fût-elle riche, belle et jeune.
Toutes sont bricolées[4] par les lois, en guerre avec leurs maris à
propos de tout. Je n'en finirais pas s'il fallait vous expliquer les
trafics qui se font pour des amants, pour des chiffons, pour des
enfants, pour le ménage ou pour la vanité, rarement par vertu,
soyez-en sûr. Aussi l'honnête homme est-il l'ennemi commun. Mais
que croyez-vous que soit l'honnête homme ? A Paris, l'honnête
homme est celui qui se tait, et refuse de partager. Je ne vous parle
pas de ces pauvres ilotes qui partout font la besogne sans être jamais
récompensés de leurs travaux, et que je nomme la confrérie des
savates[5] du bon Dieu. Certes, là est la vertu dans toute la fleur de sa
bêtise, mais là est la misère. Je vois d'ici la grimace de ces braves
gens si Dieu nous faisait la mauvaise plaisanterie de s'absenter au
jugement dernier. Si donc vous voulez promptement la fortune, il
faut être déjà riche ou le paraître. Pour s'enrichir, il s'agit ici de jouer
de grands coups ; autrement on carotte,[6] et votre serviteur ! Si, dans
les cent professions que vous pouvez embrasser, il se rencontre dix
hommes qui réussissent vite, le public les appelle des voleurs. Tirez

vos conclusions. Voilà la vie telle qu'elle est. Ça n'est pas plus beau que la cuisine, ça pue tout autant, et il faut se salir les mains si l'on veut fricoter,[1] sachez seulement vous bien débarbouiller : là est toute la morale de notre époque. Si je vous parle ainsi du monde, il m'en a donné le droit, je le connais. Croyez-vous que je blâme ? du tout. Il a toujours été ainsi. Les moralistes ne le changeront jamais. L'homme est imparfait. Il est parfois plus ou moins hypocrite, et les niais disent alors qu'il a ou n'a pas de mœurs. Je n'accuse pas les riches en faveur du peuple : l'homme est le même en haut, en bas, au milieu. Il se rencontre par chaque million de ce haut bétail dix lurons qui se mettent au-dessus de tout, même des lois ; j'en suis. Vous, si vous êtes un homme supérieur, allez en droite ligne et la tête haute. Mais il faudra lutter contre l'envie, la calomnie, la médiocrité, contre tout le monde. Napoléon a rencontré un ministre de la guerre qui s'appelait Aubry,[2] et qui a failli l'envoyer aux colonies. Tâtez-vous ! Voyez si vous pourrez vous lever tous les matins avec plus de volonté que vous n'en aviez la veille.[3] Dans ces conjonctures, je vais vous faire une proposition que personne ne refuserait. Écoutez bien. Moi, voyez-vous, j'ai une idée. Mon idée est d'aller vivre de la vie patriarcale au milieu d'un grand domaine, cent mille arpents, par exemple, aux États-Unis, dans le sud.[4] Je veux m'y faire planteur, avoir des esclaves, gagner quelques bons petits millions à vendre mes bœufs, mon tabac, mes bois, en vivant comme un souverain, en faisant mes volontés, en menant une vie qu'on ne conçoit pas ici, où l'on se tapit dans un terrier de plâtre. Je suis un grand poète. Mes poésies, je ne les écris pas : elles consistent en actions et en sentiments. Je possède en ce moment cinquante mille francs qui me donneraient à peine quarante nègres. J'ai besoin de deux cent mille francs, parce que je veux deux cents nègres, afin de satisfaire mon goût pour la vie patriarcale. Des nègres, voyez-vous ? c'est des enfants tout venus[5] dont on fait ce qu'on veut, sans qu'un curieux procureur du roi arrive vous en demander compte. Avec ce capital noir, en dix ans j'aurai trois ou quatre millions. Si je réussis, personne ne me demandera : « Qui es-tu ? » Je serai monsieur Quatre-Millions, citoyen des États-Unis. J'aurai cinquante ans, je ne serai pas encore pourri, je m'amuserai à ma façon. En deux mots, si je vous procure une dot d'un million, me donnerez-vous deux cent mille francs ? Vingt pour cent de commission. hein ! est-ce trop cher ? Vous vous ferez aimer de votre petite femme. Une fois marié, vous manifesterez des inquiétudes, des remords, vous ferez le triste pendant quinze jours. Une nuit, après quelques singeries, vous déclarerez, entre deux baisers, deux cent mille francs de dettes à votre femme, en lui disant: « Mon amour! » Ce vaudeville est joué tous les jours par les jeunes gens les plus distingués. Une jeune femme ne refuse pas sa bourse à celui qui lui prend le cœur. Croyez-vous que vous y perdrez? Non. Vous trouverez le moyen de regagner vos deux cent mille francs dans une affaire. Avec votre argent et votre esprit, vous amasserez une fortune aussi considérable que vous pourrez la souhaiter. *Ergo* vous aurez fait, en six mois de temps, votre bonheur, celui d'une femme aimable et celui de votre papa Vautrin, sans compter celui de votre famille qui souffle dans ses doigts, l'hiver, faute de bois. Ne vous étonnez ni de ce que je vous propose, ni de ce que je vous demande! Sur soixante beaux mariages qui ont lieu dans Paris, il y en a quarante-sept qui donnent lieu à des marchés semblables. La Chambre des Notaires a forcé monsieur. . . .

— Que faut-il que je fasse? dit avidement Rastignac en interrompant Vautrin.

— Presque rien, répondit cet homme en laissant échapper un mouvement de joie semblable à la sourde expression d'un pêcheur qui sent un poisson au bout de sa ligne. Écoutez-moi bien! Le cœur d'une pauvre fille malheureuse et misérable est l'éponge la plus avide à se remplir d'amour, une éponge sèche qui se dilate aussitôt qu'il y tombe une goutte de sentiment. Faire la cour à une jeune personne qui se rencontre dans des conditions de solitude, de désespoir et de pauvreté sans qu'elle se doute de sa fortune à venir! dam! c'est quinte et quatorze en main,[1] c'est connaître les numéros à la loterie, et c'est jouer sur les rentes en sachant les nouvelles. Vous construisez sur pilotis un mariage indestructible. Viennent des millions à cette jeune fille, elle vous les jettera aux pieds, comme si c'était des cailloux. « Prends, mon bien-aimé! Prends, Adolphe! Alfred! Prends, Eugène! » dira-t-elle si Adolphe, Alfred ou Eugène ont eu le bon esprit de se sacrifier pour elle. Ce que j'entends par des sacrifices, c'est vendre un vieil habit afin d'aller au Cadran-Bleu manger ensemble des croûtes aux champignons; de là, le soir, à l'Ambigu-Comique;[2] c'est mettre sa montre au Mont-de-Piété pour lui donner un châle. Je ne vous parle pas du gribouillage de l'amour ni des fariboles auxquelles tiennent tant les femmes, comme, par exemple, de répandre des gouttes d'eau sur le papier à lettre en manière de larmes quand on est loin d'elles: vous m'avez l'air de connaître parfaitement l'argot du cœur. Paris, voyez-vous, est comme une forêt du Nouveau-Monde, où s'agitent vingt espèces de peuplades sauvages, les Illinois, les Hurons, qui vivent du produit que donnent les différentes chasses sociales; vous êtes un chasseur de millions. Pour les prendre, vous usez de pièges, de pipeaux, d'appeaux. Il y a plusieurs manières de chasser. Les uns chassent à la dot; les autres chassent à la liquidation; ceux-ci pêchent des consciences, ceux-là vendent leurs abonnés pieds et poings liés.[1] Celui qui revient avec sa gibecière bien garnie est salué, fêté, reçu dans la bonne société. Rendons justice à ce sol hospitalier, vous avez affaire à la ville la plus complaisante qui soit dans le monde. Si les fières aristocraties de toutes les capitales de l'Europe refusent d'admettre dans leurs rangs un millionnaire infâme, Paris lui tend les bras, court à ses fêtes, mange ses dîners et trinque avec son infamie.

— Mais où trouver une fille? dit Eugène.

— Elle est à vous, devant vous!

— Mademoiselle Victorine?

— Juste!

— Eh! comment?

— Elle vous aime déjà, votre petite baronne de Rastignac!

— Elle n'a pas un sou, reprit Eugène étonné.

— Ah! nous y voilà. Encore deux mots, dit Vautrin, et tout s'éclaircira. Le père Taillefer est un vieux coquin qui passe pour avoir assassiné l'un de ses amis pendant la Révolution.[2] C'est un de mes gaillards qui ont de l'indépendance dans les opinions. Il est banquier, principal associé de la maison Frédéric Taillefer et compagnie. Il a un fils unique, auquel il veut laisser son bien, au détriment de Victorine. Moi, je n'aime pas ces injustices-là. Je suis comme don Quichotte, j'aime à prendre la défense du faible contre le fort. Si la volonté de Dieu était de lui retirer son fils, Taillefer reprendrait sa fille; il voudrait un héritier quelconque, une bêtise qui est dans la nature et il ne peut plus avoir d'enfants, je le sais. Victorine est douce et gentille, elle aura bientôt entortillé son père, et le fera tourner comme une toupie d'Allemagne avec le fouet du sentiment! Elle sera trop sensible à votre amour pour vous oublier, vous l'épouserez. Moi, je me charge du rôle de la Providence, je ferai vouloir le bon Dieu.[3] J'ai un ami pour qui je me suis dévoué, un colonel de l'armée de la Loire qui vient d'être employé dans la garde royale. Il écoute mes avis, et s'est fait ultra-royaliste: ce n'est pas un de ces imbéciles qui tiennent à leurs opinions. Si j'ai encore un conseil à vous donner, mon ange, c'est de ne pas plus tenir à vos opinions qu'à vos paroles. Quand on vous les demandera, vendez-les. Un homme qui se vante de ne jamais changer d'opinion est un homme qui se charge d'aller toujours en ligne droite, un niais qui croit à l'infaillibilité. Il n'y a pas de principes, il n'y a que des événements; il n'y a pas de lois, il n'y a que des circonstances: l'homme supérieur épouse les événements et les circonstances pour les conduire.[1] S'il y avait des principes et des lois fixes, les peuples n'en changeraient pas comme nous changeons de chemises. L'homme n'est pas tenu d'être plus sage que toute une nation. L'homme qui a rendu le moins de services à la France est un fétiche vénéré pour avoir toujours vu en rouge, il est tout au plus bon à mettre au Conservatoire, parmi les machines, en l'étiquetant la Fayette; tandis que le prince auquel chacun lance sa pierre, et qui méprise assez l'humanité pour lui cracher au visage autant de serments qu'elle en demande, a empêché le partage de la France au congrès de Vienne:[2] on lui doit des couronnes, on lui jette de la boue. Oh! je connais les affaires, moi! j'ai les secrets de bien des hommes! Suffit. J'aurai une opinion inébranlable le jour où j'aurai rencontré trois têtes d'accord sur l'emploi d'un principe et j'attendrai longtemps! L'on ne trouve pas dans les tribunaux trois juges qui aient le même avis sur un article de la loi. Je reviens à mon homme. Il remettrait Jésus-Christ en croix si je le lui disais. Sur un seul mot de son papa Vautrin, il cherchera querelle à ce drôle qui n'envoie pas seulement cent sous à sa pauvre sœur, et.... Ici Vautrin se leva, se mit en garde, et fit le mouvement d'un maître d'armes qui se fend. — Et, à l'ombre! ajouta-t-il.

— Quelle horreur! dit Eugène. Vous voulez plaisanter, monsieur Vautrin?

— Là, là, là, du calme, reprit cet homme. Ne faites pas l'enfant: cependant, si cela peut vous amuser, courroucez-vous! emportez-vous! Dites que je suis un infâme, un scélérat, un coquin, un bandit, mais ne m'appelez ni escroc, ni espion! Allez, dites, lâchez votre bordée! Je vous pardonne, c'est si naturel à votre âge! J'ai été comme ça, moi! Seulement, réfléchissez. Vous ferez pis quelque jour. Vous irez coqueter chez quelque jolie femme et vous recevrez de l'argent. Vous y avez pensé! dit Vautrin; car, comment réussirez-vous, si vous n'escomptez pas votre amour? La vertu, mon cher étudiant, ne se scinde pas: elle est ou n'est pas. On nous parle de faire pénitence de nos fautes. Encore un joli système que celui en vertu duquel on est quitte d'un crime avec un acte de contrition! Séduire une femme pour arriver à vous poser sur tel bâton de l'échelle sociale, jeter la zizanie entre les enfants d'une famille, enfin toutes les infamies qui se pratiquent sous le manteau d'une cheminée ou autrement dans un but de plaisir ou d'intérêt personnel, croyez-

vous que ce soient des actes de foi, d'espérance et de charité?
Pourquoi deux mois de prison au dandy qui, dans une nuit, ôte à un
enfant la moitié de sa fortune, et pourquoi le bagne au pauvre diable
qui vole un billet de mille francs avec les circonstances aggravantes?
Voilà vos lois. Il n'y a pas un article qui n'arrive à l'absurde.
L'homme en gants et à paroles jaunes[1] a commis des assassinats où
l'on ne verse pas de sang, mais où l'on en donne; l'assassin a ouvert
une porte avec un monseigneur:[2] deux choses nocturnes! Entre ce
que je vous propose et ce que vous ferez un jour, il n'y a que le sang
de moins. Vous croyez à quelque chose de fixe dans ce monde-là!
Méprisez donc les hommes, et voyez les mailles par où l'on peut
passer à travers le réseau du Code. Le secret des grandes fortunes
sans cause apparente est un crime oublié, parce qu'il a été proprement
fait.

— Silence, monsieur, je ne veux pas en entendre davantage, vous
me feriez douter de moi-même. En ce moment le sentiment est toute
ma science.

— A votre aise, bel enfant. Je vous croyais plus fort, dit Vautrin,
je ne vous dirai plus rien. Un dernier mot, cependant. Il regarda
fixement l'étudiant: Vous avez mon secret, lui dit-il.

— Un jeune homme qui vous refuse saura bien l'oublier.

— Vous avez bien dit cela, ça me fait plaisir. Un autre, voyez-vous,
sera moins scrupuleux. Souvenez-vous de ce que je veux faire pour
vous. Je vous donne quinze jours. C'est à prendre ou à laisser.

— Quelle tête de fer a donc cet homme! se dit Rastignac en
voyant Vautrin s'en aller tranquillement, sa canne sous le bras. Il
m'a dit crûment ce que madame de Beauséant me disait en y mettant
des formes. Il me déchirait le cœur avec des griffes d'acier. Pourquoi
veux-je aller chez madame de Nucingen? Il a deviné mes motifs
aussitôt que je les ai conçus. En deux mots, ce brigand m'a dit plus
de choses sur la vertu que ne m'en ont dit les hommes et les livres.
Si la vertu ne souffre pas de capitulation, j'ai donc volé mes sœurs?
dit-il en jetant le sac sur la table. Il s'assit, et resta là plongé dans une
étourdissante méditation. — Être fidèle à la vertu, martyre sublime!
Bah! tout le monde croit à la vertu; mais qui est vertueux? Les
peuples ont la liberté pour idole; mais où est sur la terre un peuple
libre? Ma jeunesse est encore bleue comme un ciel sans nuage:
vouloir être grand ou riche, n'est-ce pas se résoudre à mentir, plier,
ramper, se redresser, flatter, dissimuler? n'est-ce pas consentir à se
faire le valet de ceux qui ont menti, plié, rampé? Avant d'être leur
complice, il faut les servir. Eh bien! non. Je veux travailler noble-

ment, saintement; je veux travailler jour et nuit, ne devoir ma fortune qu'à mon labeur. Ce sera la plus lente des fortunes, mais chaque jour ma tête reposera sur mon oreiller sans une pensée mauvaise. Qu'y a-t-il de plus beau que de contempler sa vie et de la trouver pure comme un lis? Moi et la vie, nous sommes comme un jeune homme et sa fiancée. Vautrin m'a fait voir ce qui arrive après dix ans de mariage. Diable! ma tête se perd. Je ne veux penser à rien, le cœur est un bon guide.

Eugène fut tiré de sa rêverie par la voix de la grosse Sylvie, qui lui annonça son tailleur, devant lequel il se présenta, tenant à la main ses deux sacs d'argent, et il ne fut pas fâché de cette circonstance. Quand il eut essayé ses habits du soir, il remit sa nouvelle toilette du matin qui le métamorphosait complètement. — Je vaux bien monsieur de Trailles, se dit-il. Enfin j'ai l'air d'un gentilhomme!

— Monsieur, dit le père Goriot en entrant chez Eugène, vous m'avez demandé si je connaissais les maisons où va madame de Nucingen?

— Oui!

— Eh bien! elle va lundi prochain au bal du maréchal Carigliano. Si vous pouvez y être, vous me direz si mes deux filles se sont bien amusées, comment elles seront mises, enfin tout.

— Comment avez-vous su cela, mon bon père Goriot? dit Eugène en le faisant asseoir à son feu.

— Sa femme de chambre me l'a dit. Je sais tout ce qu'elles font par Thérèse et par Constance, reprit-il d'un air joyeux. Le vieillard ressemblait à un amant encore assez jeune pour être heureux d'un stratagème qui le met en communication avec sa maîtresse sans qu'elle puisse s'en douter. — Vous les verrez, vous! dit-il en exprimant avec naïveté une douloureuse envie.

— Je ne sais pas, répondit Eugène. Je vais aller chez madame de Beauséant lui demander si elle peut me présenter à la maréchale.

Eugène pensait avec une sorte de joie intérieure à se montrer chez la vicomtesse mis comme il le serait désormais. Ce que les moralistes nomment les abîmes du cœur humain sont uniquement les décevantes pensées, les involontaires mouvements de l'intérêt personnel. Ces péripéties, le sujet de tant de déclamations, ces retours soudains sont des calculs faits au profit de nos jouissances. En se voyant bien mis, bien ganté, bien botté, Rastignac oublia sa vertueuse résolution. La jeunesse n'ose pas se regarder au miroir de la conscience quand elle verse du côté de l'injustice, tandis que l'âge mûr s'y est vu: là gît

toute la différence entre ces deux phases de la vie. Depuis quelques
jours, les deux voisins, Eugène et le père Goriot, étaient devenus
bons amis. Leur secrète amitié tenait aux raisons psychologiques qui
avaient engendré des sentiments contraires entre Vautrin et
l'étudiant.[1] Le hardi philosophe qui voudra constater les effets de
nos sentiments dans le monde physique trouvera sans doute plus
d'une preuve de leur effective matérialité dans les rapports qu'ils
créent entre nous et les animaux. Quel physiognomoniste est plus
prompt à deviner un caractère qu'un chien l'est à savoir si un
inconnu l'aime ou ne l'aime pas? Les *atomes crochus*,[2] expression
proverbiale dont chacun se sert, sont un de ces faits qui restent dans
les langages pour démentir les niaiseries philosophiques dont
s'occupent ceux qui aiment à vanner les épluchures des mots
primitifs. On se sent aimé. Le sentiment s'empreint en toutes choses
et traverse les espaces.[3] Une lettre est une âme, elle est un si fidèle
écho de la voix qui parle que les esprits délicats la comptent parmi
les plus riches trésors de l'amour. Le père Goriot, que son sentiment
irréfléchi élevait jusqu'au sublime de la nature canine, avait flairé la
compassion, l'admirative bonté, les sympathies juvéniles qui s'étaient
émues pour lui dans le cœur de l'étudiant. Cependant cette union
naissante n'avait encore amené aucune confidence. Si Eugène avait
manifesté le désir de voir madame de Nucingen, ce n'était pas qu'il
comptât sur le vieillard pour être introduit par lui chez elle; mais il
espérait qu'une indiscrétion pourrait le bien servir. Le père Goriot
ne lui avait parlé de ses filles qu'à propos de ce qu'il s'était permis
d'en dire publiquement le jour de ses deux visites. —[4] Mon cher
monsieur, lui avait-il dit le lendemain, comment avez-vous pu croire
que madame de Restaud vous en ait voulu d'avoir prononcé mon
nom? Mes deux filles m'aiment bien. Je suis un heureux père.
Seulement, mes deux gendres se sont mal conduits envers moi. Je
n'ai pas voulu faire souffrir ces chères créatures de mes dissensions
avec leurs maris, et j'ai préféré les voir en secret. Ce mystère me
donne mille jouissances que ne comprennent pas les autres pères qui
peuvent voir leurs filles quand ils veulent. Moi, je ne le peux pas,
comprenez-vous? Alors je vais, quand il fait beau, dans les Champs-
Élysées, après avoir demandé aux femmes de chambre si mes filles
sortent. Je les attends au passage, le cœur me bat quand les voitures
arrivent, je les admire dans leur toilette, elles me jettent en passant
un petit rire qui me dore la nature comme s'il y tombait un rayon de
quelque beau soleil. Et je reste, elles doivent revenir. Je les vois
encore! l'air leur a fait du bien, elles sont roses. J'entends dire

autour de moi: Voilà une belle femme! Ça me réjouit le cœur. N'est-ce pas mon sang? J'aime les chevaux qui les traînent, et je voudrais être le petit chien qu'elles ont sur leurs genoux. Je vis de leurs plaisirs. Chacun a sa façon d'aimer, la mienne ne fait pourtant de mal à personne, pourquoi le monde s'occupe-t-il de moi? Je suis heureux à ma manière. Est-ce contre les lois que j'aille voir mes filles, le soir, au moment où elles sortent de leurs maisons pour se rendre au bal? Quel chagrin pour moi si j'arrive trop tard, et qu'on me dise: Madame est sortie. Un soir j'ai attendu jusqu'à trois heures du matin pour voir Nasie, que je n'avais pas vue depuis deux jours. J'ai manqué crever d'aise! Je vous en prie, ne parlez de moi que pour dire combien mes filles sont bonnes. Elles veulent me combler de toutes sortes de cadeaux; je les en empêche, je leur dis: « Gardez donc votre argent! Que voulez-vous que j'en fasse? Il ne me faut rien. » En effet, mon cher monsieur, que suis-je? un méchant cadavre dont l'âme est partout où sont mes filles. Quand vous aurez vu madame de Nucingen, vous me direz celle des deux que vous préférez, dit le bonhomme après un moment de silence en voyant Eugène qui se disposait à partir pour aller se promener aux Tuileries en attendant l'heure de se présenter chez madame de Beauséant.

Cette promenade fut fatale à l'étudiant. Quelques femmes le remarquèrent. Il était si beau, si jeune, et d'une élégance de si bon goût! En se voyant l'objet d'une attention presque admirative, il ne pensa plus à ses sœurs ni à sa tante dépouillées, ni à ses vertueuses répugnances. Il avait vu passer au-dessus de sa tête ce démon qu'il est si facile de prendre pour un ange, ce Satan aux ailes diaprées, qui sème des rubis, qui jette ses flèches d'or au front des palais, empourpre les femmes, revêt d'un sot éclat les trônes, si simples dans leur origine; il avait écouté le dieu de cette vanité crépitante dont le clinquant nous semble être un symbole de puissance. La parole de Vautrin, quelque cynique qu'elle fût, s'était logée dans son cœur comme dans le souvenir d'une vierge se grave le profil ignoble d'une vieille marchande à la toilette, qui lui a dit: « Or et amour à flots! » Après avoir indolemment flâné, vers cinq heures Eugène se présenta chez madame de Beauséant, et il y reçut un de ces coups terribles contre lesquels les cœurs jeunes sont sans armes. Il avait jusqu'alors trouvé la vicomtesse pleine de cette aménité polie, de cette grâce melliflue donnée par l'éducation aristocratique, et qui n'est complète que si elle vient du cœur.

Quand il entra, madame de Beauséant fit un geste sec, et lui dit d'une voix brève: — Monsieur de Rastignac, il m'est impossible de vous voir, en ce moment du moins! je suis en affaire. . . .

Pour un observateur, et Rastignac l'était devenu promptement, cette phrase, le geste, le regard, l'inflexion de voix, étaient l'histoire du caractère et des habitudes de la caste. Il aperçut la main de fer sous le gant de velours; la personnalité, l'égoïsme, sous les manières; le bois, sous le vernis. Il entendit enfin le Moi le Roi qui commence sous les panaches du trône et finit sous le cimier du dernier gentilhomme. Eugène s'était trop facilement abandonné sur sa parole à croire aux noblesses de la femme. Comme tous les malheureux, il avait signé de bonne foi le pacte délicieux qui doit lier le bienfaiteur à l'obligé, et dont le premier article consacre entre les grands cœurs une complète égalité. La bienfaisance, qui réunit deux êtres en un seul, est une passion céleste aussi incomprise, aussi rare que l'est le véritable amour. L'un et l'autre est la prodigalité des belles âmes. Rastignac voulait arriver au bal de la duchesse de Carigliano, il dévora cette bourrasque.

— Madame, dit-il d'une voix émue, s'il ne s'agissait pas d'une chose importante, je ne serais pas venu vous importuner; soyez assez gracieuse pour me permettre de vous voir plus tard, j'attendrai.

— Eh bien! venez dîner avec moi, dit-elle un peu confuse de la dureté qu'elle avait mise dans ses paroles; car cette femme était vraiment aussi bonne que grande.

Quoique touché de ce retour soudain, Eugène se dit en s'en allant: « Rampe, supporte tout. Que doivent être les autres, si, dans un moment, la meilleure des femmes efface les promesses de son amitié, te laisse là comme un vieux soulier? Chacun pour soi, donc? Il est vrai que sa maison n'est pas une boutique, et que j'ai tort d'avoir besoin d'elle. Il faut, comme dit Vautrin, se faire boulet de canon. » Les amères réflexions de l'étudiant furent bientôt dissipées par le plaisir qu'il se promettait en dînant chez la vicomtesse. Ainsi, par une sorte de fatalité, les moindres événements de sa vie conspiraient à le pousser dans la carrière où, suivant les observations du terrible sphinx de la Maison Vauquer, il devait, comme sur un champ de bataille, tuer pour ne pas être tué, tromper pour ne pas être trompé; où il devait déposer à la barrière sa conscience, son cœur, mettre un masque, se jouer sans pitié des hommes, et, comme à Lacédémone, saisir sa fortune sans être vu, pour mériter la couronne. Quand il revint chez la vicomtesse, il la trouva pleine de cette bonté gracieuse qu'elle lui avait toujours témoignée. Tous deux allèrent dans une salle à manger où le vicomte attendait sa femme, et où resplendissait ce luxe de table qui sous la Restauration fut poussé, comme chacun le sait, au plus haut degré. Monsieur de Beauséant, semblable à beaucoup de gens blasés, n'avait plus guère d'autres plaisirs que ceux de la bonne chère; il était en fait de gourmandise de l'école de Louis XVIII et du duc d'Escars.[1] Sa table offrait donc un double luxe, celui du contenant et celui du contenu. Jamais semblable spectacle n'avait frappé les yeux d'Eugène, qui dînait pour la première fois dans une de ces maisons où les grandeurs sociales sont héréditaires. La mode venait de supprimer les soupers qui terminaient autrefois les bals de l'Empire, où les militaires avaient besoin de prendre des forces pour se préparer à tous les combats qui les attendaient au dedans comme au dehors. Eugène n'avait encore assisté qu'à des bals. L'aplomb qui le distingua plus tard si éminemment, et qu'il commençait à prendre, l'empêcha de s'ébahir niaisement. Mais en voyant cette argenterie sculptée, et les mille recherches d'une table somptueuse, en admirant pour la première fois un service fait sans bruit, il était difficile à un homme d'ardente imagination de ne pas préférer cette vie constamment élégante à la vie de privations qu'il voulait embrasser le matin. Sa pensée le rejeta pendant un moment dans sa pension bourgeoise; il en eut une si profonde horreur qu'il se jura de la quitter au mois de janvier, autant pour se mettre dans une maison propre que pour fuir Vautrin, dont il sentait la large main sur son épaule. Si l'on vient à songer aux mille formes que prend à Paris la corruption, parlante ou muette, un homme de bon sens se demande par quelle aberration l'État y met des écoles, y assemble des jeunes gens, comment les jolies femmes y sont respectées, comment l'or étalé par les changeurs ne s'envole pas magiquement de leurs sébiles. Mais si l'on vient à songer qu'il est peu d'exemples de crimes, voire même de délits commis par les jeunes gens, de quel respect ne doit-on pas être pris pour ces patients Tantales[2] qui se combattent eux-mêmes, et sont presque toujours victorieux! S'il était bien peint dans sa lutte avec Paris, le pauvre étudiant fournirait un des sujets les plus dramatiques de notre civilisation moderne. Madame de Beauséant regardait vainement Eugène pour le convier à parler, il ne voulut rien dire en présence du vicomte.

— Me menez-vous ce soir aux Italiens? demanda la vicomtesse à son mari.

— Vous ne pouvez douter du plaisir que j'aurais à vous obéir, répondit-il avec une galanterie moqueuse dont l'étudiant fut la dupe, mais je dois aller rejoindre quelqu'un aux Variétés.

— Sa maîtresse, se dit-elle.

— Vous n'avez donc pas d'Ajuda ce soir ? demanda le vicomte.

— Non, répondit-elle avec humeur.

— Eh bien! s'il vous faut absolument un bras, prenez celui de monsieur de Rastignac.

La vicomtesse regarda Eugène en souriant.

— Ce sera bien compromettant pour vous, dit-elle.

— *Le Français aime le péril, parce qu'il y trouve la gloire*, a dit monsieur de Chateaubriand, répondit Rastignac en s'inclinant.

Quelques moments après, il fut emporté près de madame de Beauséant, dans un coupé rapide, au théâtre à la mode, et crut à quelque féerie lorsqu'il entra dans une loge de face, et qu'il se vit le but de toutes les lorgnettes concurremment avec la vicomtesse, dont la toilette était délicieuse. Il marchait d'enchantements en enchantements.

— Vous avez à me parler, lui dit madame de Beauséant. Ah! tenez, voici madame de Nucingen à trois loges de la nôtre. Sa sœur et monsieur de Trailles sont de l'autre côté.

En disant ces mots, la vicomtesse regardait la loge où devait être mademoiselle de Rochefide, et, n'y voyant pas monsieur d'Ajuda, sa figure prit un éclat extraordinaire.

— Elle est charmante, dit Eugène après avoir regardé madame de Nucingen.

— Elle a les cils blancs.

— Oui, mais quelle jolie taille mince !

— Elle a de grosses mains.

— Les beaux yeux !

— Elle a le visage en long.

— Mais la forme longue a de la distinction.

— Cela est heureux pour elle qu'il y en ait là. Voyez comment elle prend et quitte son lorgnon! Le Goriot perce dans tous ses mouvements, dit la vicomtesse au grand étonnement d'Eugène.

En effet, madame de Beauséant lorgnait la salle et semblait ne pas faire attention à madame de Nucingen, dont elle ne perdait cependant pas un geste. L'assemblée était exquisément belle. Delphine de Nucingen n'était pas peu flattée d'occuper exclusivement le jeune, le beau, l'élégant cousin de madame de Beauséant, il ne regardait qu'elle.

— Si vous continuez à la couvrir de vos regards, vous allez faire scandale, monsieur de Rastignac. Vous ne réussirez à rien, si vous vous jetez ainsi à la tête des gens.

E

— Ma chère cousine, dit Eugène, vous m'avez déjà bien protégé ; si vous voulez achever votre ouvrage, je ne vous demande plus que de me rendre un service qui vous donnera peu de peine et me fera grand bien. Me voilà pris.

— Déjà ?

— Oui.

— Et de cette femme ?

— Mes prétentions seraient-elles donc écoutées ailleurs ? dit-il en lançant un regard pénétrant à sa cousine. Madame la duchesse de Carigliano est attachée à madame la duchesse de Berry, reprit-il après une pause, vous devez la voir, ayez la bonté de me présenter chez elle et de m'amener au bal qu'elle donne lundi. J'y rencontrerai madame de Nucingen, et je livrerai ma première escarmouche.

— Volontiers, dit-elle. Si vous vous sentez déjà du goût pour elle, vos affaires de cœur vont très-bien. Voici de Marsay dans la loge de la princesse Galathionne. Madame de Nucingen est au supplice, elle se dépite. Il n'y a pas de meilleur moment pour aborder une femme, surtout une femme de banquier. Ces dames de la Chaussée-d'Antin aiment toutes la vengeance.

— Que feriez-vous donc, vous, en pareil cas ?

— Moi, je souffrirais en silence.

En ce moment le marquis d'Ajuda se présenta dans la loge de madame de Beauséant.

— J'ai mal fait mes affaires afin de venir vous retrouver, dit-il, et je vous en instruis pour que ce ne soit pas un sacrifice.

Les rayonnements du visage de la vicomtesse apprirent à Eugène à reconnaître les expressions d'un véritable amour, et à ne pas les confondre avec les simagrées de la coquetterie parisienne. Il admira sa cousine, devint muet et céda sa place à monsieur d'Ajuda en soupirant. « Quelle noble, quelle sublime créature est une femme qui aime ainsi ! se dit-il. Et cet homme la trahirait pour une poupée ! comment peut-on la trahir ? » Il se sentit au cœur une rage d'enfant. Il aurait voulu se rouler aux pieds de madame de Beauséant, il souhaitait le pouvoir des démons afin de l'emporter dans son cœur, comme un aigle enlève de la plaine dans son aire une jeune chèvre blanche qui tette encore. Il était humilié d'être dans ce grand Musée de la beauté sans son tableau, sans une maîtresse à lui. « Avoir une maîtresse et une position quasi royale, se disait-il, c'est le signe de la puissance ! » Et il regarda madame de Nucingen comme un homme insulté regarde son adversaire. La vicomtesse se retourna vers lui pour lui adresser

sur sa discrétion mille remercîments dans un clignement d'yeux.
Le premier acte était fini.

— Vous connaissez assez madame de Nucingen pour lui présenter
monsieur de Rastignac ? dit-elle au marquis d'Ajuda.

— Mais elle sera charmée de voir monsieur, dit le marquis.

Le beau Portugais se leva, prit le bras de l'étudiant, qui en un clin
d'œil se trouva auprès de madame de Nucingen.

— Madame la baronne, dit le marquis, j'ai l'honneur de vous
présenter le chevalier Eugène de Rastignac, un cousin de la
vicomtesse de Beauséant. Vous faites une si vive impression sur lui,
que j'ai voulu compléter son bonheur en le rapprochant de son
idole.

Ces mots furent dits avec un certain accent de raillerie qui en
faisait passer la pensée un peu brutale, mais qui, bien sauvée, ne
déplaît jamais à une femme. Madame de Nucingen sourit, et offrit à
Eugène la place de son mari, qui venait de sortir.

— Je n'ose pas vous proposer de rester près de moi, monsieur, lui
dit-elle. Quand on a le bonheur d'être auprès de madame de
Beauséant, on y reste.

— Mais, lui dit à voix basse Eugène, il me semble, madame, que
si je veux plaire à ma cousine, je demeurerai près de vous. Avant
l'arrivée de monsieur le marquis, nous parlions de vous et de la
distinction de toute votre personne, dit-il à haute voix.

Monsieur d'Ajuda se retira.

— Vraiment, monsieur, dit la baronne, vous allez me rester ?
Nous ferons donc connaissance, madame de Restaud m'avait déjà
donné le plus vif désir de vous voir.

— Elle est donc bien fausse, elle m'a fait consigner à sa porte.

— Comment ?

— Madame, j'aurai la conscience de vous en dire la raison; mais
je réclame toute votre indulgence en vous confiant un pareil secret.
Je suis le voisin de monsieur votre père. J'ignorais que madame de
Restaud fût sa fille. J'ai eu l'imprudence d'en parler fort innocemment, et j'ai fâché madame votre sœur et son mari. Vous ne sauriez
croire combien madame la duchesse de Langeais et ma cousine ont
trouvé cette apostasie filiale de mauvais goût. Je leur ai raconté la
scène, elles en ont ri comme des folles. Ce fut alors qu'en faisant un
parallèle entre vous et votre sœur, madame de Beauséant me parla en
fort bons termes, et me dit combien vous étiez excellente pour mon
voisin, monsieur Goriot. Comment, en effet, ne l'aimeriez-vous pas ?
il vous adore si passionnément que j'en suis déjà jaloux. Nous avons

parlé de vous ce matin pendant deux heures. Puis, tout plein de ce que votre père m'a raconté, ce soir en dînant avec ma cousine, je lui disais que vous ne pouviez pas être aussi belle que vous étiez aimante. Voulant sans doute favoriser une si chaude admiration, madame de Beauséant m'a amené ici, en me disant avec sa grâce habituelle que je vous y verrais.

— Comment, monsieur, dit la femme du banquier, je vous dois déjà de la reconnaissance ? Encore un peu, nous allons être de vieux amis.

— Quoique l'amitié doive être près de vous un sentiment peu vulgaire, dit Rastignac, je ne veux jamais être votre ami.

Ces sottises stéréotypées à l'usage des débutants paraissent toujours charmantes aux femmes, et ne sont pauvres que lues à froid. Le geste, l'accent, le regard d'un jeune homme, leur donnent d'incalculables valeurs. Madame de Nucingen trouva Rastignac charmant. Puis, comme toutes les femmes, ne pouvant rien dire à des questions aussi drûment posées que l'était celle de l'étudiant, elle répondit à autre chose.

— Oui, ma sœur se fait tort par la manière dont elle se conduit avec ce pauvre père, qui vraiment a été pour nous un dieu. Il a fallu que monsieur de Nucingen m'ordonnât positivement de ne voir mon père que le matin, pour que je cédasse sur ce point. Mais j'en ai longtemps été bien malheureuse. Je pleurais. Ces violences, venues après les brutalités du mariage, ont été l'une des raisons qui troublèrent le plus mon ménage. Je suis certes la femme de Paris la plus heureuse aux yeux du monde, la plus malheureuse en réalité. Vous allez me trouver folle de vous parler ainsi. Mais vous connaissez mon père, et, à ce titre, vous ne pouvez pas m'être étranger.

— Vous n'aurez jamais rencontré personne, lui dit Eugène, qui soit animé d'un plus vif désir de vous appartenir. Que cherchez-vous toutes ? le bonheur, reprit-il d'une voix qui allait à l'âme. Eh bien ! si, pour une femme, le bonheur est d'être aimée, adorée, d'avoir un ami à qui elle puisse confier ses désirs, ses fantaisies, ses chagrins, ses joies ; se montrer dans la nudité de son âme, avec ses jolis défauts et ses belles qualités, sans craindre d'être trahie ; croyez-moi, ce cœur dévoué, toujours ardent, ne peut se rencontrer que chez un homme jeune, plein d'illusions, qui peut mourir sur un seul de vos signes, qui ne sait rien encore du monde et n'en veut rien savoir, parce que vous devenez le monde pour lui. Moi, voyez-vous, vous allez rire de ma naïveté, j'arrive du fond d'une province, entièrement neuf, n'ayant connu que de belles âmes, et je comptais rester sans amour.

Il m'est arrivé de voir ma cousine, qui m'a mis trop près de son cœur; elle m'a fait deviner les mille trésors de la passion, je suis, comme Chérubin,[1] l'amant de toutes les femmes, en attendant que je puisse me dévouer à quelqu'une d'entre elles. En vous voyant, quand je suis entré, je me suis senti porté vers vous comme par un courant. J'avais déjà tant pensé à vous! Mais je ne vous avais pas rêvée aussi belle que vous l'êtes en réalité. Madame de Beauséant m'a ordonné de ne pas vous tant regarder. Elle ne sait pas ce qu'il y a d'attrayant à voir vos jolies lèvres rouges, votre teint blanc, vos yeux si doux. Moi aussi, je vous dis des folies, mais laissez-les-moi dire.

Rien ne plaît plus aux femmes que de s'entendre débiter ces douces paroles. La plus sévère dévote les écoute, même quand elle ne doit pas y répondre. Après avoir ainsi commencé, Rastignac défila son chapelet d'une voix coquettement sourde; et madame de Nucingen encourageait Eugène par des sourires en regardant de temps en temps de Marsay, qui ne quittait pas la loge de la princesse Galathionne. Rastignac resta près de madame de Nucingen jusqu'au moment où son mari vint la chercher pour l'emmener.

— Madame, lui dit Eugène, j'aurai le plaisir de vous aller voir avant le bal de la duchesse de Carigliano.

— *Puisqui matame fous encache,*[2] dit le baron, épais Alsacien dont la figure ronde annonçait une dangereuse finesse, *fous êtes sir d'être pien ressi.*

— Mes affaires sont en bon train, car elle ne s'est pas bien effarouchée en m'entendant lui dire: « M'aimerez-vous bien? » Le mors est mis à ma bête, sautons dessus et gouvernons-la, se dit Eugène en allant saluer madame de Beauséant qui se levait et se retirait avec d'Ajuda. Le pauvre étudiant ne savait pas que la baronne était distraite, et attendait de de Marsay une de ces lettres décisives qui déchirent l'âme. Tout heureux de son faux succès, Eugène accompagna la vicomtesse jusqu'au péristyle, où chacun attend sa voiture.

— Votre cousin ne se ressemble plus à lui-même, dit le Portugais en riant à la vicomtesse quand Eugène les eut quittés. Il va faire sauter la banque. Il est souple comme une anguille, et je crois qu'il ira loin. Vous seule avez pu lui trier sur le volet une femme au moment où il faut la consoler.

— Mais, dit madame de Beauséant, il faut savoir si elle aime encore celui qui l'abandonne.

L'étudiant revint à pied du Théâtre-Italien à la rue Neuve-Sainte-

Geneviève, en faisant les plus doux projets. Il avait bien remarqué l'attention avec laquelle madame de Restaud l'avait examiné, soit dans la loge de la vicomtesse, soit dans celle de madame de Nucingen, et il présuma que la porte de la comtesse ne lui serait plus fermée. Ainsi déjà quatre relations majeures, car il comptait bien plaire à la maréchale, allaient lui être acquises au cœur de la haute société parisienne. Sans trop s'expliquer les moyens, il devinait par avance que, dans le jeu compliqué des intérêts de ce monde, il devait s'accrocher à un rouage pour se trouver en haut de la machine, et il se sentait la force d'en enrayer la roue. « Si madame de Nucingen s'intéresse à moi, je lui apprendrai à gouverner son mari. Ce mari fait des affaires d'or, il pourra m'aider à ramasser tout d'un coup une fortune. » Il ne se disait pas cela crûment, il n'était pas encore assez politique pour chiffrer une situation, l'apprécier et la calculer; ces idées flottaient à l'horizon sous la forme de légers nuages, et, quoiqu'elles n'eussent pas l'âpreté de celles de Vautrin, si elles avaient été soumises au creuset de la conscience, elles n'auraient rien donné de bien pur. Les hommes arrivent, par une suite de trans-actions de ce genre, à cette morale relâchée que professe l'époque actuelle, où se rencontrent plus rarement que dans aucun temps ces hommes rectangulaires, ces belles volontés qui ne se plient jamais au mal, à qui la moindre déviation de la ligne droite semble être un crime: magnifiques images de la probité qui nous ont valu deux chefs-d'œuvre, Alceste[1] de Molière, puis récemment Jenny Deans et son père,[2] dans l'œuvre de Walter Scott. Peut-être l'œuvre opposée, la peinture des sinuosités dans lesquelles un homme du monde, un ambitieux fait rouler sa conscience, en essayant de côtoyer le mal, afin d'arriver à son but en gardant les apparences, ne serait-elle ni moins belle, ni moins dramatique.[3] En atteignant au seuil de sa pension, Rastignac s'était épris de madame de Nucingen, elle lui avait paru svelte, fine comme une hirondelle. L'enivrante douceur de ses yeux, le tissu délicat et soyeux de sa peau sous laquelle il avait cru voir couler le sang, le son enchanteur de sa voix, ses blonds cheveux, il se rappelait tout; et peut-être la marche, en mettant son sang en mouvement, aidait-elle à cette fascination. L'étudiant frappa rudement à la porte du père Goriot.

— Mon voisin, dit-il, j'ai vu madame Delphine.

— Où?

— Aux Italiens.

— S'amusait-elle bien? Entrez donc. Et le bonhomme, qui s'était levé en chemise, ouvrit sa porte et se recoucha promptement.

— Parlez-moi donc d'elle, demanda-t-il.

Eugène, qui se trouvait pour la première fois chez le père Goriot, ne fut pas maître d'un mouvement de stupéfaction en voyant le bouge où vivait le père, après avoir admiré la toilette de la fille. La fenêtre était sans rideaux; le papier de tenture collé sur les murailles s'en détachait en plusieurs endroits par l'effet de l'humidité, et se recroquevillait en laissant apercevoir le plâtre jauni par la fumée. Le bonhomme gisait sur un mauvais lit, n'avait qu'une maigre couverture et un couvre-pied ouaté fait avec les bons morceaux des vieilles robes de madame Vauquer. Le carreau était humide et plein de poussière. En face de la croisée se voyait une de ces vieilles commodes en bois de rose à ventre renflé, qui ont des mains en cuivre tordu en façon de sarments décorés de feuilles ou de fleurs; un vieux meuble à tablette de bois sur lequel était un pot à eau dans sa cuvette et tous les ustensiles nécessaires pour se faire la barbe. Dans un coin, les souliers; à la tête du lit, une table de nuit sans porte ni marbre; au coin de la cheminée, où il n'y avait pas trace de feu, se trouvait la table carrée, en bois de noyer, dont la barre avait servi au père Goriot à dénaturer son écuelle en vermeil. Un méchant secrétaire sur lequel était le chapeau du bonhomme, un fauteuil foncé de paille et deux chaises complétaient ce mobilier misérable. La flèche du lit, attachée au plancher par une loque, soutenait une mauvaise bande d'étoffes à carreaux rouges et blancs. Le plus pauvre commissionnaire était certes moins mal meublé dans son grenier, que ne l'était le père Goriot chez madame Vauquer. L'aspect de cette chambre donnait froid et serrait le cœur, elle ressemblait au plus triste logement d'une prison.[1] Heureusement Goriot ne vit pas l'expression qui se peignit sur la physionomie d'Eugène quand celui-ci posa sa chandelle sur la table de nuit. Le bonhomme se tourna de son côté en restant couvert jusqu'au menton.

— Eh bien! qui aimez-vous mieux de madame de Restaud ou de madame de Nucingen?

— Je préfère madame Delphine, répondit l'étudiant, parce qu'elle vous aime mieux.

A cette parole chaudement dite, le bonhomme sortit son bras du lit et serra la main d'Eugène.

— Merci, merci, répondit le vieillard ému. Que vous a-t-elle donc dit de moi?

L'étudiant répéta les paroles de la baronne en les embellissant, et le vieillard l'écouta comme s'il eût entendu la parole de Dieu.

— Chère enfant! oui, oui, elle m'aime bien. Mais ne la croyez pas dans ce qu'elle vous a dit d'Anastasie. Les deux sœurs se jalousent, voyez-vous? c'est encore une preuve de leur tendresse. Madame de Restaud m'aime bien aussi. Je le sais. Un père est avec ses enfants comme Dieu est avec nous, il va jusqu'au fond des cœurs, et juge les intentions. Elles sont toutes deux aussi aimantes. Oh! si j'avais eu de bons gendres, j'aurais été trop heureux. Il n'est sans doute pas de bonheur complet ici-bas. Si j'avais vécu chez elles; mais rien que d'entendre leurs voix, de les savoir là, de les voir aller, sortir, comme quand je les avais chez moi, ça m'eût fait cabrioler le cœur. Étaient-elles bien mises?

— Oui, dit Eugène. Mais, monsieur Goriot, comment, en ayant des filles aussi richement établies que sont les vôtres, pouvez-vous demeurer dans un taudis pareil?

— Ma foi, dit-il d'un air en apparence insouciant, à quoi cela me servirait-il d'être mieux? Je ne puis guère vous expliquer ces choses-là; je ne sais pas dire deux paroles de suite comme il faut.[1] Tout est là, ajouta-t-il en se frappant le cœur. Ma vie, à moi, est dans mes deux filles. Si elles s'amusent, si elles sont heureuses, bravement[2] mises, si elles marchent sur des tapis, qu'importe de quel drap je sois vêtu, et comment est l'endroit où je me couche? Je n'ai point froid si elles ont chaud, je ne m'ennuie jamais si elles rient. Je n'ai de chagrins que les leurs. Quand vous serez père, quand vous vous direz, en oyant[3] gazouiller vos enfants: « C'est sorti de moi! », que vous sentirez ces petites créatures tenir à chaque goutte de votre sang, dont elles ont été la fine fleur, car c'est ça! vous vous croirez attaché à leur peau, vous croirez être agité vous-même par leur marche. Leur voix me répond partout. Un regard d'elles, quand il est triste, me fige le sang. Un jour vous saurez que l'on est bien plus heureux de leur bonheur que du sien propre. Je ne peux pas vous expliquer ça: c'est des mouvements intérieurs qui répandent l'aise partout. Enfin, je vis trois fois.[4] Voulez-vous que je vous dise une drôle de chose? Eh bien! quand j'ai été père, j'ai compris Dieu. Il est tout entier partout, puisque la création est sortie de lui. Monsieur, je suis ainsi avec mes filles. Seulement j'aime mieux mes filles que Dieu n'aime le monde, parce que le monde n'est pas si beau que Dieu, et que mes filles sont plus belles que moi. Elles me tiennent si bien à l'âme, que j'avais idée que vous les verriez ce soir. Mon Dieu! un homme qui rendrait ma petite Delphine aussi heureuse qu'une femme l'est quand elle est bien aimée; mais je lui cirerais ses bottes, je lui ferais ses commissions. J'ai su par sa femme de chambre que ce petit Monsieur de Marsay est un mauvais chien. Il m'a pris des

envies de lui tordre le cou. Ne pas aimer un bijou de femme, une
voix de rossignol, et faite comme un modèle! Où a-t-elle eu les yeux
d'épouser cette grosse souche d'Alsacien? Il leur fallait à toutes
deux de jolis jeunes gens bien aimables. Enfin, elles ont fait à leur
fantaisie.

Le père Goriot était sublime. Jamais Eugène ne l'avait pu voir
illuminé par les feux de sa passion paternelle. Une chose digne de
remarque est la puissance d'infusion que possèdent les sentiments.
Quelque grossière que soit une créature, dès qu'elle exprime une
affection forte et vraie, elle exhale un fluide particulier qui modifie la
physionomie, anime le geste, colore la voix. Souvent l'être le plus
stupide arrive, sous l'effort de la passion, à la plus haute éloquence
dans l'idée, si ce n'est dans le langage, et semble se mouvoir dans une
sphère lumineuse.[1] Il y avait en ce moment dans la voix, dans le
geste de ce bonhomme, la puissance communicative qui signale le
grand acteur. Mais nos beaux sentiments ne sont-ils pas les poésies
de la volonté?

— Eh bien! vous ne serez peut-être pas fâché d'apprendre, lui dit
Eugène, qu'elle va rompre sans doute avec ce de Marsay. Ce beau-
fils[2] l'a quittée pour s'attacher à la princesse Galathionne. Quant à
moi, ce soir, je suis tombé amoureux de madame Delphine.

— Bah! dit le père Goriot.

— Oui. Je ne lui ai pas déplu. Nous avons parlé amour pendant
une heure, et je dois aller la voir après-demain samedi.

— Oh! que je vous aimerais, mon cher monsieur, si vous lui
plaisiez. Vous êtes bon, vous ne la tourmenteriez point. Si vous la
trahissiez, je vous couperais le cou, d'abord. Une femme n'a pas
deux amours, voyez-vous? Mon Dieu! mais je dis des bêtises,
monsieur Eugène. Il fait froid ici pour vous. Mon Dieu! vous l'avez
donc entendue, que vous a-t-elle dit pour moi?

— Rien, se dit en lui-même Eugène. Elle m'a dit, répondit-il à
haute voix, qu'elle vous envoyait un bon baiser de fille.

— Adieu, mon voisin, dormez bien, faites de beaux rêves; les
miens sont tout faits avec ce mot-là. Que Dieu vous protège dans
tous vos désirs! Vous avez été pour moi ce soir comme un bon ange;
vous me rapportez l'air de ma fille.

— Le pauvre homme, se dit Eugène en se couchant, il y a de quoi
toucher des cœurs de marbre. Sa fille n'a pas plus pensé à lui qu'au
Grand-Turc.

Depuis cette conversation, le père Goriot vit dans son voisin un
confident inespéré, un ami. Il s'était établi entre eux les seuls

rapports par lesquels ce vieillard pouvait s'attacher à un autre homme. Les passions ne font jamais de faux calcul. Le père Goriot se voyait un peu plus près de sa fille Delphine, il s'en voyait mieux reçu, si Eugène devenait cher à la baronne. D'ailleurs il lui avait confié l'une de ses douleurs. Madame de Nucingen, à laquelle mille fois par jour il souhaitait le bonheur, n'avait pas connu les douceurs de l'amour. Certes, Eugène était, pour se servir de son expression, un des jeunes gens les plus gentils qu'il eût jamais vus, et il semblait pressentir qu'il lui donnerait tous les plaisirs dont elle avait été privée. Le bonhomme se prit donc pour son voisin d'une amitié qui alla croissant, et sans laquelle il eût été sans doute impossible de connaître le dénoûment de cette histoire.

Le lendemain matin, au déjeuner, l'affectation avec laquelle le père Goriot regardait Eugène, près duquel il se plaça, les quelques paroles qu'il lui dit, et le changement de sa physionomie, ordinairement semblable à un masque de plâtre, surprirent les pensionnaires. Vautrin, qui revoyait l'étudiant pour la première fois depuis leur conférence, semblait vouloir lire dans son âme. En se souvenant du projet de cet homme, Eugène, qui, avant de s'endormir, avait, pendant la nuit, mesuré le vaste champ qui s'ouvrait à ses regards, pensa nécessairement à la dot de mademoiselle Taillefer, et ne put s'empêcher de regarder[1] Victorine comme le plus vertueux jeune homme regarde une riche héritière. Par hasard, leurs yeux se rencontrèrent. La pauvre fille ne manqua pas de trouver Eugène charmant dans sa nouvelle tenue. Le coup d'œil qu'ils échangèrent fut assez significatif pour que Rastignac ne doutât pas d'être pour elle l'objet de ces confus désirs qui atteignent toutes les jeunes filles et qu'elles rattachent au premier être séduisant. Une voix lui criait: « Huit cent mille francs ! » Mais tout à coup il se rejeta dans ses souvenirs de la veille, et pensa que sa passion de commande pour madame de Nucingen était l'antidote de ses mauvaises pensées involontaires.

— L'on donnait hier aux Italiens *Le Barbier de Séville* de Rossini. Je n'avais jamais entendu de si délicieuse musique, dit-il. Mon Dieu ! est-on heureux d'avoir une loge aux Italiens.

Le père Goriot saisit cette parole au vol comme un chien saisit un mouvement de son maître.

— Vous êtes comme des coqs-en-pâte,[2] dit madame Vauquer, vous autres hommes, vous faites tout ce qui vous plaît.

— Comment êtes-vous revenu ? demanda Vautrin.

— A pied, répondit Eugène.

— Moi, reprit le tentateur, je n'aimerais pas de demiplaisirs; je voudrais aller là dans ma voiture, dans ma loge, et revenir bien commodément. Tout ou rien! voilà ma devise.

— Et qui est bonne, reprit madame Vauquer.

— Vous irez peut-être voir madame de Nucingen, dit Eugène à voix basse à Goriot. Elle vous recevra certes à bras ouverts; elle voudra savoir de vous mille petits détails sur moi. J'ai appris qu'elle ferait tout au monde pour être reçue chez ma cousine, madame la vicomtesse de Beauséant. N'oubliez pas de lui dire que je l'aime trop pour ne pas penser à lui procurer cette satisfaction.

Rastignac s'en alla promptement à l'École de Droit, il voulait rester le moins de temps possible dans cette odieuse maison. Il flâna pendant presque toute la journée, en proie à cette fièvre de tête qu'ont connue les jeunes gens affectés de trop vives espérances. Les raisonnements de Vautrin le faisaient réfléchir à la vie sociale, au moment où il rencontra son ami Bianchon dans le jardin du Luxembourg.

— Où as-tu pris cet air grave? lui dit l'étudiant en médecine en lui prenant le bras pour se promener devant le palais.

— Je suis tourmenté par de mauvaises idées.

— En quel genre? Ça se guérit, les idées.

— Comment?

— En y succombant.

— Tu ris sans savoir ce dont il s'agit. As-tu lu Rousseau?

— Oui.

— Te souviens-tu de ce passage où il demande à son lecteur ce qu'il ferait au cas où il pourrait s'enrichir en tuant à la Chine par sa seule volonté un vieux mandarin, sans bouger de Paris.

— Oui.

— Eh bien?

— Bah! J'en suis à mon trente-troisième mandarin.

— Ne plaisante pas. Allons, s'il t'était prouvé que la chose est possible et qu'il te suffît d'un signe de tête, le ferais-tu?

— Est-il bien vieux, le mandarin? Mais, bah! jeune ou vieux, paralytique ou bien portant, ma foi. . . . Diantre! Eh bien, non.[1]

— Tu es un brave garçon, Bianchon. Mais si tu aimais une femme à te mettre pour elle l'âme à l'envers, et qu'il lui fallût de l'argent, beaucoup d'argent pour sa toilette, pour sa voiture, pour toutes ses fantaisies enfin?

— Mais tu m'ôtes la raison, et tu veux que je raisonne.

— Eh bien! Bianchon, je suis fou, guéris-moi. J'ai deux sœurs qui sont des anges de beauté, de candeur, et je veux qu'elles soient heureuses. Où prendre deux cent mille francs pour leur dot d'ici à cinq ans ? Il est, vois-tu, des circonstances dans la vie où il faut jouer gros jeu et ne pas user son bonheur à gagner des sous.

— Mais tu poses la question qui se trouve à l'entrée de la vie pour tout le monde, et tu veux couper le nœud gordien avec l'épée. Pour agir ainsi, mon cher, il faut être Alexandre, sinon l'on va au bagne. Moi, je suis heureux de la petite existence que je me créerai en province, où je succéderai tout bêtement à mon père. Les affections de l'homme se satisfont dans le plus petit cercle aussi pleinement que dans une immense circonférence.[1] Napoléon ne dînait pas deux fois, et ne pouvait pas avoir plus de maîtresses qu'en prend un étudiant en médecine quand il est interne aux Capucins. Notre bonheur, mon cher, tiendra toujours entre la plante de nos pieds et notre occiput ; et, qu'il coûte un million par an ou cent louis, la perception intrinsèque en est la même au dedans de nous. Je conclus à la vie du Chinois.

— Merci, tu m'as fait du bien, Bianchon ! nous serons toujours amis.

— Dis donc, reprit l'étudiant en médecine, en sortant du cours de Cuvier[2] au Jardin-des-Plantes, je viens d'apercevoir la Michonneau et le Poiret causant sur un banc avec un monsieur que j'ai vu dans les troubles de l'année dernière[3] aux environs de la Chambre des Députés, et qui m'a fait l'effet d'être un homme de la police déguisé en honnête bourgeois vivant de ses rentes. Étudions ce couple-là : je te dirai pourquoi. Adieu, je vais répondre à mon appel de quatre heures.

Quand Eugène revint à la pension, il trouva le père Goriot qui l'attendait.

— Tenez, dit le bonhomme, voilà une lettre d'elle. Hein, la jolie écriture !

Eugène décacheta la lettre et lut.

« Monsieur, mon père m'a dit que vous aimiez la musique italienne. Je serais heureuse si vous vouliez me faire le plaisir d'accepter une place dans ma loge. Nous aurons samedi la Fodor et Pellegrini,[4] je suis sûre alors que vous ne me refuserez pas. Monsieur de Nucingen se joint à moi pour vous prier de venir dîner avec nous sans cérémonie. Si vous acceptez, vous le rendrez bien content de n'avoir pas à s'acquitter de sa corvée conjugale en m'accompagnant. Ne me répondez pas, venez, et agréez mes compliments.   « D. DE N. »

— Montrez-la-moi, dit le bonhomme à Eugène quand il eut lu la lettre. Vous irez, n'est-ce pas ? ajouta-t-il après avoir flairé le papier. Cela sent-il bon ! Ses doigts ont touché ça, pourtant !

— Une femme ne se jette pas ainsi à la tête d'un homme, se disait l'étudiant. Elle veut se servir de moi pour ramener de Marsay. Il n'y a que le dépit qui fasse faire de ces choses-là.

— Eh bien ! dit le père Goriot, à quoi pensez-vous donc ?

Eugène ne connaissait pas le délire de vanité dont certaines femmes étaient saisies en ce moment, et ne savait pas que, pour s'ouvrir une porte dans le faubourg Saint-Germain, la femme d'un banquier était capable de tous les sacrifices. A cette époque, la mode commençait à mettre au-dessus de toutes les femmes celles qui étaient admises dans la société du faubourg Saint-Germain, dites les dames du Petit-Château,¹ parmi lesquelles madame de Beauséant, son amie la duchesse de Langeais et la duchesse de Maufrigneuse tenaient le premier rang. Rastignac seul ignorait la fureur dont étaient saisies les femmes de la Chaussée-d'Antin pour entrer dans le cercle supérieur où brillaient les constellations de leur sexe. Mais sa défiance le servit bien, elle lui donna de la froideur, et le triste pouvoir de poser des conditions au lieu d'en recevoir.

— Oui, j'irai, répondit-il.

Ainsi la curiosité le menait chez madame de Nucingen, tandis que, si cette femme l'eût dédaigné, peut-être y aurait-il été conduit par la passion. Néanmoins il n'attendit pas le lendemain et l'heure de partir sans une sorte d'impatience. Pour un jeune homme, il existe dans sa première intrigue autant de charmes peut-être qu'il s'en rencontre dans un premier amour. La certitude de réussir engendre mille félicités que les hommes n'avouent pas, et qui font tout le charme de certaines femmes. Le désir ne naît pas moins de la difficulté que de la facilité des triomphes. Toutes les passions des hommes sont bien certainement excitées ou entretenues par l'une ou l'autre de ces deux causes, qui divisent l'empire amoureux. Peut-être cette division est-elle une conséquence de la grande question des tempéraments, qui domine, quoi qu'on en dise, la société. Si les mélancoliques ont besoin du tonique des coquetteries, peut-être les gens nerveux ou sanguins décampent-ils si la résistance dure trop. En d'autres termes, l'élégie est aussi essentiellement lymphatique que le dithyrambe est bilieux. En faisant sa toilette, Eugène savoura tous ces petits bonheurs dont n'osent parler les jeunes gens, de peur de se faire moquer d'eux, mais qui chatouillent l'amour-propre. Il arrangeait ses cheveux en pensant que le regard d'une jolie femme se coulerait sous leurs boucles noires. Il se permit des singeries enfantines autant qu'en aurait fait une jeune fille en s'habillant pour le bal. Il regarda complaisamment sa taille mince, en déplissant son habit. — Il est certain, se dit-il, qu'on en peut trouver de plus mal tournés! Puis il descendit au moment où tous les habitués de la pension étaient à table, et reçut gaiement le hourra de sottises que sa tenue élégante excita. Un trait des mœurs particulières aux pensions bourgeoises est l'ébahissement qu'y cause une toilette soignée. Personne n'y met un habit neuf sans que chacun dise son mot.

— Kt, kt, kt, kt, fit Bianchon en faisant claquer sa langue contre son palais, comme pour exciter un cheval.

— Tournure de duc et pair! dit madame Vauquer.

— Monsieur va en conquête? fit observer mademoiselle Michonneau.

— Kocquériko! cria le peintre.

— Mes compliments à madame votre épouse, dit l'employé au Muséum.

— Monsieur a une épouse? demanda Poiret.

— Une épouse à compartiments, qui va sur l'eau, garantie bon teint, dans les prix de vingt-cinq à quarante, dessins à carreaux du dernier goût, susceptible de se laver, d'un joli porter,[1] moitié fil, moitié coton, moitié laine, guérissant le mal de dents, et autres maladies approuvées par l'Académie royale de Médecine! excellente d'ailleurs pour les enfants! meilleure encore contre les maux de tête, les plénitudes[2] et autres maladies de l'œsophage, des yeux et des oreilles, cria Vautrin avec la volubilité comique et l'accentuation d'un opérateur.[3] Mais combien cette merveille, me direz-vous, messieurs? deux sous? Non. Rien du tout. C'est un reste des fournitures faites au grand-Mogol, et que tous les souverains de l'Europe, y compris le grrrrrrand-duc de Bade, ont voulu voir! Entrez droit devant vous! et passez au petit bureau. Allez, la musique! Brooum, là, là, trinn! là, là, boum, boum! Monsieur de la clarinette, tu joues faux, reprit-il d'une voix enrouée, je te donnerai sur les doigts.

— Mon Dieu! que cet homme-là est agréable, dit madame Vauquer à madame Couture, je ne m'ennuierais jamais avec lui.

Au milieu des rires et des plaisanteries dont ce discours comiquement débité fut le signal, Eugène put saisir le regard furtif de mademoiselle Taillefer qui se pencha sur madame Couture, à l'oreille de laquelle elle dit quelques mots.

— Voilà le cabriolet, dit Sylvie.

— Où dîne-t-il donc? demanda Bianchon.

— Chez madame la baronne de Nucingen.

— La fille de monsieur Goriot, répondit l'étudiant.

A ce nom, les regards se portèrent sur l'ancien vermicellier, qui contemplait Eugène avec une sorte d'envie.

Rastignac arriva rue Saint-Lazare, dans une de ces maisons légères, à colonnes minces, à portiques mesquins, qui constituent le *joli* à Paris, une véritable maison de banquier, pleine de recherches coûteuses, de stucs, de paliers d'escalier en mosaïque de marbre. Il trouva madame de Nucingen dans un petit salon à peintures italiennes, dont le décor ressemblait à celui des cafés. La baronne était triste. Les efforts qu'elle fit pour cacher son chagrin intéressèrent d'autant plus vivement Eugène qu'il n'y avait rien de joué. Il croyait rendre une femme joyeuse par sa présence, et la trouvait au désespoir. Ce désappointement piqua son amour-propre.

— J'ai bien peu de droits à votre confiance, madame, dit-il après l'avoir lutinée sur sa préoccupation; mais si je vous gênais, je compte sur votre bonne foi, vous me le diriez franchement.

— Restez, dit-elle, je serais seule si vous vous en alliez. Nucingen dîne en ville, et je ne voudrais pas être seule, j'ai besoin de distraction.

— Mais qu'avez-vous?

— Vous seriez la dernière personne à qui je le dirais, s'écria-t-elle.

— Je veux le savoir, je dois alors être pour quelque chose dans ce secret.

— Peut-être! Mais non, reprit-elle, c'est des querelles de ménage qui doivent être ensevelies au fond du cœur. Ne vous le disais-je pas avant-hier? je ne suis point heureuse. Les chaînes d'or sont les plus pesantes.

Quand une femme dit à un jeune homme qu'elle est malheureuse, si ce jeune homme est spirituel, bien mis, s'il a quinze cents francs d'oisiveté dans sa poche, il doit penser ce que se disait Eugène, et devient fat.

— Que pouvez-vous désirer? répondit-il. Vous êtes belle, jeune, aimée, riche.

— Ne parlons pas de moi, dit-elle en faisant un sinistre mouvement de tête. Nous dînerons ensemble, tête à tête, nous irons entendre la plus délicieuse musique. Suis-je à votre goût? reprit-elle en se levant et montrant sa robe en cachemire blanc à dessins perses de la plus riche élégance.

— Je voudrais que vous fussiez toute à moi, dit Eugène. Vous êtes charmante.

— Vous auriez une triste propriété, dit-elle en souriant avec amertume. Rien ici ne vous annonce le malheur, et cependant, malgré ces apparences, je suis au désespoir. Mes chagrins m'ôtent le sommeil, je deviendrai laide.

— Oh! cela est impossible, dit l'étudiant. Mais je suis curieux de connaître ces peines qu'un amour dévoué n'effacerait pas?

— Ah! si je vous les confiais, vous me fuiriez, dit-elle. Vous ne m'aimez encore que par une galanterie qui est de costume[1] chez les hommes; mais si vous m'aimiez bien, vous tomberiez dans un désespoir affreux. Vous voyez que je dois me taire. De grâce, reprit-elle, parlons d'autre chose. Venez voir mes appartements.

— Non, restons ici, répondit Eugène en s'asseyant sur une causeuse devant le feu près de madame de Nucingen, dont il prit la main avec assurance.

Elle la laissa prendre et l'appuya même sur celle du jeune homme par un de ces mouvements de force concentrée qui trahissent de fortes émotions.

— Écoutez, lui dit Rastignac; si vous avez des chagrins, vous devez me les confier. Je peux vous prouver que je vous aime pour vous. Ou vous parlerez et me direz vos peines afin que je puisse les dissiper, fallût-il tuer six hommes, ou je sortirai pour ne plus revenir.

— Eh bien! s'écria-t-elle saisie par une pensée de désespoir qui la fit se frapper le front, je vais vous mettre à l'instant même à l'épreuve. Oui, se dit-elle, il n'est plus que ce moyen. Elle sonna.

— La voiture de monsieur est-elle attelée? dit-elle à son valet de chambre.

— Oui, madame.

— Je la prends. Vous lui donnerez la mienne et mes chevaux. Vous ne servirez le dîner qu'à sept heures.

— Allons, venez, dit-elle à Eugène, qui crut rêver en se trouvant dans le coupé de monsieur de Nucingen, à côté de cette femme.

— Au Palais-Royal, dit-elle au cocher, près du Théâtre-Français.

En route, elle parut agitée, et refusa de répondre aux mille interrogations d'Eugène, qui ne savait que penser de cette résistance muette, compacte, obtuse.

— En un moment elle m'échappe, se disait-il.

Quand la voiture s'arrêta, la baronne regarda l'étudiant d'un air qui imposa silence à ses folles paroles; car il s'était emporté.

— Vous m'aimez bien? dit-elle.

— Oui, répondit-il en cachant l'inquiétude qui le saisissait.

— Vous ne penserez rien de mal sur moi, quoi que je puisse vous demander ?

— Non.

— Êtes-vous disposé à m'obéir ?

— Aveuglément.

— Êtes-vous allé quelquefois au jeu ? dit-elle d'une voix tremblante.

— Jamais.

— Ah ! je respire. Vous aurez du bonheur. Voici ma bourse, dit-elle. Prenez donc ! il y a cent francs, c'est tout ce que possède cette femme si heureuse. Montez dans une maison de jeu, je ne sais où elles sont, mais je sais qu'il y en a au Palais-Royal. Risquez les cent francs à un jeu qu'on nomme la roulette, et perdez tout, ou rapportez-moi six mille francs. Je vous dirai mes chagrins à votre retour.

— Je veux bien que le diable m'emporte si je comprends quelque chose à ce que je vais faire, mais je vais vous obéir, dit-il avec une joie causée par cette pensée: « Elle se compromet avec moi, elle n'aura rien à me refuser ».

Eugène prend la jolie bourse, court au numéro NEUF, après s'être fait indiquer par un marchand d'habits la plus prochaine maison de jeu. Il y monte, se laisse prendre son chapeau; mais il entre et demande où est la roulette. A l'étonnement des habitués, le garçon de salle le mène devant une longue table. Eugène, suivi de tous les spectateurs, demande sans vergogne où il faut mettre l'enjeu.

— Si vous placez un louis sur un seul de ces trente-six numéros, et qu'il sorte, vous aurez trente-six louis, lui dit un vieillard respectable à cheveux blancs.

Eugène jette les cent francs sur le chiffre de son âge, vingt et un. Un cri d'étonnement part sans qu'il ait eu le temps de se reconnaître. Il avait gagné sans le savoir.

— Retirez donc votre argent, lui dit le vieux monsieur, l'on ne gagne pas deux fois dans ce système-là.

Eugène prend un râteau que lui tend le vieux monsieur, il tire à lui les trois mille six cents francs et, toujours sans rien savoir du jeu, les place sur la rouge. La galerie le regarde avec envie, en voyant qu'il continue à jouer. La roue tourne, il gagne encore, et le banquier lui jette encore trois mille six cents francs.

— Vous avez sept mille deux cents francs à vous, lui dit à l'oreille le vieux monsieur. Si vous m'en croyez, vous vous en irez, la rouge a passé huit fois. Si vous êtes charitable, vous reconnaîtrez ce bon avis en soulageant la misère d'un ancien préfet de Napoléon qui se trouve dans le dernier besoin.

Rastignac étourdi se laisse prendre dix louis par l'homme à cheveux blancs, et descend avec les sept mille francs, ne comprenant encore rien au jeu, mais stupéfié de son bonheur.

— Ah çà! où me mènerez-vous maintenant, dit-il en montrant les sept mille francs à madame de Nucingen quand la portière fut refermée.

Delphine le serra par une étreinte folle et l'embrassa vivement, mais sans passion. « Vous m'avez sauvée! » Des larmes de joie coulèrent en abondance sur ses joues. Je vais tout vous dire, mon ami. Vous serez mon ami, n'est-ce pas? Vous me voyez riche, opulente, rien ne me manque ou je parais ne manquer de rien! Eh bien! sachez que monsieur de Nucingen ne me laisse pas disposer d'un sou: il paye toute la maison, mes voitures, mes loges; il m'alloue pour ma toilette une somme insuffisante, il me réduit à une misère secrète par calcul. Je suis trop fière pour l'implorer. Ne serais-je pas la dernière des créatures si j'achetais son argent au prix où il veut me le vendre! Comment, moi riche de sept cent mille francs, me suis-je laissé dépouiller? par fierté, par indignation. Nous sommes si jeunes, si naïves, quand nous commençons la vie conjugale! La parole par laquelle il fallait demander de l'argent à mon mari me déchirait la bouche; je n'osais jamais, je mangeais l'argent de mes économies et celui que me donnait mon pauvre père; puis je me suis endettée. Le mariage est pour moi la plus horrible des déceptions, je ne puis vous en parler: qu'il vous suffise de savoir que je me jetterais par la fenêtre s'il fallait vivre avec Nucingen autrement qu'en ayant chacun notre appartement séparé. Quand il a fallu lui déclarer mes dettes de jeune femme, des bijoux, des fantaisies (mon pauvre père nous avait accoutumées à ne nous rien refuser), j'ai souffert le martyre; mais enfin j'ai trouvé le courage de les dire. N'avais-je pas une fortune à moi? Nucingen s'est emporté, il m'a dit que je le ruinerais, des horreurs! J'aurais voulu être à cent pieds sous terre. Comme il avait pris ma dot, il a payé; mais en stipulant désormais pour mes dépenses personnelles une pension à laquelle je me suis résignée, afin d'avoir la paix. Depuis, j'ai voulu répondre à l'amour-propre de quelqu'un que vous connaissez, dit-elle. Si j'ai été trompée par lui, je serais mal venue à ne pas rendre justice à la noblesse de son caractère. Mais enfin il m'a quittée indignement! *On* ne devrait jamais abandonner une femme à laquelle on a jeté, dans un jour de détresse, un tas d'or! *On* doit l'aimer toujours! Vous, belle âme de

vingt et un ans, vous jeune et pur, vous me demanderez comment
une femme peut accepter de l'or d'un homme ? Mon Dieu ! n'est-il
pas naturel de tout partager avec l'être auquel nous devons notre
bonheur ? Quand on s'est tout donné, qui pourrait s'inquiéter d'une
parcelle de ce tout ? L'argent ne devient quelque chose qu'au
moment où le sentiment n'est plus. N'est-on pas lié pour la vie ? Qui
de nous prévoit une séparation en se croyant bien aimée ? Vous nous
jurez un amour éternel, comment avoir alors des intérêts distincts ?
Vous ne savez pas ce que j'ai souffert aujourd'hui, lorsque Nucingen
m'a positivement refusé de me donner six mille francs, lui qui les
donne tous les mois à sa maîtresse, une fille de l'Opéra ! Je voulais
me tuer. Les idées les plus folles me passaient par la tête. Il y a eu des
moments où j'enviais le sort d'une servante, de ma femme de
chambre. Aller trouver mon père, folie ! Anastasie et moi nous
l'avons égorgé : mon pauvre père se serait vendu s'il pouvait valoir
six mille francs. J'aurais été le désespérer en vain. Vous m'avez
sauvée de la honte et de la mort, j'étais ivre de douleur. Ah !
monsieur, je vous devais cette explication : j'ai été bien déraison-
nablement folle avec vous. Quand vous m'avez quittée, et que je
vous ai eu perdu de vue, je voulais m'enfuir à pied ... où ? je ne sais.
Voilà la vie de la moitié des femmes de Paris : un luxe extérieur, des
soucis cruels dans l'âme. Je connais de pauvres créatures encore plus
malheureuses que je ne le suis. Il y a pourtant des femmes obligées
de faire faire de faux mémoires par leurs fournisseurs. D'autres sont
forcées de voler leurs maris : les uns croient que des cachemires de
cent louis se donnent pour cinq cents francs, les autres qu'un
cachemire de cinq cents francs vaut cent louis. Il se rencontre de
pauvres femmes qui font jeûner leurs enfants et grappillent pour
avoir une robe. Moi, je suis pure de ces odieuses tromperies. Voici
ma dernière angoisse. Si quelques femmes se vendent à leurs maris
pour les gouverner, moi au moins je suis libre ! Je pourrais me faire
couvrir d'or par Nucingen, et je préfère pleurer la tête appuyée sur
le cœur d'un homme que je puisse estimer. Ah ! ce soir monsieur de
Marsay n'aura pas le droit de me regarder comme une femme qu'il a
payée. Elle se mit le visage dans ses mains, pour ne pas montrer ses
pleurs à Eugène, qui lui dégagea la figure pour la contempler, elle
était sublime ainsi. — Mêler l'argent aux sentiments, n'est-ce pas
horrible ? Vous ne pourrez pas m'aimer, dit-elle.

Ce mélange de bons sentiments, qui rendent les femmes si grandes,
et des fautes que la constitution actuelle de la société les force à
commettre, bouleversait Eugène, qui disait des paroles douces et

consolantes en admirant cette belle femme, si naïvement imprudente dans son cri de douleur.

— Vous ne vous armerez pas de ceci contre moi, dit-elle, promettez-le-moi.

— Ah! madame! j'en suis incapable, dit-il.

Elle lui prit la main et la mit sur son cœur par un mouvement plein de reconnaissance et de gentillesse. — Grâce à vous me voilà redevenue libre et joyeuse. Je vivais pressée par une main de fer. Je veux maintenant vivre simplement, ne rien dépenser. Vous me trouverez bien comme je serai, mon ami, n'est-ce pas? Gardez ceci, dit-elle en ne prenant que six billets de banque. En conscience je vous dois mille écus, car je me suis considérée comme étant de moitié avec vous. Eugène se défendit comme une vierge. Mais la baronne lui ayant dit: — Je vous regarde comme mon ennemi si vous n'êtes pas mon complice, il prit l'argent. — Ce sera une mise de fonds en cas de malheur, dit-il.

— Voilà le mot que je redoutais, s'écria-t-elle en pâlissant. Si vous voulez que je sois quelque chose pour vous, jurez-moi, dit-elle, de ne jamais retourner au jeu. Mon Dieu! moi, vous corrompre! j'en mourrais de douleur.

Ils étaient arrivés. Le contraste de cette misère et de cette opulence étourdissait l'étudiant, dans les oreilles duquel les sinistres paroles de Vautrin vinrent retentir.

— Mettez-vous là, dit la baronne en entrant dans sa chambre et montrant une causeuse auprès du feu, je vais écrire une lettre bien difficile! Conseillez-moi.

— N'écrivez pas, lui dit Eugène, enveloppez les billets, mettez l'adresse, et envoyez-les par votre femme de chambre.

— Mais vous êtes un amour d'homme, dit-elle. Ah! voilà, monsieur, ce que c'est que d'avoir été bien élevé! Ceci est du Beauséant tout pur, dit-elle en souriant.

— Elle est charmante, se dit Eugène qui s'éprenait de plus en plus. Il regarda cette chambre où respirait la voluptueuse élégance d'une riche courtisane.

— Cela vous plaît-il? dit-elle en sonnant sa femme de chambre.

— Thérèse, portez cela vous-même à monsieur de Marsay, et remettez-le à lui-même. Si vous ne le trouvez pas, vous me rapporterez la lettre.

Thérèse ne partit pas sans avoir jeté un malicieux coup d'œil sur Eugène. Le dîner était servi. Rastignac donna le bras à madame de Nucingen, qui le mena dans une salle à manger délicieuse, où il retrouva le luxe de table qu'il avait admiré chez sa cousine.

— Les jours d'Italiens, dit-elle, vous viendrez dîner avec moi, et vous m'accompagnerez.

— Je m'accoutumerais à cette douce vie si elle devait durer; mais je suis un pauvre étudiant qui a sa fortune à faire.

— Elle se fera, dit-elle en riant. Vous voyez, tout s'arrange: je ne m'attendais pas à être si heureuse.

Il est dans la nature des femmes de prouver l'impossible par le possible et de détruire les faits par des pressentiments. Quand madame de Nucingen et Rastignac entrèrent dans leur loge aux Bouffons, elle eut un air de contentement qui la rendait si belle, que chacun se permit de ces petites calomnies contre lesquelles les femmes sont sans défense, et qui font souvent croire à des désordres inventés à plaisir. Quand on connaît Paris, on ne croit à rien de ce qui s'y dit, et l'on ne dit rien de ce qui s'y fait. Eugène prit la main de la baronne, et tous deux se parlèrent par des pressions plus ou moins vives, en se communiquant les sensations que leur donnait la musique. Pour eux, cette soirée fut enivrante. Ils sortirent ensemble, et madame de Nucingen voulut reconduire Eugène jusqu'au Pont-Neuf, en lui disputant, pendant toute la route, un des baisers qu'elle lui avait si chaleureusement prodigués au Palais-Royal. Eugène lui reprocha cette inconséquence.

— Tantôt, répondit-elle, c'était de la reconnaissance pour un dévouement inespéré; maintenant ce serait une promesse.

— Et vous ne voulez m'en faire aucune, ingrate. Il se fâcha. En faisant un de ces gestes d'impatience qui ravissent un amant, elle lui donna sa main à baiser, qu'il prit avec une mauvaise grâce dont elle fut enchantée.

— A lundi, au bal, dit-elle.

En s'en allant à pied, par un beau clair de lune, Eugène tomba dans de sérieuses réflexions. Il était à la fois heureux et mécontent: heureux d'une aventure dont le dénouement probable lui donnait une des plus jolies et des plus élégantes femmes de Paris, objet de ses désirs; mécontent de voir ses projets de fortune renversés, et ce fut alors qu'il éprouva la réalité des pensées indécises auxquelles il s'était livré l'avant-veille. L'insuccès nous accuse toujours la puissance de nos prétentions. Plus Eugène jouissait de la vie parisienne, moins il voulait demeurer obscur et pauvre. Il chiffonnait son billet de mille francs dans sa poche, en se faisant mille raisonnements captieux pour se l'approprier. Enfin il arriva rue Neuve-

Sainte-Geneviève, et quand il fut en haut de l'escalier, il y vit de la lumière. Le père Goriot avait laissé sa porte ouverte et sa chandelle allumée, afin que l'étudiant n'oubliât pas de *lui raconter sa fille*, suivant son expression. Eugène ne lui cacha rien.

— Mais, s'écria le père Goriot dans un violent désespoir de jalousie, elles me croient ruiné : j'ai encore treize cents livres de rente ! Mon Dieu ! la pauvre petite, que ne venait-elle ici ! j'aurais vendu mes rentes, nous aurions pris sur le capital, et avec le reste je me serais fait du viager. Pourquoi n'êtes-vous pas venu me confier son embarras, mon brave voisin ? Comment avez-vous eu le cœur d'aller risquer au jeu ses pauvres petits cent francs ? c'est à fendre l'âme. Voilà ce que c'est que des gendres ! Oh ! si je les tenais, je leur serrerais le cou. Mon Dieu ! pleurer, elle a pleuré ?

— La tête sur mon gilet, dit Eugène.

— Oh ! donnez-le-moi, dit le père Goriot. Comment ! il y a eu là des larmes de ma fille, de ma chère Delphine, qui ne pleurait jamais étant petite ! Oh ! je vous en achèterai un autre, ne le portez plus, laissez-le-moi. Elle doit, d'après son contrat, jouir de ses biens. Ah ! je vais aller trouver Derville, un avoué, dès demain. Je vais faire exiger le placement de sa fortune. Je connais les lois, je suis un vieux loup, je vais retrouver mes dents.

— Tenez, père, voici mille francs qu'elle a voulu me donner sur notre gain. Gardez-les-lui, dans le gilet.

Goriot regarda Eugène, lui tendit la main pour prendre la sienne, sur laquelle il laissa tomber une larme.

— Vous réussirez dans la vie, lui dit le vieillard. Dieu est juste, voyez-vous ? Je me connais en probité, moi, et puis vous assurer qu'il y a bien peu d'hommes qui vous ressemblent. Vous voulez donc être aussi mon cher enfant ? Allez, dormez. Vous pouvez dormir, vous n'êtes pas encore père. Elle a pleuré, j'apprends ça, moi, qui étais là tranquillement à manger comme un imbécile pendant qu'elle souffrait ; moi, moi qui vendrais le Père, le Fils et le Saint-Esprit pour leur éviter une larme à toutes deux !

— Par ma foi, se dit Eugène en se couchant, je crois que je serai honnête homme toute ma vie. Il y a du plaisir à suivre les inspirations de sa conscience.

Il n'y a peut-être que ceux qui croient en Dieu qui font le bien en secret, et Eugène croyait en Dieu. Le lendemain, à l'heure du bal, Rastignac alla chez madame de Beauséant, qui l'emmena pour le présenter à la duchesse de Carigliano. Il reçut le plus gracieux accueil de la maréchale, chez laquelle il retrouva madame de

Nucingen. Delphine s'était parée avec l'intention de plaire à tous pour mieux plaire à Eugène, de qui elle attendait impatiemment un coup d'œil, en croyant cacher son impatience. Pour qui sait deviner les émotions d'une femme, ce moment est plein de délices. Qui ne s'est souvent plu à faire attendre son opinion, à déguiser coquettement son plaisir, à chercher des aveux dans l'inquiétude que l'on cause, à jouir des craintes qu'on dissipera par un sourire ? Pendant cette fête, l'étudiant mesura tout à coup la portée de sa position, et comprit qu'il avait un état dans le monde en étant cousin avoué de madame de Beauséant. La conquête de madame la baronne de Nucingen, qu'on lui donnait déjà, le mettait si bien en relief, que tous les jeunes gens lui jetaient des regards d'envie; en en surprenant quelques-uns, il goûta les premiers plaisirs de la fatuité. En passant d'un salon dans un autre, en traversant les groupes, il entendit vanter son bonheur. Les femmes lui prédisaient toutes des succès. Delphine, craignant de le perdre, lui promit de ne pas lui refuser le soir le baiser qu'elle s'était tant défendu d'accorder l'avant-veille. A ce bal, Rastignac reçut plusieurs engagements. Il fut présenté par sa cousine à quelques femmes qui toutes avaient des prétentions à l'élégance, et dont les maisons passaient pour être agréables; il se vit lancé dans le plus grand et le plus beau monde de Paris. Cette soirée eut donc pour lui les charmes d'un brillant début, et il devait s'en souvenir jusque dans ses vieux jours, comme une jeune fille se souvient du bal où elle a eu des triomphes. Le lendemain, quand, en déjeunant, il raconta ses succès au père Goriot devant les pensionnaires, Vautrin se prit à sourire d'une façon diabolique.

— Et vous croyez, s'écria ce féroce logicien, qu'un jeune homme à la mode peut demeurer rue Neuve-Sainte-Geneviève, dans la Maison-Vauquer ? pension infiniment respectable sous tous les rapports, certainement, mais qui n'est rien moins que fashionable. Elle est cossue, elle est belle de son abondance, elle est fière d'être le manoir momentané d'un Rastignac; mais, enfin, elle est rue Neuve-Sainte-Geneviève, et ignore le luxe, parce qu'elle est purement *patriarchalorama*. Mon jeune ami, reprit Vautrin, d'un air paternellement railleur, si vous voulez faire figure à Paris, il vous faut trois chevaux et un tilbury pour le matin, un coupé pour le soir, en tout neuf mille francs pour le véhicule. Vous seriez indigne de votre destinée si vous ne dépensiez trois mille francs chez votre tailleur, six cents francs chez le parfumeur, cent écus chez le bottier, cent écus chez le chapelier. Quant à votre blanchisseuse, elle vous coûtera mille francs. Les jeunes gens à la mode ne peuvent se dispenser d'être très forts sur l'article du linge: n'est-ce pas ce qu'on examine le plus souvent en eux? L'amour et l'église veulent de belles nappes sur leurs autels. Nous sommes à quatorze mille. Je ne vous parle pas de ce que vous perdrez au jeu, en paris, en présents; il est impossible de ne pas compter pour deux mille francs l'argent de poche. J'ai mené cette vie-là, j'en connais les débours. Ajoutez à ces nécessités premières trois cents louis pour la pâtée, mille francs pour la niche.[1] Allez, mon enfant, nous en avons pour nos petits vingt-cinq mille par an dans les flancs, ou nous tombons dans la crotte,[2] nous nous faisons moquer de nous, et nous sommes destitué de notre avenir, de nos succès, de nos maîtresses! J'oublie le valet de chambre et le groom! Est-ce Christophe qui portera vos billets doux? Les écrirez-vous sur le papier dont vous vous servez? Ce serait vous suicider. Croyez-en un vieillard plein d'expérience! reprit-il en faisant un *rinforzando* dans sa voix de basse. Ou déportez-vous dans une vertueuse mansarde, et mariez-vous y avec le travail, ou prenez une autre voie.[3]

Et Vautrin cligna de l'œil en guignant mademoiselle Taillefer de manière à rappeler et résumer dans ce regard les raisonnements séducteurs qu'il avait semés au cœur de l'étudiant pour le corrompre. Plusieurs jours se passèrent[4] pendant lesquels Rastignac mena la vie la plus dissipée. Il dînait presque tous les jours avec madame de Nucingen, qu'il accompagnait dans le monde. Il rentrait à trois ou quatre heures du matin, se levait à midi pour faire sa toilette, allait se promener au Bois avec Delphine, quand il faisait beau, prodiguant ainsi son temps sans en savoir le prix, et aspirant tous les enseignements, toutes les séductions du luxe avec l'ardeur dont est saisi l'impatient calice d'un dattier femelle pour les fécondantes poussières de son hyménée. Il jouait gros jeu, perdait ou gagnait beaucoup, et finit par s'habituer à la vie exorbitante des jeunes gens de Paris. Sur ses premiers gains, il avait renvoyé quinze cents francs à sa mère et à ses sœurs, en accompagnant sa restitution de jolis présents. Quoiqu'il eût annoncé vouloir quitter la Maison-Vauquer, il y était encore dans les derniers jours du mois de janvier, et ne savait comment en sortir. Les jeunes gens sont soumis presque tous à une loi en apparence inexplicable, mais dont la raison vient de leur jeunesse même, et de l'espèce de furie avec laquelle ils se ruent au plaisir. Riches ou pauvres, ils n'ont jamais d'argent pour les nécessités de la vie, tandis qu'ils en trouvent toujours pour leurs caprices. Prodigues de tout ce qui s'obtient à crédit, ils sont avares de tout ce qui se paye à l'instant même, et semblent se venger de ce qu'ils n'ont pas, en dissipant tout ce qu'ils peuvent avoir. Ainsi, pour nettement poser la question, un étudiant prend bien plus de soin de son chapeau que de son habit. L'énormité du gain rend le tailleur essentiellement créditeur, tandis que la modicité de la somme fait du chapelier un des êtres les plus intraitables parmi ceux avec lesquels il est forcé de parlementer. Si le jeune homme assis au balcon d'un théâtre offre à la lorgnette des jolies femmes d'étourdissants gilets, il est douteux qu'il ait des chaussettes; le bonnetier est encore un des charançons de sa bourse. Rastignac en était là. Toujours vide pour madame Vauquer, toujours pleine pour les exigences de la vanité, sa bourse avait des revers et des succès lunatiques[1] en désaccord avec les paiements les plus naturels. Afin de quitter la pension puante, ignoble où s'humiliaient périodiquement ses prétentions, ne fallait-il pas payer un mois à son hôtesse, et acheter des meubles pour son appartement de dandy? c'était toujours la chose impossible. Si, pour se procurer l'argent nécessaire à son jeu, Rastignac savait acheter chez son bijoutier des montres et des chaînes d'or chèrement payées sur ses gains, et qu'il portait au Mont-de-Piété, ce sombre et discret ami de la jeunesse, il se trouvait sans invention comme sans audace quand il s'agissait de payer sa nourriture, son logement, ou d'acheter les outils indispensables à l'exploitation de la vie élégante.[2] Une nécessité vulgaire, des dettes contractées pour des besoins satisfaits, ne l'inspiraient plus. Comme la plupart de ceux qui ont connu cette vie de hasard, il attendait au dernier moment pour solder des créances sacrées aux yeux des bourgeois, comme faisait Mirabeau, qui ne payait son pain que quand il se présentait sous la forme dragonnante[3] d'une lettre de change. Vers cette époque, Rastignac avait perdu son argent, et s'était endetté. L'étudiant commençait à comprendre qu'il lui serait impossible de continuer cette existence sans avoir des ressources fixes. Mais, tout en gémissant sous les piquantes atteintes de sa situation précaire, il se sentait incapable de renoncer aux jouissances excessives de cette vie, et voulait la continuer à tout prix. Les hasards sur lesquels il avait compté pour sa fortune devenaient chimériques, et les obstacles réels grandissaient. En s'initiant aux secrets domestiques de monsieur et madame de Nucingen, il s'était aperçu que, pour convertir l'amour en instrument de fortune, il fallait avoir bu toute honte, et renoncer aux nobles idées qui sont l'absolution des fautes de la jeunesse. Cette vie extérieurement splendide, mais rongée par tous les *tænias* du remords,[4] et dont les fugitifs plaisirs étaient chèrement expiés par de persistantes angoisses, il l'avait épousée, il s'y roulait en se faisant, comme le Distrait de La Bruyère,[1] un lit dans la fange du fossé; mais, comme le Distrait, il ne souillait encore que son vêtement.

— Nous avons donc tué le mandarin? lui dit un jour Bianchon en sortant de table.

— Pas encore, répondit-il, mais il râle.

L'étudiant en médecine prit ce mot pour une plaisanterie, et ce n'en était pas une. Eugène, qui, pour la première fois depuis longtemps, avait dîné à la pension, s'était montré pensif pendant le repas. Au lieu de sortir au dessert, il resta dans la salle à manger assis auprès de mademoiselle Taillefer, à laquelle il jeta de temps en temps des regards expressifs. Quelques pensionnaires étaient encore attablés et mangeaient des noix, d'autres se promenaient en continuant des discussions commencées. Comme presque tous les soirs, chacun s'en allait à sa fantaisie, suivant le degré d'intérêt qu'il prenait à la conversation, ou selon le plus ou le moins de pesanteur que lui causait sa digestion. En hiver, il était rare que la salle à manger fût entièrement évacuée avant huit heures, moment où les quatre femmes demeuraient seules et se vengeaient du silence que leur sexe leur imposait au milieu de cette réunion masculine. Frappé de la préoccupation à laquelle Eugène était en proie, Vautrin resta dans la salle à manger, quoiqu'il eût paru d'abord empressé de sortir, et se tint constamment de manière à n'être pas vu d'Eugène, qui put le croire parti. Puis, au lieu d'accompagner ceux des pensionnaires qui s'en allèrent les derniers, il stationna sournoisement dans le salon. Il avait lu dans l'âme de l'étudiant et pressentait un symptôme décisif. Rastignac se trouvait en effet dans une situation perplexe que beaucoup de jeunes gens ont dû connaître. Aimante ou coquette, madame de Nucingen avait fait passer Rastignac par toutes les angoisses d'une passion véritable, en déployant pour lui les ressources de la diplomatie féminine[2] en usage à Paris. Après s'être compromise aux yeux du public pour fixer près d'elle le cousin de madame de Beauséant, elle hésitait à lui donner réellement les droits dont il paraissait jouir. Depuis un mois elle irritait si bien les sens d'Eugène, qu'elle avait fini par attaquer le cœur. Si, dans les premiers moments de sa liaison, l'étudiant s'était cru le maître, madame de Nucingen était devenue la plus forte, à l'aide de ce manège qui mettait en mouvement chez Eugène tous les sentiments, bons ou mauvais, des deux ou trois hommes qui sont dans un jeune homme de Paris. Était-ce en elle un calcul? Non; les femmes sont toujours vraies, même au milieu de leurs plus grandes faussetés, parce qu'elles cèdent à quelque sentiment naturel. Peut-être Delphine,[3] après avoir laissé prendre tout à coup tant d'empire sur elle par ce jeune homme et lui avoir montré trop d'affection, obéissait-elle à un sentiment de dignité, qui la faisait ou revenir sur ses concessions, ou se plaire à les suspendre. Il est si naturel à une Parisienne, au moment même où la passion l'entraîne, d'hésiter dans sa chute, d'éprouver le cœur de celui auquel elle va livrer son avenir! Toutes les espérances de madame de Nucingen avaient été trahies une première fois, et sa fidélité pour un jeune égoïste venait d'être méconnue. Elle pouvait être défiante à bon droit. Peut-être avait-elle aperçu dans les manières d'Eugène, que son rapide succès avait rendu fat, une sorte de mésestime causée par les bizarreries de leur situation. Elle désirait sans doute paraître imposante à un homme de cet âge, et se trouver grande devant lui après avoir été si longtemps petite devant celui par qui elle était abandonnée. Elle ne voulait pas qu'Eugène la crût une facile conquête, précisément parce qu'il savait qu'elle avait appartenu à de Marsay. Enfin, après avoir subi le dégradant plaisir d'un véritable monstre, un libertin jeune, elle éprouvait tant de douceur à se promener dans les régions fleuries de l'amour, que c'était sans doute un charme pour elle d'en admirer tous les aspects, d'en écouter longtemps les frémissements, et de se laisser longtemps caresser par de chastes brises. Le véritable amour payait pour le mauvais. Ce contre-sens sera malheureusement fréquent tant que les hommes ne sauront pas combien de fleurs fauchent dans l'âme d'une jeune femme les premiers coups de la tromperie. Quelles que fussent ses raisons, Delphine se jouait de Rastignac, et se plaisait à se jouer de lui, sans doute parce qu'elle se savait aimée et sûre de faire cesser les chagrins de son amant, suivant son royal bon plaisir de femme. Par respect de lui-même, Eugène ne voulait pas que son premier combat se terminât par une défaite, et persistait dans sa poursuite, comme un chasseur qui veut absolument tuer une perdrix à sa première fête de Saint-Hubert.[1] Ses anxiétés, son amour-propre offensé, ses désespoirs, faux ou véritables, l'attachaient de plus en plus à cette femme. Tout Paris lui donnait madame de Nucingen, auprès de laquelle il n'était pas plus avancé que le premier jour où il l'avait vue. Ignorant encore que la coquetterie d'une femme offre quelquefois plus de bénéfices que son amour ne donne de plaisir, il tombait dans de sottes rages. Si la saison pendant laquelle une femme se dispute à l'amour offrait à Rastignac le butin de ses primeurs,[2] elles lui devenaient aussi coûteuses qu'elles étaient vertes, aigrelettes et délicieuses à savourer. Parfois, en se voyant sans un sou, sans avenir, il pensait, malgré la voix de sa conscience, aux chances de fortune dont Vautrin lui avait démontré la possibilité dans un mariage avec mademoiselle Taillefer. Or il se trouvait alors dans un moment où sa misère parlait si haut, qu'il céda presque involontairement aux artifices du terrible sphinx par les regards duquel il était souvent fasciné. Au moment où Poiret et mademoiselle Michonneau remontèrent chez eux, Rastignac, se croyant seul entre madame Vauquer et madame Couture, qui se tricotait des manches de laine en sommeillant auprès du poêle, regarda mademoiselle Taillefer d'une manière assez tendre pour lui faire baisser les yeux.

— Auriez-vous des chagrins, monsieur Eugène ? lui dit Victorine après un moment de silence.

— Quel homme n'a pas ses chagrins ! répondit Rastignac. Si nous étions sûrs, nous autres jeunes gens, d'être bien aimés, avec un dévouement qui nous récompensât des sacrifices que nous sommes toujours disposés à faire, nous n'aurions peut-être jamais de chagrins.

Mademoiselle Taillefer lui jeta, pour toute réponse, un regard qui n'était pas équivoque.

— Vous, mademoiselle, vous vous croyez sûre de votre cœur aujourd'hui ; mais répondriez-vous de ne jamais changer ?

Un sourire vint errer sur les lèvres de la pauvre fille comme un rayon jailli de son âme, et fit si bien reluire sa figure qu'Eugène fut effrayé d'avoir provoqué une aussi vive explosion de sentiment.

— Quoi ! si demain vous étiez riche et heureuse, si une immense fortune vous tombait des nues, vous aimeriez encore le jeune homme pauvre qui vous aurait plu durant vos jours de détresse ?

Elle fit un joli signe de tête.

— Un jeune homme bien malheureux ?

Nouveau signe.

— Quelles bêtises dites-vous donc là ? s'écria madame Vauquer.

— Laissez-nous, répondit Eugène, nous nous entendons.

— Il y aurait donc alors promesse de mariage entre monsieur le chevalier Eugène de Rastignac et mademoiselle Victorine Taillefer ? dit Vautrin de sa grosse voix en se montrant tout à coup à la porte de la salle à manger.

— Ah ! vous m'avez fait peur, dirent à la fois madame Couture et madame Vauquer.

— Je pourrais plus mal choisir, répondit en riant Eugène à qui la voix de Vautrin causa la plus cruelle émotion qu'il eût jamais ressentie.

— Pas de mauvaises plaisanteries, messieurs, dit madame Couture. Ma fille, remontons chez nous.

Madame Vauquer suivit ses deux pensionnaires, afin d'économiser sa chandelle et son feu en passant la soirée chez elles. Eugène se trouva seul et face à face avec Vautrin.

— Je savais bien que vous y arriveriez, lui dit cet homme en gardant un imperturbable sang-froid. Mais, écoutez! j'ai de la délicatesse tout comme un autre, moi. Ne vous décidez pas dans ce moment, vous n'êtes pas dans votre assiette ordinaire. Vous avez des dettes. Je ne veux pas que ce soit la passion, le désespoir, mais la raison qui vous détermine à venir à moi. Peut-être vous faut-il quelque millier d'écus. Tenez, le voulez-vous?

Ce démon prit dans sa poche un portefeuille, et en tira trois billets de banque qu'il fit papilloter aux yeux de l'étudiant. Eugène était dans la plus cruelle des situations. Il devait au marquis d'Ajuda et au comte de Trailles cent louis perdus sur parole. Il ne les avait pas, et n'osait aller passer la soirée chez madame de Restaud, où il était attendu. C'était une de ces soirées sans cérémonie où l'on mange des petits gâteaux, où l'on boit du thé, mais où l'on peut perdre six mille francs au whist.

— Monsieur, lui dit Eugène en cachant avec peine un tremblement convulsif, après ce que vous m'avez confié, vous devez comprendre qu'il m'est impossible de vous avoir des obligations.

— Eh bien! vous m'auriez fait de la peine de parler autrement, reprit le tentateur. Vous êtes un beau jeune homme, délicat, fier comme un lion et doux comme une jeune fille. Vous seriez une belle proie pour le diable. J'aime cette qualité des jeunes gens. Encore deux ou trois réflexions de haute politique, et vous verrez le monde comme il est. En y jouant quelques petites scènes de vertu, l'homme supérieur y satisfait toutes ses fantaisies aux grands applaudissements des niais du parterre. Avant peu de jours vous serez à nous. Ah! si vous vouliez devenir mon élève, je vous ferais arriver à tout.[1] Vous ne formeriez pas un désir qu'il ne fût à l'instant comblé, quoi que vous puissiez souhaiter: honneur, fortune, femmes. On vous réduirait toute la civilisation en ambroisie. Vous seriez notre enfant gâté, notre Benjamin, nous nous exterminerions tous pour vous avec plaisir. Tout ce qui vous ferait obstacle serait aplati. Si vous conservez des scrupules, vous me prenez donc pour un scélérat? Eh bien, un homme qui avait autant de probité que vous croyez en avoir encore, Monsieur de Turenne,[2] faisait, sans se croire compromis, de petites affaires avec des brigands. Vous ne voulez pas être mon obligé, hein? Qu'à cela ne tienne, reprit Vautrin en laissant échapper un sourire. Prenez ces chiffons, et mettez-moi là-dessus, dit-il en tirant un timbre, là, en travers: *Accepté pour la somme de trois mille cinq cents francs payable en un an.* Et datez! L'intérêt est assez fort pour vous ôter tout scrupule; vous pouvez m'appeler juif, et vous regarder comme quitte de toute reconnaissance. Je vous permets de me mépriser encore aujourd'hui, sûr que plus tard vous m'aimerez. Vous trouverez en moi de ces immenses abîmes, de ces vastes sentiments concentrés que les niais appellent des vices; mais vous ne me trouverez jamais ni lâche ni ingrat. Enfin, je ne suis ni un pion ni un fou, mais une tour,[1] mon petit.

— Quel homme êtes-vous donc? s'écria Eugène, vous avez été créé pour me tourmenter.

— Mais non, je suis un bon homme qui veut se crotter pour que vous soyez à l'abri de la boue pour le reste de vos jours. Vous vous demandez pourquoi ce dévouement? Eh bien! je vous le dirai tout doucement quelque jour, dans le tuyau de l'oreille. Je vous ai d'abord surpris en vous montrant le carillon de l'ordre social et le jeu de la machine; mais votre premier effroi se passera comme celui du conscrit sur le champ de bataille, et vous vous accoutumerez à l'idée de considérer les hommes comme des soldats décidés à périr pour le service de ceux qui se sacrent rois eux-mêmes. Les temps sont bien changés. Autrefois on disait à un brave:[2] « Voilà cent écus, tue-moi monsieur un tel », et l'on soupait tranquillement après avoir mis un homme à l'ombre pour un oui, pour un non. Aujourd'hui je vous propose de vous donner une belle fortune contre un signe de tête qui ne vous compromet en rien, et vous hésitez. Le siècle est mou.

Eugène signa la traite, et l'échangea contre les billets de banque.

— Eh bien! voyons, parlons raison, reprit Vautrin. Je veux partir d'ici à quelques mois pour l'Amérique, aller planter mon tabac. Je vous enverrai les cigares de l'amitié. Si je deviens riche, je vous aiderai. Si je n'ai pas d'enfants (cas probable, je ne suis pas curieux de me replanter ici par bouture), eh bien! je vous léguerai ma fortune. Est-ce être l'ami d'un homme? Mais je vous aime, moi. J'ai la passion de me dévouer pour un autre. Je l'ai déjà fait. Voyez-vous, mon petit, je vis dans une sphère plus élevée que celles des autres hommes. Je considère les actions comme des moyens, et ne vois que le but.[3] Qu'est-ce qu'un homme pour moi? Ça! fit-il en faisant claquer l'ongle de son pouce sous une de ses dents. Un homme est tout ou rien. Il est moins que rien quand il se nomme Poiret: on peut l'écraser comme une punaise, il est plat et il pue. Mais un homme est un dieu quand il vous ressemble: ce n'est plus une machine couverte en peau, mais un théâtre où s'émeuvent les plus beaux sentiments, et je ne vis que par les sentiments. Un sentiment, n'est-ce pas le monde dans une pensée? Voyez le père Goriot: ses deux filles sont pour lui tout l'univers, elles sont le fil avec lequel il se dirige dans la création.[1] Eh bien! pour moi qui ai bien creusé la vie, il n'existe qu'un seul sentiment réel, une amitié d'homme à homme. Pierre et Jaffier, voilà ma passion. Je sais *Venise sauvée*[2] par cœur. Avez-vous vu beaucoup de gens assez poilus pour, quand un camarade dit: « Allons enterrer un corps! », y aller sans souffler mot ni l'embêter de morale? J'ai fait ça, moi. Je ne parlerais pas ainsi à tout le monde. Mais vous, vous êtes un homme supérieur, on peut tout vous dire, vous savez tout comprendre. Vous ne patouillerez[3] pas longtemps dans les marécages où vivent les crapoussins[4] qui nous entourent ici. Eh bien! voilà qui est dit. Vous épouserez. Poussons chacun nos pointes! La mienne est en fer et ne mollit jamais, hé, hé!

Vautrin sortit sans vouloir entendre la réponse négative de l'étudiant, afin de le mettre à son aise. Il semblait connaître le secret de ces petites résistances, de ces combats dont les hommes se parent devant eux-mêmes, et qui leur servent à se justifier leurs actions blâmables.

— Qu'il fasse comme il voudra, je n'épouserai certes pas mademoiselle Taillefer! se dit Eugène.

Après avoir subi le malaise d'une fièvre intérieure que lui causa l'idée d'un pacte fait avec cet homme dont il avait horreur, mais qui grandissait à ses yeux par le cynisme même de ses idées et par l'audace avec laquelle il étreignait la société, Rastignac s'habilla, demanda une voiture, et vint chez madame de Restaud. Depuis quelques jours, cette femme avait redoublé de soins pour un jeune homme dont chaque pas était un progrès au cœur du grand monde, et dont l'influence paraissait devoir être un jour redoutable. Il paya messieurs de Trailles et d'Ajuda, joua au whist une partie de la nuit, et regagna ce qu'il avait perdu. Superstitieux comme la plupart des hommes dont le chemin est à faire et qui sont plus ou moins fatalistes, il voulut voir dans son bonheur une récompense du ciel pour sa persévérance à rester dans le bon chemin. Le lendemain matin, il s'empressa de demander à Vautrin s'il avait encore sa lettre de change. Sur une réponse affirmative, il lui rendit les trois mille francs en manifestant un plaisir assez naturel.

— Tout va bien, lui dit Vautrin.

— Mais je ne suis pas votre complice, dit Eugène.

— Je sais, je sais, répondit Vautrin en l'interrompant. Vous faites encore des enfantillages. Vous vous arrêtez aux bagatelles de la porte.

III. TROMPE-LA-MORT

Deux jours après, Poiret et mademoiselle Michonneau se trouvaient assis sur un banc, au soleil, dans une allée solitaire du Jardin-des-Plantes, et causaient avec le monsieur qui paraissait à bon droit suspect à l'étudiant en médecine.

— Mademoiselle, disait monsieur Gondureau, je ne vois pas d'où naissent vos scrupules. Son Excellence Monseigneur le Ministre de la Police Générale du Royaume. . . .

— Ah! Son Excellence Monseigneur le Ministre de la Police Générale du Royaume . . . répéta Poiret.

— Oui, Son Excellence s'occupe de cette affaire, dit Gondureau.

A qui ne paraîtra-t-il pas invraisemblable que Poiret, ancien employé, sans doute homme de vertus bourgeoises, quoique dénué d'idées, continuât d'écouter le prétendu rentier de la rue de Buffon, au moment où il prononçait le mot de police en laissant ainsi voir la physionomie d'un agent de la rue de Jérusalem[1] à travers son masque d'honnête homme? Cependant rien n'était plus naturel. Chacun comprendra mieux l'espèce particulière à laquelle appartenait Poiret, dans la grande famille des niais, après une remarque déjà faite par certains observateurs, mais qui jusqu'à présent n'a pas été publiée. Il est une nation plumigère,[2] serrée au budget entre le premier degré de latitude qui comporte les traitement de douze cents francs, espèce de Groenland administratif, et le troisième degré, où commencent les traitements un peu plus chauds de trois à six mille, région tempérée, où s'acclimate la gratification,[3] où elle fleurit malgré les difficultés de la culture. Un des traits caractéristiques qui trahit le mieux l'infirme étroitesse de cette gent subalterne, est une sorte de respect involontaire, machinal, instinctif, pour ce grand lama de tout ministère, connu de l'employé par une signature illisible et sous le nom de SON EXCELLENCE MONSEIGNEUR LE MINISTRE, cinq mots qui équivalent à l'*Il Bondo Cani* du *Calife de Bagdad*,[4] et qui, aux yeux de ce peuple aplati, représente un pouvoir sacré, sans appel. Comme le pape pour les chrétiens, monseigneur est administrativement infaillible aux yeux de l'employé; l'éclat qu'il jette se communique à ses actes, à ses paroles, à celles dites en son nom; il couvre tout de sa broderie, et légalise les actions qu'il ordonne; son nom d'Excellence, qui atteste la pureté de ses intentions et la sainteté de ses vouloirs, sert de passeport aux idées les moins admissibles. Ce que ces pauvres gens ne feraient pas dans leur intérêt, ils s'empressent de l'accomplir dès que le mot Son Excellence est prononcé. Les bureaux ont leur obéissance passive, comme l'armée a la sienne : système qui étouffe la conscience, annihile un homme et finit, avec le temps, par l'adapter comme une vis ou un écrou à la machine gouvernementale. Aussi monsieur Gondureau, qui paraissait se connaître en hommes, distingua-t-il promptement en Poiret un de ces niais bureaucratiques, et fit-il sortir le *Deus ex machina*, le mot talismanique de Son Excellence, au moment où il fallait, en démasquant ses batteries, éblouir le Poiret, qui lui semblait le mâle de la Michonneau, comme la Michonneau lui semblait la femelle du Poiret.

— Du moment où Son Excellence elle-même, Son Excellence Monseigneur le! Ah! c'est très différent, dit Poiret.

— Vous entendez monsieur, dans le jugement duquel vous paraissez avoir confiance, reprit le faux rentier en s'adressant à mademoiselle Michonneau. Eh bien! Son Excellence a maintenant la certitude la plus complète que le prétendu Vautrin, logé dans la Maison Vauquer, est un forçat évadé du bagne de Toulon, où il est connu sous le nom de *Trompe-la-Mort*.

— Ah! Trompe-la-Mort! dit Poiret, il est bien heureux, s'il a mérité ce nom-là.

— Mais oui, reprit l'agent. Ce sobriquet est dû au bonheur qu'il a eu de ne jamais perdre la vie dans les entreprises extrêmement audacieuses qu'il a exécutées. Cet homme est dangereux, voyez-vous. Il a des qualités qui le rendent extraordinaire. Sa condamnation est même une chose qui lui a fait dans sa partie un honneur infini. . . .

— C'est donc un homme d'honneur, demanda Poiret.

— A sa manière. Il a consenti à prendre sur son compte le crime d'un autre, un faux commis par un très beau jeune homme qu'il aimait beaucoup, un jeune Italien assez joueur, entré depuis au service militaire, où il s'est d'ailleurs parfaitement comporté.

— Mais si Son Excellence le Ministre de la Police est sûr que monsieur Vautrin soit Trompe-la-Mort, pourquoi donc aurait-il besoin de moi? dit mademoiselle Michonneau.

— Ah! oui, dit Poiret, si en effet le Ministre, comme vous nous avez fait l'honneur de nous le dire, a une certitude quelconque. . . .

— Certitude n'est pas le mot; seulement on se doute. Vous allez comprendre la question. Jacques Collin, surnommé Trompe-la-Mort, a toute la confiance des trois bagnes, qui l'ont choisi pour être leur agent et leur banquier. Il gagne beaucoup à s'occuper de ce genre d'affaires, qui nécessairement veut un homme de marque.[1]

— Ah! ah! comprenez-vous le calembour, mademoiselle? dit Poiret. Monsieur l'appelle un homme de *marque*, parce qu'il a été marqué.

— Le faux Vautrin, dit l'agent en continuant, reçoit les capitaux de messieurs les forçats, les place, les leur conserve, et les tient à la disposition de ceux qui s'évadent, ou de leurs familles, quand ils en disposent par testament, ou de leurs maîtresses, quand ils tirent sur lui pour elles.

— De leurs maîtresses! Vous voulez dire de leurs femmes, fit observer Poiret.

— Non, monsieur. Le forçat n'a généralement que des épouses illégitimes, que nous nommons des concubines.

— Ils vivent donc tous en état de concubinage?

— Conséquemment.

— Eh bien! dit Poiret, voilà des horreurs que Monseigneur ne devrait pas tolérer. Puisque vous avez l'honneur de voir Son Excellence, c'est à vous, qui me paraissez avoir des idées philanthropiques, à l'éclairer sur la conduite immorale de ces gens, qui donnent un très mauvais exemple au reste de la société.

— Mais, monsieur, le gouvernement ne les met pas là pour offrir le modèle de toutes les vertus.

— C'est juste. Cependant, monsieur, permettez.

— Mais, laissez donc dire monsieur, mon cher mignon, dit mademoiselle Michonneau.

— Vous comprenez, mademoiselle, reprit Gondureau. Le gouvernement peut avoir un grand intérêt à mettre la main sur une caisse illicite, que l'on dit monter à un total assez majeur. Trompe-la-Mort encaisse des valeurs considérables en recélant non seulement les sommes possédées par quelques-uns de ses camarades, mais encore celles qui proviennent de la Société des Dix Mille. . . .

— Dix mille voleurs! s'écria Poiret effrayé.

— Non, la Société des Dix Mille est une association de hauts voleurs, de gens qui travaillent en grand, et ne se mêlent pas d'une affaire où il n'y a pas dix mille francs à gagner. Cette société se compose de tout ce qu'il y a de plus distingué parmi ceux de nos hommes qui vont droit en cour d'assises. Ils connaissent le Code, et ne risquent jamais de se faire appliquer la peine de mort quand ils sont pincés. Collin est leur homme de confiance, leur conseil. A l'aide de ses immenses ressources, cet homme a su se créer une police à lui, des relations fort étendues qu'il enveloppe d'un mystère impénétrable. Quoique depuis un an nous l'ayons entouré d'espions, nous n'avons pas encore pu voir dans son jeu. Sa caisse et ses talents servent donc constamment à solder le vice, à faire les fonds au crime, et entretiennent sur pied une armée de mauvais sujets qui sont dans un perpétuel état de guerre avec la société. Saisir Trompe-la-Mort et s'emparer de sa banque, ce sera couper le mal dans sa racine. Aussi cette expédition est-elle devenue une affaire d'État et de haute politique, susceptible d'honorer ceux qui coopéreront à sa réussite. Vous-même, monsieur, pourriez être de nouveau employé dans l'administration, devenir secrétaire d'un commissaire de police, fonctions qui ne vous empêcheraient point de toucher votre pension de retraite.

— Mais pourquoi, dit mademoiselle Michonneau, Trompe-la-Mort ne s'en va-t-il pas avec la caisse ?

— Oh! fit l'agent, partout où il irait, il serait suivi d'un homme chargé de le tuer, s'il volait le bagne. Puis une caisse ne s'enlève pas aussi facilement qu'on enlève une demoiselle de bonne maison. D'ailleurs, Collin est un gaillard incapable de faire un trait semblable, il se croirait déshonoré.

— Monsieur, dit Poiret, vous avez raison, il serait tout à fait déshonoré.

— Tout cela ne nous dit pas pourquoi vous ne venez pas tout bonnement vous emparer de lui, demanda mademoiselle Michonneau.

— Eh bien! mademoiselle, je réponds.... Mais, lui dit-il à l'oreille, empêchez votre monsieur de m'interrompre, ou nous n'en aurons jamais fini. Il doit avoir beaucoup de fortune pour se faire écouter, ce vieux-là. Trompe-la-Mort, en venant ici, a chaussé la peau d'un honnête homme, il s'est fait bon bourgeois de Paris, il s'est logé dans une pension sans apparence; il est fin, allez! on ne le prendra jamais sans vert.[1] Donc monsieur Vautrin est un homme considéré, qui fait des affaires considérables.

— Naturellement, se dit Poiret à lui-même.

— Le ministre, si l'on se trompait en arrêtant un vrai Vautrin, ne veut pas se mettre à dos le commerce de Paris, ni l'opinion publique. Monsieur le préfet de police branle dans le manche,[2] il a des ennemis. S'il y avait erreur, ceux qui veulent sa place profiteraient des clabaudages et des criailleries libérales pour le faire sauter. Il s'agit ici de procéder comme dans l'affaire de Cogniard,[3] le faux comte de Sainte-Hélène; si ç'avait été un vrai comte de Sainte-Hélène, nous n'étions pas propres.¹ Aussi faut-il vérifier.

— Oui, mais vous avez besoin d'une jolie femme, dit vivement mademoiselle Michonneau.

— Trompe-la-Mort ne se laisserait pas aborder par une femme, dit l'agent. Apprenez un secret : il n'aime pas les femmes.

— Mais je ne vois pas alors à quoi je suis bonne pour une semblable vérification, une supposition que je consentirais à la faire pour deux mille francs.

— Rien de plus facile, dit l'inconnu. Je vous remettrai un flacon contenant une dose de liqueur préparée pour donner un coup de sang qui n'a pas le moindre danger et simule une apoplexie. Cette drogue peut se mêler également au vin et au café. Sur-le-champ vous transportez votre homme sur un lit, et vous le déshabillez afin de savoir s'il ne se meurt pas. Au moment où vous serez seule, vous lui donnerez une claque sur l'épaule, paf ! et vous verrez reparaître les lettres.

— Mais c'est rien du tout, ça, dit Poiret.

— Eh bien ! consentez-vous ? dit Gondureau à la vieille fille.

— Mais, mon cher monsieur, dit mademoiselle Michonneau, au cas où il n'y aurait point de lettres, aurais-je les deux mille francs ?

— Non.

— Quelle sera donc l'indemnité ?

— Cinq cents francs.

— Faire une chose pareille pour si peu. Le mal est le même dans la conscience, et j'ai ma conscience à calmer, monsieur.

— Je vous affirme, dit Poiret, que mademoiselle a beaucoup de conscience, outre que c'est une très aimable personne et bien entendue.

— Eh bien ! reprit mademoiselle Michonneau, donnez-moi trois mille francs si c'est Trompe-la-Mort, et rien si c'est un bourgeois.

— Ça va, dit Gondureau, mais à condition que l'affaire sera faite demain.

— Pas encore, mon cher monsieur, j'ai besoin de consulter mon confesseur.

— Finaude ! dit l'agent en se levant. A demain alors. Et si vous étiez pressée de me parler, venez petite rue Sainte-Anne, au bout de la cour de la Sainte-Chapelle. Il n'y a qu'une porte sous la voûte. Demandez monsieur Gondureau.

Bianchon, qui revenait du cour de Cuvier, eut l'oreille frappée du mot assez original de Trompe-la-Mort, et entendit le ça va du célèbre chef de la police de sûreté.

— Pourquoi n'en finissez-vous pas, ce serait trois cents francs de rente viagère, dit Poiret à mademoiselle Michonneau.

— Pourquoi ? dit-elle. Mais il faut y réfléchir. Si monsieur Vautrin était ce Trompe-la-Mort, peut-être y aurait-il plus d'avantage à s'arranger avec lui. Cependant, lui demander de l'argent, ce serait le prévenir, et il serait homme à décamper *gratis*. Ce serait un *puff*[1] abominable.

— Quand il serait prévenu, reprit Poiret, ce monsieur ne nous a-t-il pas dit qu'il était surveillé ? Mais vous, vous perdriez tout.

— D'ailleurs, pensa mademoiselle Michonneau, je ne l'aime point, cet homme ! Il ne sait me dire que des choses désagréables.

— Mais, reprit Poiret, vous feriez mieux. Ainsi que l'a dit ce monsieur, qui me paraît fort bien, outre qu'il est très proprement couvert, c'est un acte d'obéissance aux lois que de débarrasser la société d'un criminel, quelque vertueux qu'il puisse être. Qui a bu boira. S'il lui prenait fantaisie de nous assassiner tous ? Mais, que diable ! nous serions coupables de ces assassinats, sans compter que nous en serions les premières victimes.

La préoccupation de mademoiselle Michonneau ne lui permettait pas d'écouter les phrases tombant une à une de la bouche de Poiret, comme les gouttes d'eau qui suintent à travers le robinet d'une fontaine mal fermée.[2] Quand une fois ce vieillard avait commencé la série de ses phrases, et que mademoiselle Michonneau ne l'arrêtait pas, il parlait toujours, à l'instar d'une mécanique montée. Après avoir entamé un premier sujet, il était conduit par ses parenthèses à en traiter de tout opposés, sans avoir rien conclu. En arrivant à la Maison-Vauquer, il s'était faufilé dans une suite de passages et de citations transitoires qui l'avaient amené à raconter sa déposition dans l'affaire du sieur Ragoulleau et de la dame Morin,[3] où il avait comparu en qualité de témoin à décharge. En entrant, sa compagne ne manqua pas d'apercevoir Eugène de Rastignac engagé avec mademoiselle Taillefer dans une intime causerie dont l'intérêt était si palpitant que le couple ne fit aucune attention au passage des deux vieux pensionnaires quand ils traversèrent la salle à manger.

— Ça devait finir par là, dit mademoiselle Michonneau à Poiret. Ils se faisaient des yeux à s'arracher l'âme depuis huit jours.

— Oui, répondit-il. Aussi fut-elle condamnée.

— Qui ?

— Madame Morin.

— Je vous parle de mademoiselle Victorine, dit la Michonneau en entrant, sans y faire attention, dans la chambre de Poiret, et vous me répondez par madame Morin. Qu'est-ce que c'est que cette femme-là?

— De quoi serait donc coupable mademoiselle Victorine? demanda Poiret.

— Elle est coupable d'aimer M. Eugène de Rastignac, et va de l'avant sans savoir où ça la mènera, pauvre innocente!

Eugène avait été, pendant la matinée, réduit au désespoir par madame de Nucingen. Dans son for intérieur, il s'était abandonné complètement à Vautrin, sans vouloir sonder ni les motifs de l'amitié que lui portait cet homme extraordinaire, ni l'avenir d'une semblable union. Il fallait un miracle pour le tirer de l'abîme où il avait déjà mis le pied depuis une heure, en échangeant avec mademoiselle Taillefer les plus douces promesses. Victorine croyait entendre la voix d'un ange, les cieux s'ouvraient pour elle, la Maison-Vauquer se parait des teintes fantastiques que les décorateurs donnent aux palais de théâtre: elle aimait, elle était aimée, elle le croyait du moins! Et quelle femme ne l'aurait cru comme elle en voyant Rastignac, en l'écoutant durant cette heure dérobée à tous les argus[1] de la maison? En se débattant contre sa conscience, en sachant qu'il faisait mal et voulant faire mal, en se disant qu'il rachèterait ce péché véniel par le bonheur d'une femme, il s'était embelli de son désespoir, et resplendissait de tous les feux de l'enfer qu'il avait au cœur. Heureusement pour lui, le miracle eut lieu: Vautrin entra joyeusement, et lut dans l'âme des deux jeunes gens qu'il avait mariés par les combinaisons de son infernal génie, mais dont il troubla soudain la joie en chantant de sa grosse voie railleuse:

> *Ma Fanchette est charmante*
> *Dans sa simplicité . . .*

Victorine se sauva en emportant autant de bonheur qu'elle avait eu jusqu'alors de malheur dans sa vie. Pauvre fille! un serrement de mains, sa joue effleurée par les cheveux de Rastignac, une parole dite si près de son oreille qu'elle avait senti la chaleur des lèvres de l'étudiant, la pression de sa taille par un bras tremblant, un baiser pris sur son cou, furent les accordailles de sa passion, que le voisinage de la grosse Sylvie, menaçant d'entrer dans cette radieuse salle à manger, rendit plus ardentes, plus vives, plus engageantes que les plus beaux témoignages de dévouement racontés dans les plus célèbres histoires d'amour. Ces *menus suffrages*,[2] suivant une jolie expression de nos ancêtres, paraissaient être des crimes à une pieuse jeune fille confessée tous les quinze jours! En cette heure, elle avait prodigué plus de trésors d'âme que plus tard, riche et heureuse, elle n'en aurait donné en se livrant tout entière.

— L'affaire est faite, dit Vautrin à Eugène. Nos deux dandies se sont piochés.[1] Tout s'est passé convenablement. Affaire d'opinion. Notre pigeon a insulté mon faucon. A demain, dans la redoute de Clignancourt. A huit heures et demie, mademoiselle Taillefer héritera de l'amour et de la fortune de son père, pendant qu'elle sera là tranquillement à tremper ses mouillettes de pain beurré dans son café. N'est-ce pas drôle à se dire? Ce petit Taillefer est très fort à l'épée, il est confiant comme un brelan carré;[2] mais il sera saigné par un coup que j'ai inventé, une manière de relever l'épée et de vous piquer le front. Je vous montrerai cette botte-là, car elle est furieusement utile.

Rastignac écoutait d'un air stupide, et ne pouvait rien répondre. En ce moment le père Goriot, Bianchon et quelques autres pensionnaires arrivèrent.

— Voilà comme je vous voulais, lui dit Vautrin. Vous savez ce que vous faites. Bien, mon petit aiglon! vous gouvernerez les hommes; vous êtes fort, carré, poilu; vous avez mon estime.

Il voulut lui prendre la main. Rastignac retira vivement la sienne, et tomba sur une chaise en pâlissant; il croyait voir une mare de sang devant lui.

— Ah! nous avons encore quelques petits langes tachés de vertu, dit Vautrin à voix basse. Papa d'Oliban[3] a trois millions, je sais sa fortune. La dot vous rendra blanc comme une robe de mariée, et à vos propres yeux.

Rastignac n'hésita plus. Il résolut d'aller prévenir pendant la soirée messieurs Taillefer père et fils. En ce moment, Vautrin l'ayant quitté, le père Goriot lui dit à l'oreille: — Vous êtes triste, mon enfant! je vais vous égayer, moi. Venez! Et le vieux vermicellier allumait son rat-de-cave à une des lampes. Eugène le suivit tout ému de curiosité.

— Entrons chez vous, dit le bonhomme, qui avait demandé la clef de l'étudiant à Sylvie. Vous avez cru ce matin qu'elle ne vous aimait pas, hein! reprit-il. Elle vous a renvoyé de force, et vous vous en êtes allé fâché, désespéré. Nigaudinos![4] Elle m'attendait. Comprenez-vous? Nous devions aller achever d'arranger un bijou d'appartement dans lequel vous irez demeurer d'ici à trois jours. Ne me vendez pas. Elle veut vous faire une surprise; mais je ne tiens pas à vous cacher plus longtemps le secret. Vous serez rue d'Artois, à deux pas de la rue Saint-Lazare. Vous y serez comme un prince.

Nous vous avons eu des meubles comme pour une épousée. Nous avons fait bien des choses depuis un mois, en ne vous en disant rien. Mon avoué s'est mis en campagne, ma fille aura ses trente-six mille francs par an, l'intérêt de sa dot, et je vais faire exiger le placement de ses huit cent mille francs en bons biens au soleil.[1]

Eugène était muet et se promenait, les bras croisés, de long en long, dans sa pauvre chambre en désordre. Le père Goriot saisit un moment où l'étudiant lui tournait le dos, et mit sur la cheminée une boîte en maroquin rouge, sur laquelle étaient imprimées en or les armes de Rastignac.

— Mon cher enfant, disait le pauvre bonhomme, je me suis mis dans tout cela jusqu'au cou. Mais, voyez-vous, il y avait à moi bien de l'égoïsme, je suis intéressé dans votre changement de quartier. Vous ne me refuserez pas, hein! si je vous demande quelque chose?

— Que voulez-vous?

— Au-dessus de votre appartement, au cinquième, il y a une chambre qui en dépend, j'y demeurerai, pas vrai? Je me fais vieux, je suis trop loin de mes filles. Je ne vous gênerai pas. Seulement je serai là. Vous me parlerez d'elle tous les soirs. Ça ne vous contrariera pas, dites? Quand vous rentrerez, que je serai dans mon lit, je vous entendrai, je me dirai: Il vient de voir ma petite Delphine. Il l'a menée au bal, elle est heureuse par lui. Si j'étais malade, ça me mettrait du baume dans le cœur de vous écouter revenir, vous remuer, aller. Il y aura tant de ma fille en vous! Je n'aurai qu'un pas à faire pour être aux Champs-Élysées, où elles passent tous les jours, je les verrai toujours, tandis que quelquefois j'arrive trop tard. Et puis elle viendra chez vous peut-être! Je l'entendrai, je la verrai dans sa douillette[2] du matin, trottant, allant gentiment comme une petite chatte. Elle est redevenue, depuis un mois, ce qu'elle était, jeune fille, gaie, pimpante. Son âme est en convalescence, elle vous doit le bonheur. Oh! je ferais pour vous l'impossible. Elle me disait tout à l'heure en revenant: « Papa, je suis bien heureuse! » Quand elles me disent cérémonieusement, *Mon père*, elles me glacent; mais quand elles m'appellent *papa*, il me semble encore les voir petites, elles me rendent tous mes souvenirs. Je suis mieux leur père. Je crois qu'elles ne sont encore à personne! Le bonhomme s'essuya les yeux, il pleurait. Il y a longtemps que je n'avais entendu cette phrase, longtemps qu'elle ne m'avait donné le bras. Oh! oui, voilà bien dix ans que je n'ai marché côte à côte avec une de mes filles. Est-ce bon de se frotter à sa robe, de se mettre à son pas, de partager sa chaleur! Enfin, j'ai mené Delphine, ce matin, partout. J'entrais avec elle dans les boutiques. Et je l'ai reconduite chez elle. Oh! gardez-moi près de vous. Quelquefois vous aurez besoin de quelqu'un pour vous rendre service, je serai là. Oh! si cette grosse souche d'Alsacien mourait, si sa goutte avait l'esprit de remonter dans l'estomac, ma pauvre fille serait-elle heureuse! Vous seriez mon gendre, vous seriez ostensiblement son mari. Bah! elle est si malheureuse de ne rien connaître aux plaisirs de ce monde, que je l'absous de tout. Le bon Dieu doit être du côté des pères qui aiment bien. Elle vous aime trop! dit-il en hochant la tête après une pause. En allant, elle causait de vous avec moi: « N'est-ce pas, mon père, il est bien! il a bon cœur! Parle-t-il de moi? » Bah, elle m'en a dit, depuis la rue d'Artois jusqu'au passage des Panoramas, des volumes! Elle m'a enfin versé son cœur dans le mien. Pendant toute cette bonne matinée, je n'étais plus vieux, je ne pesais pas une once. Je lui ai dit que vous m'aviez remis le billet de mille francs. Oh! la chérie, elle en a été émue aux larmes. Qu'avez-vous donc là sur votre cheminée? dit enfin le père Goriot qui se mourait d'impatience en voyant Rastignac immobile.

Eugène tout abasourdi regardait son voisin d'un air hébété. Ce duel, annoncé par Vautrin pour le lendemain, contrastait si violemment avec la réalisation de ses plus chères espérances, qu'il éprouvait toutes les sensations du cauchemar. Il se tourna vers la cheminée, y aperçut la petite boîte carrée, l'ouvrit, et trouva dedans un papier qui couvrait une montre de Bréguet.[1] Sur ce papier étaient écrits ces mots: « Je veux que vous pensiez à moi à toute heure, *parce que*...

DELPHINE. »

Ce dernier mot faisait sans doute allusion à quelque scène qui avait eu lieu entre eux. Eugène en fut attendri. Ses armes étaient intérieurement émaillées dans l'or de la boîte. Ce bijou si longtemps envié, la chaîne, la clef, la façon, les dessins répondaient à tous ses vœux. Le père Goriot était radieux. Il avait sans doute promis à sa fille de lui rapporter les moindres effets de la surprise que causerait son présent à Eugène, car il était en tiers dans ces jeunes émotions et ne paraissait pas le moins heureux. Il aimait déjà Rastignac et pour sa fille et pour lui-même.

— Vous irez la voir ce soir, elle vous attend. La grosse souche d'Alsacien soupe chez sa danseuse. Ah! ah! il a été bien sot quand mon avoué lui a dit son fait. Ne prétend-il pas aimer ma fille à l'adoration? qu'il y touche et je le tue. L'idée de savoir ma Delphine à ... (il soupira) me ferait commettre un crime; mais ce ne serait pas un homicide, c'est une tête de veau sur un corps de porc. Vous me prendrez avec vous, n'est-ce pas ?

— Oui, mon bon père Goriot, vous savez bien que je vous aime. . . .

— Je le vois, vous n'avez pas honte de moi, vous ! Laissez-moi vous embrasser. Et il serra l'étudiant dans ses bras. Vous la rendrez bien heureuse, promettez-le-moi ! Vous irez ce soir, n'est-ce pas ?

— Oh, oui ! Je dois sortir pour des affaires qu'il est impossible de remettre.

— Puis-je vous être bon à quelque chose ?

— Ma foi, oui ! Pendant que j'irai chez madame de Nucingen, allez chez M. Taillefer le père, lui dire de me donner une heure dans la soirée pour lui parler d'une affaire de la dernière importance.

— Serait-ce donc vrai, jeune homme, dit le père Goriot en changeant de visage ; feriez-vous la cour à sa fille, comme le disent ces imbéciles d'en bas ? Tonnerre de Dieu ! vous ne savez pas ce que c'est qu'une tape à la Goriot. Et si vous nous trompiez, ce serait l'affaire d'un coup de poing. Oh ! ce n'est pas possible.

— Je vous jure que je n'aime qu'une femme au monde, dit l'étudiant, je ne le sais que depuis un moment.

— Ah, quel bonheur ! fit le père Goriot.

— Mais, reprit l'étudiant, le fils de Taillefer se bat demain, et j'ai entendu dire qu'il serait tué.

— Qu'est-ce que cela vous fait ? dit Goriot.

— Mais il faut lui dire d'empêcher son fils de se rendre . . . s'écria Eugène.

En ce moment, il fut interrompu par la voix de Vautrin, qui se fit entendre sur le pas de sa porte, où il chantait :

> *O Richard, ô mon roi !*
> *L'univers t'abandonne . . .*

Broum ! broum ! broum ! broum ! broum !

> *J'ai longtemps parcouru le monde,*
> *Et l'on m'a vu . . .*

Tra la, la, la, la. . .

— Messieurs, cria Christophe, la soupe vous attend, et tout le monde est à table.

— Tiens, dit Vautrin, viens prendre une bouteille de mon vin de Bordeaux.

— La trouvez-vous jolie, la montre ? dit le père Goriot. Elle a bon goût, hein !

Vautrin, le père Goriot et Rastignac descendirent ensemble et se trouvèrent, par suite de leur retard, placés à côté les uns des autres à table. Eugène marqua la plus grande froideur à Vautrin pendant le dîner, quoique jamais cet homme, si aimable aux yeux de madame Vauquer, n'eût déployé autant d'esprit. Il fut pétillant de saillies, et sut mettre en train tous les convives. Cette assurance, ce sang-froid consternaient Eugène.

— Sur quelle herbe avez-vous donc marché aujourd'hui? lui dit madame Vauquer. Vous êtes gai comme un pinson.

— Je suis toujours gai quand j'ai fait de bonnes affaires.

— Des affaires? dit Eugène.

— Eh bien, oui. J'ai livré une partie de marchandises qui me vaudra de bons droits de commission. Mademoiselle Michonneau, dit-il en s'apercevant que la vieille fille l'examinait, ai-je dans la figure un trait qui vous déplaise, que vous me faites l'*œil américain*?[1] Faut le dire! je le changerai pour vous être agréable.

— Poiret, nous ne nous fâcherons pas pour ça, hein? dit-il en guignant le vieil employé.

— Sac à papier! vous devriez poser pour un Hercule-Farceur, dit le jeune peintre à Vautrin.

— Ma foi, ça va! si mademoiselle Michonneau veut poser en Vénus du Père-Lachaise,[2] répondit Vautrin.

— Et Poiret? dit Bianchon.

— Oh! Poiret posera en Poiret. Ce sera le dieu des jardins! s'écria Vautrin. Il dérive de poire. . . .

— Molle! reprit Bianchon. Vous seriez alors entre la poire et le fromage.[3]

— Tout ça, c'est des bêtises, dit madame Vauquer, et vous feriez mieux de nous donner de votre vin de Bordeaux dont j'aperçois une bouteille qui montre son nez! Ça nous entretiendra en joie, outre que c'est bon à l'*estomaque*.

— Messieurs, dit Vautrin, madame la présidente nous rappelle à l'ordre. Madame Couture et mademoiselle Victorine ne se formaliseront pas de vos discours badins; mais respectez l'innocence du père Goriot. Je vous propose une petite bouteillorama de vin de Bordeaux, que le nom de Laffitte[4] rend doublement illustre, soit dit sans allusion politique. Allons, Chinois! dit-il en regardant Christophe qui ne bougea pas. Ici, Christophe! Comment, tu n'entends pas ton nom? Chinois, amène les liquides!

— Voilà, monsieur, dit Christophe en lui présentant la bouteille.

Après avoir rempli le verre d'Eugène et celui du père Goriot, il s'en versa lentement quelques gouttes qu'il dégusta, pendant que ses deux voisins buvaient, et tout à coup il fit une grimace.

— Diable! diable! il sent le bouchon.[1] Prends cela pour toi, Christophe, et va nous en chercher; à droite, tu sais? Nous sommes seize, descends huit bouteilles.

— Puisque vous vous fendez,[2] dit le peintre, je paye un cent de marrons.

— Oh! oh!

— Booououh!

— Prrrr!

Chacun poussa des exclamations qui partirent comme les fusées d'une girandole.

— Allons, maman Vauquer, deux de Champagne, lui cria Vautrin.

— Quien,[3] c'est cela! Pourquoi pas demander la maison? Deux de Champagne! mais ça coûte douze francs! Je ne les gagne pas, non! Mais si monsieur Eugène veut les payer, j'offre du cassis.

— V'là son cassis qui purge comme de la manne,[4] dit l'étudiant en médecine à voix basse.

— Veux-tu te taire, Bianchon, s'écria Rastignac, je ne peux pas entendre parler de manne sans que le cœur. . . . Oui, va pour le vin de Champagne, je le paye, ajouta l'étudiant.

— Sylvie, dit madame Vauquer, donnez les biscuits et les petits gâteaux.

— Vos petits gâteaux sont trop grands, dit Vautrin, ils ont de la barbe.[5] Mais quant aux biscuits, aboulez.

En un moment le vin de Bordeaux circula, les convives s'animèrent, la gaieté redoubla. Ce fut des rires féroces, au milieu desquels éclatèrent quelques imitations des diverses voix d'animaux. L'employé au Muséum s'étant avisé de reproduire un cri de Paris qui avait de l'analogie avec le miaulement du chat amoureux, aussitôt huit voix beuglèrent simultanément les phrases suivantes: — A repasser les couteaux! — Mo-ron[6] pour les p'tits oiseaux! — Voilà le plaisir,[7] mesdames, voilà le plaisir! — A raccommoder la faïence! — A la barque, à la barque![8] — Battez vos femmes, vos habits! — Vieux habits, vieux galons, vieux chapeaux à vendre! — A la cerise, à la douce![9] La palme fut à Bianchon pour l'accent nasillard avec lequel il cria: — Marchand de parapluies! En quelques instants ce fut un tapage à casser la tête, une conversation pleine de coqs-à-l'âne, un véritable opéra que Vautrin conduisait comme un chef d'orchestre, en surveillant Eugène et le père Goriot, qui semblaient ivres déjà. Le dos appuyé sur leur chaise, tous deux contemplaient ce désordre inaccoutumé d'un air grave, en buvant peu ; tous deux étaient préoccupés de ce qu'ils avaient à faire pendant la soirée, et néanmoins ils se sentaient incapables de se lever. Vautrin, qui suivait les changements de leur physionomie en leur lançant des regards de côté, saisit le moment où leurs yeux vacillèrent et parurent vouloir se fermer, pour se pencher à l'oreille de Rastignac et lui dire ; — Mon petit gars, nous ne sommes pas assez rusé pour lutter avec notre papa Vautrin, et il vous aime trop pour vous laisser faire des sottises. Quand j'ai résolu quelque chose, le bon Dieu seul est assez fort pour me barrer le passage. Ah ! nous voulions aller prévenir le père Taillefer, commettre des fautes d'écolier ! Le four est chaud, la farine est pétrie, le pain est sur la pelle ; demain nous en ferons sauter les miettes par-dessus notre tête en y mordant ; et nous empêcherions d'enfourner ? . . .[1] non, non, tout cuira ! Si nous avons quelques petits remords, la digestion les emportera. Pendant que nous dormirons notre petit somme, le colonel comte Franchessini vous ouvrira la succession de Michel Taillefer avec la pointe de son épée. En héritant de son frère, Victorine aura quinze petits mille francs de rente. J'ai déjà pris des renseignements, et sais que la succession de la mère monte à plus de trois cent mille. . . .

Eugène entendit ces paroles sans pouvoir y répondre : il sentait sa langue collée à son palais, et se trouvait en proie à une somnolence invincible ; il ne voyait déjà plus la table et les figures des convives qu'à travers un brouillard lumineux. Bientôt le bruit s'apaisa, les pensionnaires s'en allèrent un à un. Puis, quand il ne resta plus que madame Vauquer, madame Couture, mademoiselle Victorine, Vautrin et le père Goriot, Rastignac aperçut, comme s'il eût rêvé, madame Vauquer occupée à prendre les bouteilles pour en vider les restes de manière à en faire des bouteilles pleines.

— Ah ! sont-ils fous, sont-ils jeunes ! disait la veuve.

Ce fut la dernière phrase que put comprendre Eugène.

— Il n'y a que monsieur Vautrin pour faire de ces farces-là, dit Sylvie. Allons, voilà Christophe qui ronfle comme une toupie.

— Adieu, maman, dit Vautrin. Je vais au boulevard admirer, M. Marty dans *Le Mont Sauvage*, une grande pièce tirée du *Solitaire*.[2] Si vous voulez, je vous y mène ainsi que ces dames.

— Je vous remercie, dit madame Couture.

— Comment, ma voisine ! s'écria madame Vauquer, vous refusez de voir une pièce prise dans *Le Solitaire*, un ouvrage fait par Atala de Chateaubriand, et que nous aimions tant à lire, qui est si joli que nous pleurions comme des madeleines d'Élodie[3] sous les *tyeuilles* cet été dernier, enfin un ouvrage moral qui peut être susceptible d'instruire votre demoiselle?

— Il nous est défendu d'aller à la comédie, répondit Victorine.

— Allons, les voilà partis, ceux-là, dit Vautrin en remuant d'une manière comique la tête du père Goriot et celle d'Eugène.

En plaçant la tête de l'étudiant sur la chaise, pour qu'il pût dormir commodément, il le baisa chaleureusement au front, en chantant:

> *Dormez, mes chères amours!*
> *Pour vous je veillerai toujours.*

— J'ai peur qu'il ne soit malade, dit Victorine.

— Restez à le soigner alors, reprit Vautrin. C'est, lui souffla-t-il à l'oreille, votre devoir de femme soumise. Il vous adore, ce jeune homme, et vous serez sa petite femme, je vous le prédis. Enfin, dit-il à haute voix, *ils furent considérés dans tout le pays, vécurent heureux, et eurent beaucoup d'enfants.* Voilà comment finissent tous les romans d'amour. Allons, maman dit-il en se tournant vers madame Vauquer, qu'il étreignit, mettez le chapeau, la belle robe à fleurs, l'écharpe de la comtesse. Je vais vous aller chercher un fiacre, soi-même. Et il partit en chantant:

> *Soleil, soleil, divin soleil,*
> *Toi qui fais mûrir les citrouilles . . .*

— Mon Dieu! dites donc, madame Couture, cet homme-là me ferait vivre heureuse sur les toits. Allons, dit-elle en se tournant vers le vermicellier, voilà le père Goriot parti. Ce vieux cancre-là[1] n'a jamais eu l'idée de me mener *nune* part, lui. Mais il va tomber par terre, mon Dieu! C'est-y indécent à un homme d'âge de perdre la raison! Vous me direz qu'on ne perd point ce qu'on n'a pas, Sylvie, montez-le donc chez lui.

Sylvie prit le bonhomme par-dessous le bras, le fit marcher, et le jeta tout habillé comme un paquet au travers de son lit.

— Pauvre jeune homme, disait madame Couture en écartant les cheveux d'Eugène qui lui tombaient dans les yeux, il est comme une jeune fille, il ne sait pas ce que c'est qu'un excès.

— Ah! je peux bien dire que depuis trente et un ans que je tiens ma pension, dit madame Vauquer, il m'est passé bien des jeunes gens par les mains, comme on dit, mais je n'en ai jamais vu d'aussi gentil, d'aussi distingué que monsieur Eugène. Est-il beau quand il dort! Prenez-lui donc la tête sur votre épaule, madame Couture. Bah! il tombe sur celle de mademoiselle Victorine: il y a un dieu pour les enfants. Encore un peu, il se fendait la tête sur la pomme de la chaise. A eux deux, ils feraient un bien joli couple.

— Ma voisine, taisez-vous donc, s'écria madame Couture, vous dites des choses. . . .

— Bah! fit madame Vauquer, il n'entend pas. Allons, Sylvie, viens m'habiller. Je vais mettre mon grand corset.

— Ah bien! votre grand corset, après avoir dîné, madame, dit Sylvie. Non, cherchez quelqu'un pour vous serrer, ce ne sera pas moi qui serai votre assassin. Vous commettriez là une imprudence à vous coûter la vie.

— Ça m'est égal, il faut faire honneur à monsieur Vautrin.

— Vous aimez donc bien vos héritiers?

— Allons, Sylvie, pas de raisons, dit la veuve en s'en allant.

— A son âge, dit la cuisinière en montrant sa maîtresse à Victorine.

Madame Couture et sa pupille, sur l'épaule de laquelle dormait Eugène, restèrent seules dans la salle à manger. Les ronflements de Christophe retentissaient dans la maison silencieuse, et faisaient ressortir le paisible sommeil d'Eugène, qui dormait aussi gracieusement qu'un enfant. Heureuse de pouvoir se permettre un de ces actes de charité par lesquels s'épanchent tous les sentiments de la femme, et qui lui faisait sans crime sentir le cœur du jeune homme battant sur le sien, Victorine avait dans la physionomie quelque chose de maternellement protecteur qui la rendait fière. A travers les mille pensées qui s'élevaient dans son cœur, perçait un tumultueux mouvement de volupté qu'excitait l'échange d'une jeune et pure chaleur.

— Pauvre chère fille! dit madame Couture en lui pressant la main.

La vieille dame admirait cette candide et souffrante figure, sur laquelle était descendue l'auréole du bonheur. Victorine ressemblait à l'une de ces naïves peintures du Moyen-Age dans lesquelles tous les accessoires sont négligés par l'artiste, qui a réservé la magie d'un pinceau calme et fier pour la figure jaune de ton, mais où le ciel semble se refléter avec ses teintes d'or.

— Il n'a pourtant pas bu plus de deux verres, maman, dit Victorine en passant ses doigts dans la chevelure d'Eugène.

— Mais si c'était un débauché, ma fille, il aurait porté le vin comme tous ces autres. Son ivresse fait son éloge.

Le bruit d'une voiture retentit dans la rue.

— Maman, dit la jeune fille, voici monsieur Vautrin. Prenez donc monsieur Eugène. Je ne voudrais pas être vue ainsi par cet homme, il a des expressions qui salissent l'âme, et des regards qui gênent une femme comme si on lui enlevait sa robe.

— Non, dit madame Couture, tu te trompes! Monsieur Vautrin est un brave homme, un peu dans le genre de défunt monsieur Couture, brusque, mais bon, un bourru bienfaisant.

En ce moment Vautrin entra tout doucement, et regarda le tableau formé par ces deux enfants que la lueur de la lampe semblait caresser.

— Eh bien! dit-il en se croisant les bras, voilà de ces scènes qui auraient inspiré de belles pages à ce bon Bernardin de Saint-Pierre, l'auteur de *Paul et Virginie*.[1] La jeunesse est bien belle, madame Couture. Pauvre enfant, dors, dit-il en contemplant Eugène, le bien vient quelquefois en dormant. Madame, reprit-il en s'adressant à la veuve, ce qui m'attache à ce jeune homme, ce qui m'émeut, c'est de savoir la beauté de son âme en harmonie avec celle de sa figure. Voyez, n'est-ce pas un chérubin posé sur l'épaule d'un ange? il est digne d'être aimé, celui-là! Si j'étais femme, je voudrais mourir (non, pas si bête!) vivre pour lui. En les admirant ainsi, madame, dit-il à voix basse et se penchant à l'oreille de la veuve, je ne puis m'empêcher de penser que Dieu les a créés pour être l'un à l'autre. La Providence a des voies bien cachées, elle sonde les reins et les cœurs, s'écria-t-il à haute voix. En vous voyant unis, mes enfants, unis par une même pureté, par tous les sentiments humains, je me dis qu'il est impossible que vous soyez jamais séparés dans l'avenir. Dieu est juste. Mais, dit-il à la jeune fille, il me semble avoir vu chez vous des lignes de prospérité. Donnez-moi votre main, mademoiselle Victorine? je me connais en chiromancie, j'ai dit souvent la bonne aventure. Allons, n'ayez pas peur. Oh! qu'aperçois-je? Foi d'honnête homme, vous serez avant peu l'une des plus riches héritières de Paris. Vous comblerez de bonheur celui qui vous aime. Votre père vous appelle auprès de lui. Vous vous mariez avec un homme titré, jeune, beau, qui vous adore.

En ce moment, les pas lourds de la coquette veuve qui descendait interrompirent les prophéties de Vautrin.

— Voilà mamman Vauquerre belle comme un astrrre, ficelée comme une carotte.[2] N'étouffons-nous pas un petit brin? lui dit-il en mettant sa main sur le haut du busc; les avant-cœurs[3] sont bien pressés, maman. Si nous pleurons, il y aura explosion; mais je ramasserai les débris avec un soin d'antiquaire.

— Il connaît le langage de la galanterie française, celui-là! dit la veuve en se penchant à l'oreille de madame Couture.

— Adieu, enfants, reprit Vautrin en se tournant vers Eugène et Victorine. Je vous bénis, leur dit-il en leur imposant ses mains au-dessus de leurs têtes. Croyez-moi, mademoiselle, c'est quelque chose que les vœux d'un honnête homme, ils doivent porter bonheur, Dieu les écoute.

— Adieu, ma chère amie, dit madame Vauquer à sa pensionnaire. Croyez-vous, ajouta-t-elle à voix basse, que monsieur Vautrin ait des intentions relatives à ma personne ?

— Heu! heu!

— Ah! ma chère mère, dit Victorine en soupirant et en regardant ses mains, quand les deux femmes furent seules, si ce bon monsieur Vautrin disait vrai!

— Mais il ne faut qu'une chose pour cela, répondit la vieille dame, seulement que ton monstre de frère tombe de cheval.

— Ah! maman.

— Mon Dieu, peut-être est-ce un péché que de souhaiter du mal à son ennemi, reprit la veuve. Eh bien! j'en ferai pénitence. En vérité, je porterai de bon cœur des fleurs sur sa tombe. Mauvais cœur! il n'a pas le courage de parler pour sa mère, dont il garde à ton détriment l'héritage par des micmacs. Ma cousine avait une belle fortune. Pour ton malheur, il n'a jamais été question de son apport dans le contrat.

— Mon bonheur me serait souvent pénible à porter s'il coûtait la vie à quelqu'un, dit Victorine. Et s'il fallait, pour être heureuse, que mon frère disparût, j'aimerais mieux toujours être ici.

— Mon Dieu, comme dit ce bon monsieur Vautrin, qui, tu le vois, est plein de religion, reprit madame Couture, j'ai eu du plaisir à savoir qu'il n'est pas incrédule comme les autres, qui parlent de Dieu avec moins de respect que n'en a le diable. Eh bien! qui peut savoir par quelles voies il plaît à la Providence de nous conduire ?

Aidées par Sylvie, les deux femmes finirent par transporter Eugène dans sa chambre, le couchèrent sur son lit, et la cuisinière lui défit ses habits pour le mettre à l'aise. Avant de partir, quand sa protectrice eut le dos tourné, Victorine mit un baiser sur le front d'Eugène avec tout le bonheur que devait lui causer ce criminel larcin. Elle regarda sa chambre, ramassa pour ainsi dire dans une seule pensée les mille félicités de cette journée, en fit un tableau qu'elle contempla longtemps, et s'endormit la plus heureuse créature de Paris. Le festoiement à la faveur duquel Vautrin avait fait boire à Eugène et au père Goriot du vin narcotisé décida la perte de cet homme.[1] Bianchon, à moitié gris, oublia de questionner mademoiselle Michonneau sur Trompe-la-Mort. S'il avait prononcé ce nom, il aurait certes éveillé la prudence de Vautrin, ou, pour lui rendre son vrai nom, de Jacques Collin, l'une des célébrités du bagne. Puis le sobriquet de Vénus du Père-Lachaise décida mademoiselle Michonneau à livrer le forçat au moment où, confiante en la générosité de Collin, elle calculait s'il ne valait pas mieux le prévenir et le faire évader pendant la nuit. Elle venait de sortir, accompagnée de Poiret, pour aller trouver le fameux chef de la police de sûreté, petite rue Sainte-Anne, croyant encore avoir affaire à un employé supérieur nommé Gondureau. Le directeur de la police judiciaire la reçut avec grâce. Puis, après une conversation où tout fut précisé, mademoiselle Michonneau demanda la potion à l'aide de laquelle elle devait opérer la vérification de la marque. Au geste de contentement que fit le grand homme de la petite rue Sainte-Anne, en cherchant une fiole dans le tiroir de son bureau, mademoiselle Michonneau devina qu'il y avait dans cette capture quelque chose de plus important que l'arrestation d'un simple forçat. A force de se creuser la cervelle, elle soupçonna que la police espérait, d'après quelques révélations faites par les traîtres du bagne, arriver à temps pour mettre la main sur des valeurs considérables. Quand elle eut exprimé ses conjectures à ce renard, il se mit à sourire, et voulut détourner les soupçons de la vieille fille.

— Vous vous trompez, répondit-il. Collin est la *sorbonne* la plus dangereuse qui jamais se soit trouvée du côté des voleurs. Voilà tout. Les coquins le savent bien; il est leur drapeau, leur soutien, leur Bonaparte enfin; ils l'aiment tous. Ce drôle ne nous laissera jamais sa *tronche* en place de Grève.[1]

Mademoiselle Michonneau ne comprenant pas, Gondureau lui expliqua les deux mots d'argot dont il s'était servi. *Sorbonne* et *tronche* sont deux énergiques expressions du langage des voleurs, qui, les premiers, ont senti la nécessité de considérer la tête humaine sous deux aspects. La *sorbonne* est la tête de l'homme vivant, son conseil, sa pensée. La *tronche* est un mot de mépris destiné à exprimer combien la tête devient peu de chose quand elle est coupée.

— Collin nous joue, reprit-il. Quand nous rencontrons de ces hommes en façon de barres d'acier trempées à l'anglaise, nous avons la ressource de les tuer si, pendant leur arrestation, ils s'avisent de faire la moindre résistance. Nous comptons sur quelques voies de fait[2] pour tuer Collin demain matin. On évite ainsi le procès, les frais de garde, la nourriture, et ça débarrasse la société. Les procédures, les assignations aux témoins, leurs indemnités, l'exécution, tout ce qui doit légalement nous défaire de ces garnements-là coûte au delà des mille écus que vous aurez. Il y a économie de temps. En donnant un bon coup de baïonnette dans la panse de Trompe-la-Mort, nous empêcherons une centaine de crimes, et nous éviterons la corruption de cinquante mauvais sujets qui se tiendront bien sagement aux environs de la correctionnelle.[1] Voilà de la police bien faite. Selon les vrais philanthropes, se conduire ainsi, c'est prévenir les crimes.

— Mais c'est servir son pays, dit Poiret.

— Eh bien! répliqua le chef, vous dites des choses sensées ce soir, vous. Oui, certes, nous servons le pays. Aussi le monde est-il bien injuste à notre égard. Nous rendons à la société de bien grands services ignorés. Enfin, il est d'un homme supérieur de se mettre au-dessus des préjugés, et d'un chrétien d'adopter les malheurs que le bien entraîne après soi quand il n'est pas fait selon les idées reçues. Paris est Paris, voyez-vous? Ce mot explique ma vie. J'ai l'honneur de vous saluer, mademoiselle. Je serai avec mes gens au Jardin-du-Roi demain. Envoyez Christophe rue de Buffon, chez monsieur Gondureau, dans la maison où j'étais. Monsieur, je suis votre serviteur. S'il vous était jamais volé quelque chose, usez de moi pour vous le faire retrouver, je suis à votre service.

— Eh bien! dit Poiret à Mademoiselle Michonneau, il se rencontre des imbéciles que ce mot de police met sens dessus dessous. Ce monsieur est très aimable, et ce qu'il vous demande est simple comme bonjour.

Le lendemain devait prendre place parmi les jours les plus extraordinaires de l'histoire de la Maison Vauquer. Jusqu'alors l'événement le plus saillant de cette vie paisible avait été l'apparition météorique de la fausse comtesse de l'Ambermesnil. Mais tout allait pâlir devant les péripéties de cette grande journée, de laquelle il serait éternellement question dans les conversations de madame Vauquer. D'abord Goriot et Eugène de Rastignac dormirent jusqu'à onze heures. Madame Vauquer, rentrée à minuit de la Gaieté,[2] resta jusqu'à dix heures et demie au lit. Le long sommeil de Christophe, qui avait achevé le vin offert par Vautrin, causa des retards dans le service de la maison. Poiret et mademoiselle Michonneau ne se plaignirent pas de ce que le déjeuner se reculait. Quant à Victorine et à madame Couture, elles dormirent la grasse matinée. Vautrin sortit avant huit heures, et revint au moment même où le déjeuner fut servi. Personne ne réclama donc, lorsque, vers onze heures un quart, Sylvie et Christophe allèrent frapper à toutes les portes, en disant que le déjeuner attendait. Pendant que Sylvie et le domestique s'absentèrent, mademoiselle Michonneau, descendant la première, versa la liqueur dans le gobelet d'argent appartenant à Vautrin, et dans lequel la crème pour son café chauffait au bain-marie, parmi tous les autres. La vieille fille avait compté sur cette particularité de la pension pour faire son coup. Ce ne fut pas sans quelques difficultés que les sept pensionnaires se trouvèrent réunis. Au moment où Eugène, qui se détirait les bras, descendait le dernier de tous, un commissionnaire lui remit une lettre de madame de Nucingen. Cette lettre était ainsi conçue :

« Je n'ai ni fausse vanité ni colère avec vous, mon ami. Je vous ai attendu jusqu'à deux heures après minuit. Attendre un être que l'on aime ! Qui a connu ce supplice ne l'impose à personne. Je vois bien que vous aimez pour la première fois. Qu'est-il donc arrivé ? L'inquiétude m'a prise. Si je n'avais craint de livrer les secrets de mon cœur, je serais allée savoir ce qui vous advenait d'heureux ou de malheureux. Mais sortir à cette heure, soit à pied, soit en voiture, n'était-ce pas se perdre ? J'ai senti le malheur d'être femme. Rassurez-moi, expliquez-moi pourquoi vous n'êtes pas venu, après ce que vous a dit mon père. Je me fâcherai, mais je vous pardonnerai. Êtes-vous malade ? pourquoi se loger si loin ? Un mot de grâce. A bientôt, n'est-ce pas ? Un mot me suffira si vous êtes occupé. Dites : J'accours, ou je souffre. Mais si vous étiez mal portant, mon père serait venu me le dire ! Qu'est-il donc arrivé ? . . . »

— Oui, qu'est-il arrivé ? s'écria Eugène qui se précipita dans la salle à manger en froissant la lettre sans l'achever. Quelle heure est-il ?

— Onze heures et demie, dit Vautrin en sucrant son café.

Le forçat évadé jeta sur Eugène le regard froidement fascinateur que certains hommes éminemment magnétiques ont le don de lancer, et qui, dit-on, calme les fous furieux dans les maisons d'aliénés. Eugène trembla de tous ses membres. Le bruit d'un fiacre se fit entendre dans la rue, et un domestique à la livrée de monsieur Taillefer, et que reconnut sur-le-champ madame Couture, entra précipitamment d'un air effaré.

— Mademoiselle, s'écria-t-il, monsieur votre père vous demande. Un grand malheur est arrivé. Monsieur Frédéric s'est battu en duel, il a reçu un coup d'épée dans le front, les médecins désespèrent de le sauver ; vous aurez à peine le temps de lui dire adieu, il n'a plus sa connaissance.

— Pauvre jeune homme ! s'écria Vautrin. Comment se querelle-t-on quand on a trente bonnes mille livres de rente ? Décidément la jeunesse ne sait pas se conduire.

— Monsieur! lui cria Eugène.

— Eh bien! quoi, grand enfant? dit Vautrin en achevant de boire son café tranquillement, opération que mademoiselle Michonneau suivait de l'œil avec trop d'attention pour s'émouvoir de l'événement extraordinaire qui stupéfiait tout le monde. N'y a-t-il pas des duels tous les matins à Paris?

— Je vais avec vous, Victorine, disait madame Couture.

Et ces deux femmes s'envolèrent sans châle ni chapeau. Avant de s'en aller, Victorine, les yeux en pleurs, jeta sur Eugène un regard qui lui disait: Je ne croyais pas que notre bonheur dût me causer des larmes!

— Bah! vous êtes donc prophète, monsieur Vautrin? dit madame Vauquer.

— Je suis tout, dit Jacques Collin.

— C'est-y singulier! reprit madame Vauquer en enfilant une suite de phrases insignifiantes sur cet événement. La mort nous prend sans nous consulter. Les jeunes gens s'en vont souvent avant les vieux. Nous sommes heureuses, nous autres femmes, de n'être pas sujettes au duel; mais nous avons d'autres maladies que n'ont pas les hommes. Nous faisons les enfants, et le mal de mère[1] dure longtemps! Quel quine[2] pour Victorine! Son père est forcé de l'adopter.

— Voilà! dit Vautrin en regardant Eugène, hier elle était sans un sou, ce matin elle est riche de plusieurs millions.

— Dites donc, monsieur Eugène, s'écria madame Vauquer, vous avez mis la main au bon endroit.

A cette interpellation, le père Goriot regarda l'étudiant et lui vit à la main la lettre chiffonnée.

— Vous ne l'avez pas achevée! qu'est-ce que cela veut dire? seriez-vous comme les autres? lui demanda-t-il.

— Madame, je n'épouserai jamais mademoiselle Victorine, dit Eugène en s'adressant à madame Vauquer avec un sentiment d'horreur et de dégoût qui surprit les assistants.

Le père Goriot saisit la main de l'étudiant et la lui serra. Il aurait voulu la baiser.

— Oh, oh! fit Vautrin. Les Italiens ont un bon mot: *col tempo!*[3]

— J'attends la réponse, dit à Rastignac le commissionnaire de madame de Nucingen.

— Dites que j'irai.

L'homme s'en alla. Eugène était dans un violent état d'irritation qui ne lui permettait pas d'être prudent. — Que faire? disait-il à haute voix, en se parlant à lui-même. Point de preuves!

Vautrin se mit à sourire. En ce moment la potion absorbée par l'estomac commençait à opérer. Néanmoins le forçat était si robuste qu'il se leva, regarda Rastignac, lui dit d'une voix creuse: — Jeune homme, le bien nous vient en dormant.

Et il tomba roide mort.

— Il y a donc une justice divine, dit Eugène.

— Eh bien! qu'est-ce qui lui prend donc, à ce pauvre cher monsieur Vautrin?

— Une apoplexie, cria mademoiselle Michonneau.

— Sylvie, allons, ma fille, va chercher le médecin, dit la veuve. Ah! monsieur Rastignac, courez donc vite chez monsieur Bianchon; Sylvie peut ne pas rencontrer notre médecin, monsieur Grimprel.

Rastignac, heureux d'avoir un prétexte de quitter cette épouvantable caverne, s'enfuit en courant.

— Christophe, allons, trotte chez l'apothicaire demander quelque chose contre l'apoplexie.

Christophe sortit.

— Mais, père Goriot, aidez-nous donc à le transporter là-haut, chez lui.

Vautrin fut saisi, manœuvré à travers l'escalier et mis sur son lit.

— Je ne vous suis bon à rien, je vais voir ma fille, dit monsieur Goriot.

— Vieil égoïste! s'écria madame Vauquer, va, je te souhaite de mourir comme un chien.

— Allez donc voir si vous avez de l'éther, dit à madame Vauquer mademoiselle Michonneau qui, aidée par Poiret, avait défait les habits de Vautrin.

Madame Vauquer descendit chez elle et laissa mademoiselle Michonneau maîtresse du champ de bataille.

— Allons, ôtez-lui donc sa chemise et retournez-le vite! Soyez donc bon à quelque chose en m'évitant de voir des nudités, dit-elle à Poiret. Vous restez là comme Baba.[1]

Vautrin retourné, mademoiselle Michonneau appliqua sur l'épaule du malade une forte claque et les deux fatales lettres reparurent en blanc au milieu de la place rouge.

— Tiens, vous avez bien lestement gagné votre gratification de trois mille francs, s'écria Poiret en tenant Vautrin debout, pendant que mademoiselle Michonneau lui remettait sa chemise. — Ouf! il est lourd, reprit-il en le couchant.

— Taisez-vous. S'il y avait une caisse? dit vivement la vieille fille dont les yeux semblaient percer les murs, tant elle examinait avec avidité les moindres meubles de la chambre. — Si l'on pouvait ouvrir ce secrétaire, sous un prétexte quelconque ? reprit-elle.

— Ce serait peut-être mal, répondit Poiret.

— Non. L'argent volé, ayant été celui de tout le monde, n'est plus à personne. Mais le temps nous manque, répondit-elle. J'entends la Vauquer.

— Voilà de l'éther, dit madame Vauquer, Par exemple, c'est aujourd'hui la journée aux aventures. Dieu ! cet homme-là ne peut pas être malade, il est blanc comme un poulet.

— Comme un poulet ? répéta Poiret.

— Son cœur bat régulièrement, dit la veuve en lui posant la main sur le cœur.

— Régulièrement ? dit Poiret étonné.

— Il est très bien.

— Vous trouvez ? demanda Poiret.

— Dame ! il a l'air de dormir. Sylvie est allée chercher un médecin. Dites donc, mademoiselle Michonneau, il renifle à l'éther. Bah ! c'est un *se-passe* (un spasme). Son pouls est bon. Il est fort comme un Turc. Voyez donc, mademoiselle, quelle palatine[1] il a sur l'estomac; il vivra cent ans, cet homme-là ! Sa perruque tient bien tout de même. Tiens, elle est collée, il a de faux cheveux, rapport à ce qu'il est rouge. On dit qu'ils sont tout bons ou tout mauvais, les rouges ! Il serait donc bon, lui ?

— Bon à pendre, dit Poiret.

— Vous voulez dire au cou d'une jolie femme, s'écria vivement mademoiselle Michonneau. Allez-vous-en donc, monsieur Poiret. Ça nous regarde, nous autres, de vous soigner quand vous êtes malades. D'ailleurs, pour ce à quoi vous êtes bon, vous pouvez bien vous promener, ajouta-t-elle. Madame Vauquer et moi, nous garderons bien ce cher monsieur Vautrin.

Poiret s'en alla doucement et sans murmurer, comme un chien à qui son maître donne un coup de pied. Rastignac était sorti pour marcher, pour prendre l'air, il étouffait. Ce crime commis à heure fixe, il avait voulu l'empêcher la veille. Qu'était-il arrivé ? Que devait-il faire ? Il tremblait d'en être le complice. Le sang-froid de Vautrin l'épouvantait encore.

— Si cependant Vautrin mourait sans parler, se disait Rastignac.

Il allait à travers les allées du Luxembourg, comme s'il eût été traqué par une meute de chiens, et il lui semblait en entendre les aboiements.

— Eh bien ! lui cria Bianchon, as-tu lu *Le Pilote* ?

Le Pilote était une feuille radicale dirigée par monsieur Tissot, et qui donnait pour la province, quelques heures après les journaux du matin, une édition où se trouvaient les nouvelles du jour, qui alors avaient, dans les départements, vingt-quatre heures d'avance sur les autres feuilles.

— Il s'y trouve une fameuse histoire, dit l'interne de l'hôpital Cochin. Le fils Taillefer s'est battu en duel avec le comte Franchessini, de la vieille garde, qui lui a mis deux pouces de fer dans le front. Voilà la petite Victorine un des plus riches partis de Paris. Hein! si l'on avait su cela? Quel trente-et-quarante[1] que la mort! Est-il vrai que Victorine te regardait d'un bon œil, toi?

— Tais-toi, Bianchon, je ne l'épouserai jamais. J'aime une délicieuse femme, j'en suis aimé, je . . .

— Tu dis cela comme si tu te battais les flancs pour ne pas être infidèle. Montre-moi donc une femme qui vaille le sacrifice de la fortune du sieur Taillefer.

— Tous les démons sont donc après moi? s'écria Rastignac.

— Après qui donc en as-tu?[2] es-tu fou? Donne-moi donc la main, dit Bianchon, que je te tâte le pouls. Tu as la fièvre.

— Va donc chez la mère Vauquer, lui dit Eugène, ce scélérat de Vautrin vient de tomber comme mort.

— Ah! dit Bianchon, qui laissa Rastignac seul, tu me confirmes des soupçons que je veux aller vérifier.

La longue promenade de l'étudiant en droit fut solennelle. Il fit en quelque sorte le tour de sa conscience. S'il flotta, s'il examina, s'il hésita, du moins sa probité sortit de cette âpre et terrible discussion éprouvée comme une barre de fer qui résiste à tous les essais. Il se souvint des confidences que le père Goriot lui avait faites la veille, il se rappela l'appartement choisi pour lui près de Delphine, rue d'Artois; il reprit sa lettre, la relut, la baisa. — Un tel amour est mon ancre de salut, se dit-il. Ce pauvre vieillard a bien souffert par le cœur. Il ne dit rien de ses chagrins, mais qui ne les devinerait pas! Eh bien! j'aurais soin de lui comme d'un père, je lui donnerai mille jouissances. Si elle m'aime, elle viendra souvent chez moi passer la journée près de lui. Cette grande comtesse de Restaud est une infâme, elle ferait un portier de son père. Chère Delphine! elle est meilleure pour le bonhomme, elle est digne d'être aimée. Ah! ce soir je serai donc heureux! Il tira la montre, l'admira. — Tout m'a réussi! Quand on s'aime bien pour toujours, l'on peut s'aider, je puis recevoir cela. D'ailleurs je parviendrai, certes, et pourrai tout rendre au centuple. Il n'y a dans cette liaison ni crime, ni rien qui puisse faire froncer le sourcil à la vertu la plus sévère. Combien d'honnêtes gens contractent des unions semblables! Nous ne trompons personne; et ce qui nous avilit, c'est le mensonge. Mentir, n'est-ce pas abdiquer? Elle s'est depuis longtemps séparée de son mari. D'ailleurs, je lui dirai, moi, à cet Alsacien, de me céder une femme qu'il lui est impossible de rendre heureuse.

Le combat de Rastignac dura longtemps. Quoique la victoire[1] dût rester aux vertus de la jeunesse, il fut néanmoins ramené par une invincible curiosité sur les quatre heures et demie, à la nuit tombante, vers la Maison Vauquer, qu'il se jurait à lui-même de quitter pour toujours. Il voulait savoir si Vautrin était mort. Après avoir eu l'idée de lui administrer un vomitif, Bianchon avait fait porter à son hôpital les matières rendues par Vautrin, afin de les analyser chimiquement. En voyant l'insistance que mit mademoiselle Michonneau à vouloir les faire jeter, ses doutes se fortifièrent. Vautrin fut d'ailleurs trop promptement rétabli pour que Bianchon ne soupçonnât pas quelque complot contre le joyeux boute-en-train de la pension. A l'heure où rentra Rastignac, Vautrin se trouvait donc debout près du poêle dans la salle à manger. Attirés plus tôt que de coutume par la nouvelle du duel de Taillefer le fils, les pensionnaires, curieux de connaître les détails de l'affaire et l'influence qu'elle avait eue sur la destinée de Victorine, étaient réunis, moins le père Goriot, et devisaient de cette aventure. Quand Eugène entra, ses yeux rencontrèrent ceux de l'imperturbable Vautrin, dont le regard pénétra si avant dans son cœur et y remua si fortement quelques cordes mauvaises, qu'il en frissonna.

— Eh bien! cher enfant, lui dit le forçat évadé, la Camuse[2] aura longtemps tort avec moi. J'ai, selon ces dames, soutenu victorieuse-ment un coup de sang qui aurait dû tuer un bœuf.

— Ah! vous pouvez bien dire un taureau, s'écria la veuve Vauquer.

— Seriez-vous donc fâché de me voir en vie? dit Vautrin à l'oreille de Rastignac, dont il crut deviner les pensées. Ce serait d'un homme diantrement fort!

— Ah! ma foi, dit Bianchon, mademoiselle Michonneau parlait avant-hier d'un monsieur surnommé *Trompe-la-Mort*; ce nom-là vous irait bien.

Ce mot produisit sur Vautrin l'effet de la foudre: il pâlit et chancela, son regard magnétique tomba comme un rayon de soleil sur mademoiselle Michonneau, à laquelle ce jet de volonté cassa les jarrets.[3] La vieille fille se laissa couler sur une chaise. Poiret s'avança vivement[1] entre elle et Vautrin, comprenant qu'elle était en danger, tant la figure du forçat devint férocement significative en déposant le masque bénin sous lequel se cachait sa vraie nature. Sans rien comprendre encore à ce drame, tous les pensionnaires restèrent ébahis. En ce moment, l'on entendit le pas de plusieurs hommes, et le bruit de quelques fusils que des soldats firent sonner sur le pavé de la rue. Au moment où Collin cherchait machinalement une issue en regardant les fenêtres et les murs, quatre hommes se montrèrent à la porte du salon. Le premier était le chef de la police de sûreté, les trois autres étaient des officiers de paix.

— Au nom de la loi et du roi, dit un des officiers dont le discours fut couvert par un murmure d'étonnement.

Bientôt le silence régna dans la salle à manger, les pensionnaires se séparèrent pour livrer passage à trois de ces hommes qui tous avaient la main dans leur poche de côté et y tenaient un pistolet armé. Deux gendarmes qui suivaient les agents occupèrent la porte du salon, et deux autres se montrèrent à celle qui sortait par l'escalier. Le pas et les fusils de plusieurs soldats retentirent sur le pavé caillouteux qui longeait la façade. Tout espoir de fuite fut donc interdit à Trompe-la-Mort, sur qui tous les regards[2] s'arrêtèrent irrésistiblement. Le chef alla droit à lui, commença par lui donner sur la tête une tape si violemment appliquée qu'il fit sauter la perruque et rendit à la tête de Collin toute son horreur. Accompagnées de cheveux rouge-brique et courts qui leur donnaient un épouvantable caractère de force mêlée de ruse, cette tête et cette face, en harmonie avec le buste, furent intelligemment illuminées comme si les feux de l'enfer les eussent éclairées. Chacun comprit tout Vautrin,[3] son passé, son présent, son avenir, ses doctrines implacables, la religion de son bon plaisir, la royauté que lui donnaient le cynisme de ses pensées, de ses actes, et la force d'une organisation faite à tout. Le sang lui monta au visage, et ses yeux brillèrent comme ceux d'un chat sauvage. Il bondit sur lui-même par un mouvement empreint d'une si féroce énergie, il rugit si bien qu'il arracha des cris de terreur à tous les pensionnaires. A ce geste de lion, et s'appuyant de la clameur générale, les agents tirèrent leurs pistolets. Collin comprit son danger en voyant briller le chien de chaque arme, et donna tout à coup la preuve de la plus haute puissance humaine. Horrible et majestueux spectacle! sa physionomie présenta un phénomène qui ne peut être comparé qu'à celui de la chaudière pleine de cette vapeur fumeuse qui soulèverait des montagnes, et que dissout en un clin d'œil une goutte d'eau froide. La goutte d'eau qui froidit sa rage fut une réflexion rapide comme un éclair.[1] Il se mit à sourire et regarda sa perruque.

— Tu n'es pas dans tes jours de politesse, dit-il au chef de la police de sûreté. Et il tendit ses mains aux gendarmes en les appelant par un signe de tête. Messieurs les gendarmes, mettez-moi les menottes ou les poucettes. Je prends à témoin les personnes présentes que je ne résiste pas. Un murmure admiratif, arraché par la promptitude avec laquelle la lave et le feu sortirent et rentrèrent dans ce volcan humain, retentit dans la salle. — Ça te la coupe,[2] monsieur l'enfonceur,[3] reprit le forçat en regardant le célèbre directeur de la police judiciaire.

— Allons, qu'on se déshabille, lui dit l'homme de la petite rue Sainte-Anne d'un air plein de mépris.

— Pourquoi? dit Collin, il y a des dames. Je ne nie rien, et je me rends.

Il fit une pause, et regarda l'assemblée comme un orateur qui va dire des choses surprenantes.

— Écrivez, papa Lachapelle, dit-il en s'adressant à un petit vieillard en cheveux blancs qui s'était assis au bout de la table après avoir tiré d'un portefeuille le procès-verbal de l'arrestation. Je reconnaîs être Jacques Collin, dit Trompe-la-Mort, condamné à vingt ans de fers; et je viens de prouver que je n'ai pas volé mon surnom. Si j'avais seulement levé la main, dit-il aux pensionnaires, ces trois mouchards-là répandaient tout mon *raisiné* sur le *trimar*[4] domestique de maman Vauquer. Ces drôles se mêlent de combiner des guet-apens!

Madame Vauquer se trouva mal en entendant ces mots.

— Mon Dieu! c'est à en faire une maladie; moi qui étais hier à la Gaîté avec lui, dit-elle à Sylvie.

— De la philosophie, maman, reprit Collin. Est-ce un malheur d'être allée dans ma loge hier, à la Gaîté? s'écriat-il. Êtes-vous meilleure que nous? Nous avons moins d'infamie sur l'épaule que vous n'en avez dans le cœur, membres flasques d'une société gangrenée: le meilleur d'entre vous ne me résistait pas. Ses yeux s'arrêtèrent sur Rastignac, auquel il adressa un sourire gracieux qui contrastait singulièrement avec la rude expression de sa figure. — Notre marché va toujours, mon ange, en cas d'acceptation, toutefois! Vous savez? Il chanta!

> *Ma Fanchette est charmante*
> *Dans sa simplicité.*

— Ne soyez pas embarrassé, reprit-il, je sais faire mes recouvre-ments. L'on me craint trop pour me flouer, moi!

Le bagne avec ses mœurs et son langage, avec ses brusques transitions du plaisant à l'horrible, son épouvantable grandeur, sa familiarité, sa bassesse, fut tout à coup représenté dans cette interpellation et par cet homme, qui ne fut plus un homme, mais le type de toute une nation dégénérée, d'un peuple sauvage et logique, brutal et souple. En un moment Collin devint un poème infernal où se peignirent tous les sentiments humains, moins un seul, celui du repentir. Son regard était celui de l'archange déchu qui veut toujours la guerre. Rastignac baissa les yeux en acceptant ce cousinage criminel comme une expiation de ses mauvaises pensées.

— Qui m'a trahi? dit Collin en promenant son terrible regard sur l'assemblée. Et l'arrêtant sur mademoiselle Michonneau: C'est toi, lui dit-il, vieille cagnotte,[1] tu m'as donné un faux coup de sang, curieuse! En disant deux mots, je pourrais te faire scier le cou dans huit jours. Je te pardonne, je suis chrétien. D'ailleurs ce n'est pas toi qui m'as vendu. Mais qui? — Ah! ah! vous fouillez là-haut, s'écria-t-il en entendant les officiers de la police judiciaire qui ouvraient ses armoires et s'emparaient de ses effets. Dénichés les oiseaux, envolés d'hier. Et vous ne saurez rien. Mes livres de commerce sont là, dit-il en se frappant le front. Je sais qui m'a vendu maintenant. Ce ne peut-être que ce grcdin de Fil-de-Soie. Pas vrai, père l'empoigneur? dit-il au chef de police. Ça s'accorde trop bien avec le séjour de nos billets de banque là-haut. Plus rien, mes petits mouchards. Quant à Fil-de-Soie, il sera *terré*[2] sous quinze jours, lors même que vous le feriez garder par toute votre gendarmerie. — Que lui avez-vous donné, à cette Michonnette? dit-il aux gens de la police, quelque millier d'écus? Je valais mieux que ça, Ninon[3] cariée, Pompadour en loqucs, Vénus du Père Lachaise. Si tu m'avais prévenu, tu aurais eu six mille francs. Ah! tu ne t'en doutais pas, vieille vendeuse de chair, sans quoi j'aurais eu la préférence. Oui, je les aurais donnés pour éviter un voyage qui me contrarie et qui me fait perdre de l'argent, disait-il pendant qu'on lui mettait les menottes. Ces gens-là vont se faire un plaisir de me traîner un temps infini pour m'*otolondrer*.[4] S'ils m'envoyaient tout de suite au bagne, je serais bientôt rendu à mes occupations, malgré nos petits badauds[5] du quai des Orfèvres.[6] Là-bas, ils vont tous se mettre l'âme à l'envers pour faire évader leur général, ce bon Trompe-la-Mort! Y a-t-il un de vous qui soit, comme moi, riche de plus de dix mille frères prêts à tout faire pour vous? demanda-t-il avec fierté. Il y a du bon là, dit-il en se frappant le cœur; je n'ai jamais trahi personne! Tiens, cagnotte, vois-les, dit-il en s'adressant à la vieille fille. Ils me regardent avec terreur, mais toi tu leur soulèves le cœur de dégoût. Ramasse ton lot. Il fit une pause en contemplant les pensionnaires. — Êtes-vous bêtes, vous autres! n'avez-vous jamais vu de forçat? Un forçat de la trempe de Collin, ici présent, est un homme moins lâche que les autres, et qui proteste contre les profondes déceptions du contrat social, comme dit Jean-Jacques,[1] dont je me glorifie d'être l'élève. Enfin, je suis seul contre le gouvernement avec son tas de tribunaux, de gendarmes, de budgets, et je les roule.

— Diantre! dit le peintre, il est fameusement beau à dessiner.

— Dis-moi, menin[2] de monseigneur le bourreau, gouverneur de la Veuve (nom plein de terrible poésie que les forçats donnent à la guillotine), ajouta-t-il en se tournant vers le chef de la police de sûreté, sois bon enfant, dis-moi si c'est Fil-de-Soie qui m'a vendu![3] Je ne voudrais pas qu'il payât pour un autre, ce ne serait pas juste.

En ce moment les agents qui avaient tout ouvert et tout inventorié chez lui rentrèrent et parlèrent à voix basse au chef de l'expédition. Le procès-verbal était fini.

— Messieurs, dit Collin en s'adressant aux pensionnaires, ils vont m'emmener. Vous avez été tous très aimables pour moi pendant mon séjour ici, j'en aurai de la reconnaissance. Recevez mes adieux. Vous me permettrez de vous envoyer des figues de Provence.[4] Il fit quelques pas, et se retourna pour regarder Rastignac. Adieu, Eugène, dit-il d'une voix douce et triste qui contrastait singulièrement avec le ton brusque de ses discours. Si tu étais gêné, je t'ai laissé un ami dévoué. Malgré ses menottes, il put se mettre en garde, fit un appel de maître d'armes, cria: Une, deux! et se fendit. En cas de malheur, adresse-toi là. Homme et argent, tu peux disposer de tout.

Ce singulier personnage mit assez de bouffonnerie dans ces dernières paroles pour qu'elles ne pussent être comprises que de Rastignac et de lui. Quand la maison fut évacuée par les gendarmes, par les soldats et par les agents de la police, Sylvie, qui frottait de vinaigre les tempes de sa maîtresse, regarda les pensionnaires étonnés.

— Eh bien! dit-elle, c'était un bon homme tout de même.

Cette phrase rompit le charme que produisaient sur chacun l'affluence et la diversité des sentiments excités par cette scène. En ce moment, les pensionnaires, après s'être examinés entre eux, virent tous à la fois mademoiselle Michonneau grêle, sèche et froide autant qu'une momie, tapie près du poêle, les yeux baissés, comme si elle eût craint que l'ombre de son abat-jour ne fût pas assez forte pour cacher l'expression de ses regards. Cette figure, qui leur était antipathique depuis si longtemps, fut tout à coup expliquée.[1] Un murmure, qui, par sa parfaite unité de son, trahissait un dégoût unanime, retentit sourdement. Mademoiselle Michonneau l'entendit et resta. Bianchon, le premier, se pencha vers son voisin.

— Je décampe si cette fille doit continuer à dîner avec nous, dit-il à demi-voix.

En un clin d'œil chacun, moins Poiret, approuva la proposition de l'étudiant en médecine, qui, fort de l'adhésion générale, s'avança vers le vieux pensionnaire.

— Vous qui êtes lié particulièrement avec mademoiselle Michonneau, lui dit-il, parlez-lui, faites-lui comprendre qu'elle doit s'en aller à l'instant même.

— A l'instant même ? répéta Poiret étonné.

Puis il vint auprès de la vieille, et lui dit quelques mots à l'oreille.

— Mais mon terme est payé, je suis ici pour mon argent comme tout le monde, dit-elle en lançant un regard de vipère sur les pensionnaires.

— Qu'à cela ne tienne, nous nous cotiserons pour vous le rendre, dit Rastignac.

— Monsieur soutient Collin, répondit-elle en jetant sur l'étudiant un regard venimeux et interrogateur, il n'est pas difficile de savoir pourquoi.

A ce mot, Eugène bondit comme pour se ruer sur la vieille fille et l'étrangler. Ce regard, dont il comprit les perfidies, venait de jeter une horrible lumière dans son âme.

— Laissez-la donc, s'écrièrent les pensionnaires.

Rastignac se croisa les bras et resta muet.[2]

— Finissons-en avec mademoiselle Judas, dit le peintre en s'adressant à madame Vauquer. Madame, si vous ne mettez pas à la porte la Michonneau, nous quittons tous votre baraque, et nous dirons partout qu'il ne s'y trouve que des espions et des forçats. Dans le cas contraire, nous nous tairons tous sur cet événement, qui, au bout du compte, pourrait arriver dans les meilleures sociétés, jusqu'à ce qu'on marque les galériens au front, et qu'on leur défende de se déguiser en bourgeois de Paris, et de se faire aussi bêtement farceurs qu'ils le sont tous.

A ce discours, madame Vauquer retrouva miraculeusement la

santé, se redressa, se croisa les bras, ouvrit ses yeux clairs et sans apparence de larmes.

— Mais, mon cher monsieur, vous voulez donc la ruine de ma maison ? Voilà monsieur Vautrin.... Oh! mon Dieu, se dit-elle en s'interrompant elle-même, je ne puis pas m'empêcher de l'appeler par son nom d'honnête homme! Voilà, reprit-elle, un appartement vide, et vous voulez que j'en aie deux de plus à louer dans une saison où tout le monde est casé.

— Messieurs, prenons nos chapeaux, et allons dîner place Sorbonne, chez Flicoteaux,¹ dit Bianchon.

Madame Vauquer calcula d'un seul coup d'œil le parti le plus avantageux, et roula jusqu'à mademoiselle Michonneau.

— Allons, ma chère petite belle, vous ne voulez pas la mort de mon établissement, hein ? Vous voyez à quelle extrémité me réduisent ces messieurs ; remontez dans votre chambre pour ce soir.

— Du tout, du tout, crièrent les pensionnaires, nous voulons qu'elle sorte à l'instant.

— Mais elle n'a pas dîné, cette pauvre demoiselle, dit Poiret d'un ton piteux.

— Elle ira dîner où elle voudra, crièrent plusieurs voix.

— A la porte, la moucharde !

— A la porte, les mouchards !

— Messieurs, s'écria Poiret, qui s'éleva tout à coup à la hauteur du courage que l'amour prête aux béliers, respectez une personne du sexe.

— Les mouchards ne sont d'aucun sexe, dit le peintre.

— Fameux sexorama !

— A la portorama !

— Messieurs, ceci est indécent. Quand on renvoie les gens, on doit y mettre des formes. Nous avons payé, nous restons, dit Poiret en se couvrant de sa casquette et se plaçant sur une chaise à côté de mademoiselle Michonneau, que prêchait madame Vauquer.

— Méchant, lui dit le peintre d'un air comique, petit méchant, va !

— Allons, si vous ne vous en allez pas, nous nous en allons, nous autres, dit Bianchon.

Et les pensionnaires firent en masse un mouvement vers le salon.

— Mademoiselle, que voulez-vous donc ? s'écria madame Vauquer, je suis ruinée. Vous ne pouvez pas rester, ils vont en venir à des actes de violence.

Mademoiselle Michonneau se leva.

— Elle s'en ira ! — Elle ne s'en ira pas ! — Elle s'en ira ! — Elle ne s'en ira pas! Ces mots dits alternativement, et l'hostilité des propos qui commençaient à se tenir sur elle, contraignirent mademoiselle Michonneau à partir, après quelques stipulations faites à voix basse avec l'hôtesse.

— Je vais chez madame Buneaud, dit-elle d'un air menaçant.

— Allez où vous voudrez, mademoiselle, dit madame Vauquer, qui vit une cruelle injure dans le choix qu'elle faisait d'une maison avec laquelle elle rivalisait, et qui lui était conséquemment odieuse. Allez chez la Buneaud, vous aurez du vin à faire danser les chèvres, et des plats achetés chez les regrattiers.

Les pensionnaires se mirent sur deux files dans le plus grand silence. Poiret regarda si tendrement mademoiselle Michonneau, il se montra si naïvement indécis, sans savoir s'il devait la suivre ou rester, que les pensionnaires, heureux du départ de mademoiselle Michonneau, se mirent à rire en se regardant.

— Xi, xi, xi,[1] Poiret, lui cria le peintre. Allons, houpe là, haoup!

L'employé au Muséum se mit à chanter comiquement ce début d'une romance connue :

> *Partant pour la Syrie,*
> *Le jeune et beau Dunois*[2] . . .

— Allez donc, vous en mourez d'envie, *trahit sua quemque voluptas,*[3] dit Bianchon.

— Chacun suit sa particulière, traduction libre de Virgile, dit le répétiteur.

Mademoiselle Michonneau ayant fait le geste de prendre le bras de Poiret en le regardant, il ne put résister à cet appel, et vint donner son appui à la vieille. Des applaudissements éclatèrent, et il y eut une explosion de rires. — Bravo, Poiret! — Ce vieux Poiret! — Apollon-Poiret. — Mars-Poiret. — Courageux Poiret!

En ce moment, un commissionnaire entra, remit une lettre à madame Vauquer, qui se laissa couler sur sa chaise, après l'avoir lue.

— Mais il n'y a plus qu'à brûler ma maison, le tonnerre y tombe. Le fils Taillefer est mort à trois heures. Je suis bien punie d'avoir souhaité du bien à ces dames au détriment de ce pauvre jeune homme. Madame Couture et Victorine me redemandent leurs effets, et vont demeurer chez son père. Monsieur Taillefer permet à sa fille de garder la veuve Couture comme demoiselle de compagnie. Quatre appartements vacants, cinq pensionnaires de moins! Elle s'assit et parut près de pleurer. Le malheur est entré chez moi, s'écria-t-elle.

G

Le roulement d'une voiture qui s'arrêtait retentit tout à coup dans la rue.

— Encore quelque chape-chute,[1] dit Sylvie.

Goriot montra soudain une physionomie brillante et colorée de bonheur, qui pouvait faire croire à sa régénération.

— Goriot en fiacre, dirent les pensionnaires, la fin du monde arrive.

Le bonhomme alla droit à Eugène, qui restait pensif dans un coin, et le prit par le bras : — Venez, lui dit-il d'un air joyeux.

— Vous ne savez donc pas ce qui se passe ? lui dit Eugène. Vautrin était un forçat que l'on vient d'arrêter, et le fils Taillefer est mort.

— Eh bien ! qu'est-ce que ça nous fait ?[2] répondit le père Goriot. Je dîne avec ma fille, chez vous, entendez-vous ? Elle vous attend, venez !

Il tira si violemment Rastignac par le bras, qu'il le fit marcher de force, et parut l'enlever comme si c'eût été sa maîtresse.

— Dînons, cria le peintre.

En un moment chacun prit sa chaise et s'attabla.

— Par exemple, dit la grosse Sylvie, tout est malheur aujourd'hui, mon haricot de mouton s'est attaché.[3] Bah ! vous le mangerez brûlé, tant pire !

Madame Vauquer n'eut pas le courage de dire un mot en ne voyant que dix personnes au lieu de dix-huit autour de sa table ; mais chacun tenta de la consoler et de l'égayer. Si d'abord les externes s'entretinrent de Vautrin et des événements de la journée, ils obéirent bientôt à l'allure serpentine de leur conversation, et se mirent à parler des duels, du bagne, de la justice, des lois à refaire, des prisons. Puis ils se trouvèrent à mille lieues de Jacques Collin, de Victorine et de son frère. Quoiqu'ils ne fussent que dix, ils crièrent comme vingt, et semblaient être plus nombreux qu'à l'ordinaire ; ce fut toute la différence qu'il y eut entre ce dîner et celui de la veille. L'insouciance habituelle de ce monde égoïste qui, le lendemain, devait avoir dans les événements quotidiens de Paris une autre proie à dévorer,[4] reprit le dessus, et madame Vauquer elle-même se laissa calmer par l'espérance, qui emprunta la voix de la grosse Sylvie.

Cette journée devait être jusqu'au soir une fantasmagorie pour Eugène, qui, malgré la force de son caractère et la bonté de sa tête, ne savait comment classer ses idées, quand il se trouva dans le fiacre à côté du père Goriot dont les discours trahissaient une joie inaccoutumée, et retentissaient à son oreille, après tant d'émotions, comme les paroles que nous entendons en rêve.

— C'est fini de ce matin. Nous dînons tous les trois ensemble, ensemble! comprenez-vous? Voici quatre ans que je n'ai dîné avec ma Delphine, ma petite Delphine. Je vais l'avoir à moi pendant toute une soirée. Nous sommes chez vous depuis ce matin. J'ai travaillé comme un manœuvre, habit bas. J'aidais à porter les meubles. Ah! ah! vous ne savez pas comme elle est gentille à table, elle s'occupera de moi: « Tenez, papa, mangez donc de cela, c'est bon. » Et alors je ne peux pas manger. Oh! y a-t-il longtemps que je n'ai été tranquille avec elle comme nous allons l'être!

— Mais, lui dit Eugène, aujourd'hui le monde est donc renversé?

— Renversé? dit le père Goriot. Mais à aucune époque le monde n'a si bien été. Je ne vois que des figures gaies dans les rues, des gens qui se donnent des poignées de main, et qui s'embrassent; des gens heureux comme s'ils allaient tous dîner chez leurs filles, y *gobichonner*[1] un bon petit dîner qu'elle a commandé devant moi au chef du café des Anglais.[2] Mais bah! près d'elle le chicotin[3] serait doux comme miel.

— Je crois revenir à la vie, dit Eugène.

— Mais marchez donc, cocher, cria le père Goriot en ouvrant la glace de devant. Allez donc plus vite, je vous donnerai cent sous pour boire si vous me menez en dix minutes là où vous savez. En entendant cette promesse, le cocher traversa Paris avec la rapidité de l'éclair.

— Il ne va pas, ce cocher, disait le père Goriot.

— Mais où me conduisez-vous donc, lui demanda Rastignac.

— Chez vous, dit le père Goriot.

La voiture s'arrêta rue d'Artois. Le bonhomme descendit le premier et jeta dix francs au cocher, avec la prodigalité d'un homme veuf qui, dans le paroxysme de son plaisir, ne prend garde à rien.

— Allons, montons, dit-il à Rastignac en lui faisant traverser une cour et le conduisant à la porte d'un appartement situé au troisième étage, sur le derrière d'une maison neuve et de belle apparence. Le père Goriot n'eut pas besoin de sonner. Thérèse, la femme de chambre de madame de Nucingen, leur ouvrit la porte. Eugène se vit dans un délicieux appartement de garçon, composé d'une antichambre, d'un petit salon, d'une chambre à coucher et d'un cabinet ayant vue sur un jardin. Dans le petit salon, dont l'ameublement et le décor pouvaient soutenir la comparaison avec ce qu'il y avait de plus joli, de plus gracieux, il aperçut, à la lumière des bougies, Delphine, qui se leva d'une causeuse, au coin du feu, mit son écran sur la cheminée, et lui dit avec une intonation de voix chargée de tendresse: — Il a donc fallu vous aller chercher, monsieur qui ne comprenez rien.

Thérèse sortit. L'étudiant prit Delphine dans ses bras, la serra vivement et pleura de joie. Ce dernier contraste entre ce qu'il voyait et ce qu'il venait de voir, dans un jour où tant d'irritations avaient fatigué son cœur et sa tête, détermina chez Rastignac un accès de sensibilité nerveuse.

— Je savais bien, moi, qu'il t'aimait, dit tout bas le père Goriot à sa fille pendant qu'Eugène abattu gisait sur la causeuse sans pouvoir prononcer une parole ni se rendre compte encore de la manière dont ce dernier coup de baguette avait été frappé.

— Mais venez donc voir, lui dit madame de Nucingen en le prenant par la main et l'emmenant dans une chambre dont les tapis, les meubles et les moindres détails lui rappelèrent, en de plus petites proportions, celle de Delphine.

— Il y manque un lit, dit Rastignac.

— Oui, monsieur, dit-elle en rougissant et lui serrant la main.

Eugène la regarda, et comprit, jeune encore, tout ce qu'il y avait de pudeur vraie dans un cœur de femme aimante.

— Vous êtes une de ces créatures que l'on doit adorer toujours, lui dit-il à l'oreille. Oui, j'ose vous le dire, puisque nous nous comprenons si bien: plus vif et sincère est l'amour, plus il doit être voilé, mystérieux. Ne donnons notre secret à personne.

— Oh! je ne serai pas quelqu'un, moi, dit le père Goriot en grognant.

— Vous savez bien que vous êtes *nous*, vous...

— Ah! voilà ce que je voulais. Vous ne ferez pas attention à moi, n'est-ce pas? J'irai, je viendrai comme un bon esprit qui est partout, et qu'on sait être là sans le voir. Eh bien! Delphinette, Ninette, Dedel! n'ai-je pas eu raison de te dire: «Il y a un joli appartement rue d'Artois, meublons-le pour lui!» Tu ne voulais pas. Ah! c'est moi qui suis l'auteur de ta joie, comme je suis l'auteur de tes jours. Les pères doivent toujours donner pour être heureux. Donner toujours, c'est ce qui fait qu'on est père.

— Comment? dit Eugène.

— Oui, elle ne voulait pas, elle avait peur qu'on ne dît des bêtises, comme si le monde valait le bonheur! Mais toutes les femmes rêvent de faire ce qu'elle fait. ...

Le père Goriot parlait tout seul, madame de Nucingen avait emmené Rastignac dans le cabinet où le bruit d'un baiser retentit, quelque légèrement qu'il fût pris. Cette pièce était en rapport avec l'élégance de l'appartement, dans lequel d'ailleurs rien ne manquait.

— A-t-on bien deviné vos vœux? dit-elle en revenant dans le salon pour se mettre à table.

— Oui, dit-il, trop bien. Hélas! ce luxe si complet, ces beaux rêves réalisés, toutes les poésies d'une vie jeune, élégante, je les sens trop pour ne pas les mériter; mais je ne puis les accepter de vous, et je suis trop pauvre encore pour. . . .

— Ah! ah! vous me résistez déjà, dit-elle d'un petit air d'autorité railleuse en faisant une de ces jolies moues que font les femmes quand elles veulent se moquer de quelque scrupule pour le mieux dissiper.

Eugène s'était trop solennellement interrogé pendant cette journée, et l'arrestation de Vautrin, en lui montrant la profondeur de l'abîme dans lequel il avait failli rouler, venait de trop bien corroborer ses sentiments nobles et sa délicatesse pour qu'il cédât à cette caressante réfutation de ses idées généreuses. Une profonde tristesse s'empara de lui.

— Comment! dit madame de Nucingen, vous refuseriez? Savez-vous ce que signifie un refus semblable? Vous doutez de l'avenir, vous n'osez pas vous lier à moi. Vous avez donc peur de trahir mon affection? Si vous m'aimez, si je . . . vous aime, pourquoi reculez-vous devant d'aussi minces obligations? Si vous connaissiez le plaisir que j'ai eu à m'occuper de tout ce ménage de garçon, vous n'hésiteriez pas, et vous me demanderiez pardon. J'avais de l'argent à vous, je l'ai bien employé, voilà tout. Vous croyez être grand, et vous êtes petit. Vous demandez bien plus . . . (Ah! dit-elle en saisissant un regard de passion chez Eugène) et vous faites des façons pour des niaiseries. Si vous ne m'aimez point, oh! oui, n'acceptez pas. Mon sort est dans un mot. Parlez! Mais, mon père, dites-lui donc quelques bonnes raisons, ajouta-t-elle en se tournant vers son père après une pause. Croit-il que je ne sois pas moins chatouilleuse que lui sur notre honneur?

Le père Goriot avait le sourire fixe d'un thériaki[1] en voyant, en écoutant cette jolie querelle.

— Enfant! vous êtes à l'entrée de la vie, reprit-elle en saisissant la main d'Eugène, vous trouvez une barrière insurmontable pour beaucoup de gens, une main de femme vous l'ouvre, et vous reculez! Mais vous réussirez, vous ferez une brillante fortune, le succès est écrit sur votre beau front. Ne pourrez-vous pas alors me rendre ce que je vous prête aujourd'hui? Autrefois les dames ne donnaient-elles

pas à leurs chevaliers des armures, des épées, des casques, des cottes
de mailles, des chevaux, afin qu'ils pussent aller combattre en leur
nom dans les tournois? Eh bien! Eugène, les choses que je vous
offre sont les armes de l'époque,[1] des outils nécessaires à qui veut
être quelque chose. Il est joli, le grenier où vous êtes, s'il ressemble à
la chambre de papa. Voyons, nous ne dînerons donc pas? Voulez-
vous m'attrister? Répondez donc! dit-elle en lui secouant la main.
Mon Dieu, papa, décide-le donc, ou je sors et ne le revois jamais.

— Je vais vous décider, dit le père Goriot en sortant de son
extase. Mon cher monsieur Eugène, vous allez emprunter de l'argent
à des juifs, n'est-ce pas?

— Il le faut bien, dit-il.

— Bon, je vous tiens, reprit le bonhomme en tirant un mauvais
portefeuille en cuir tout usé. Je me suis fait juif, j'ai payé toutes les
factures, les voici. Vous ne devez pas un centime pour tout ce qui
se trouve ici. Ça ne fait pas une grosse somme, tout au plus cinq
mille francs. Je vous les prête, moi! Vous ne me refuserez pas, je ne
suis pas une femme. Vous m'en ferez une reconnaissance sur un
chiffon de papier, et vous me les rendrez plus tard.

Quelques pleurs roulèrent à la fois dans les yeux d'Eugène et de
Delphine, qui se regardèrent avec surprise. Rastignac tendit la main
au bonhomme et la lui serra.

— Eh bien, quoi! n'êtes-vous pas mes enfants? dit Goriot.

— Mais, mon pauvre père, dit madame de Nucingen, comment
avez-vous donc fait?

— Ah! nous y voilà, répondit-il. Quand je t'ai eu décidée à le
mettre près de toi, que je t'ai vue achetant des choses comme pour
une mariée, je me suis dit: « Elle va se trouver dans l'embarras! »
L'avoué prétend que le procès à intenter à ton mari, pour lui faire
rendre ta fortune, durera plus de six mois. Bon. J'ai vendu mes
treize cent cinquante livres de rente perpétuelle; je me suis fait, avec
quinze mille francs, douze cents francs de rentes viagères bien
hypothéquées, et j'ai payé vos marchands avec le reste du capital,
mes enfants. Moi, j'ai là-haut une chambre de cinquante écus par an,
je peux vivre comme un prince avec quarante sous par jour, et
j'aurai encore du reste. Je n'use rien, il ne me faut presque pas
d'habits. Voilà quinze jours que je ris dans ma barbe en me disant:
« Vont-ils être heureux! » Eh bien, n'êtes-vous pas heureux?

— Oh! papa, papa! dit madame de Nucingen en sautant sur son
père qui la reçut sur ses genoux. Elle le couvrit de baisers, lui
caressa les joues avec ses cheveux blonds, et versa des pleurs sur ce

vieux visage épanoui, brillant. — Cher père, vous êtes un père! Non, il n'existe pas deux pères comme vous sous le ciel. Eugène vous aimait bien déjà, que sera-ce maintenant!

— Mais, mes enfants, dit le père Goriot qui depuis dix ans n'avait pas senti le cœur de sa fille battre sur le sien, mais, Delphinette, tu veux donc me faire mourir de joie! Mon pauvre cœur se brise. Allez, monsieur Eugène, nous sommes déjà quittes! Et le vieillard serrait sa fille par une étreinte si sauvage, si délirante, qu'elle dit: — Ah! tu me fais mal. — Je t'ai fait mal! dit-il en pâlissant. Il la regarda d'un air surhumain de douleur. Pour bien peindre la physionomie de ce Christ de la Paternité,[1] il faudrait aller chercher des comparaisons dans les images que les princes de la palette ont inventées pour peindre la passion soufferte au bénéfice des mondes par le Sauveur des hommes. Le père Goriot baisa bien doucement la ceinture que ses doigts avaient trop pressée. — Non, non, je ne t'ai pas fait mal; non, reprit-il en la questionnant par un sourire; c'est toi qui m'as fait mal avec ton cri. Ça coûte plus cher, dit-il à l'oreille de sa fille en la lui baisant avec précaution, mais il faut l'attraper, sans quoi il se fâcherait.

Eugène était pétrifié par l'inépuisable dévouement de cet homme, et le contemplait en exprimant cette naïve admiration qui, au jeune âge, est de la foi.

— Je serai digne de tout cela, s'écria-t-il.

— O mon Eugène, c'est beau ce que vous venez de dire là. Et madame de Nucingen baisa l'étudiant au front.

— Il a refusé pour toi mademoiselle Taillefer et ses millions, dit le père Goriot. Oui, elle vous aimait, la petite; et, son frère mort, la voilà riche comme Crésus.

— Oh! pourquoi le dire? s'écria Rastignac.

— Eugène, lui dit Delphine à l'oreille, maintenant j'ai un regret pour ce soir. Ah! je vous aimerai bien, moi! et toujours.

— Voilà la plus belle journée que j'aie eue depuis vos mariages, s'écria le père Goriot. Le bon Dieu peut me faire souffrir tant qu'il lui plaira, pourvu que ce ne soit pas par vous, je me dirai: En février de cette année, j'ai été pendant un moment plus heureux que les hommes ne peuvent l'être pendant toute leur vie. Regarde-moi, Fifine! dit-il à sa fille. Elle est bien belle, n'est-ce pas? Dites-moi donc, avez-vous rencontré beaucoup de femmes qui aient ses jolies couleurs et sa petite fossette? Non, pas vrai? Eh bien, c'est moi qui ai fait cet amour de femme. Désormais, en se trouvant heureuse par vous, elle deviendra mille fois mieux. Je puis aller en enfer, mon voisin, dit-il, s'il vous faut ma part de paradis, je vous la donne. Mangeons, mangeons, reprit-il en ne sachant plus ce qu'il disait, tout est à nous.

— Ce pauvre père!

— Si tu savais, mon enfant, dit-il en se levant et allant à elle, lui prenant la tête et la baisant au milieu de ses nattes de cheveux, combien tu peux me rendre heureux à bon marché! viens me voir quelquefois, je serai là-haut, tu n'auras qu'un pas à faire. Promets-le-moi, dis!

— Oui, cher père.

— Dis encore.

— Oui, mon bon père.

— Tais-toi, je te le ferais dire cent fois si je m'écoutais. Dînons.

La soirée tout entière fut employée en enfantillages, et le père Goriot ne se montra pas le moins fou des trois. Il se couchait aux pieds de sa fille pour les baiser; il la regardait longtemps dans les yeux; il frottait sa tête contre sa robe; enfin il faisait des folies comme en aurait fait l'amant le plus jeune et le plus tendre.

— Voyez-vous? dit Delphine à Eugène, quand mon père est avec nous, il faut être tout à lui. Ce sera pourtant bien gênant quelquefois.

Eugène, qui s'était senti déjà plusieurs fois des mouvements de jalousie, ne pouvait pas blâmer ce mot, qui renfermait le principe de toutes les ingratitudes.

— Et quand l'appartement sera-t-il fini? dit Eugène en regardant autour de la chambre. Il faudra donc nous quitter ce soir?

— Oui, mais demain vous viendrez dîner avec moi, dit-elle d'un air fin. Demain est un jour d'Italiens.

— J'irai au parterre, moi, dit le père Goriot.

Il était minuit. La voiture de madame de Nucingen attendait. Le père Goriot et l'étudiant retournèrent à la Maison Vauquer en s'entretenant de Delphine avec un croissant enthousiasme qui produisit un curieux combat d'expressions entre ces deux violentes passions. Eugène ne pouvait pas se dissimuler que l'amour du père, qu'aucun intérêt personnel n'entachait, écrasait le sien par sa persistance et par son étendue. L'idole était toujours pure et belle pour le père, et son adoration s'accroissait de tout le passé comme de l'avenir. Ils trouvèrent madame Vauquer seule au coin de son poêle, entre Sylvie et Christophe. La vieille hôtesse était là comme Marius sur les ruines de Carthage.[1] Elle attendait les deux seuls pensionnaires qui lui restassent, en se désolant avec Sylvie. Quoique lord Byron[2] ait prêté d'assez belles lamentations au Tasse, elles sont bien loin de la profonde vérité de celles qui échappaient à madame Vauquer.

— Il n'y aura donc que trois tasses de café à faire demain matin, Sylvie. Hcin! ma maison déserte, n'est-ce pas à fendre le cœur? Qu'est-ce que la vie sans mes pensionnaires? Rien du tout. Voilà ma maison démeublée de ses hommes. La vie est dans les meubles.[1] Qu'ai-je fait au ciel pour m'être attiré tous ces désastres? Nos provisions de haricots et de pommes de terre sont faites pour vingt personnes. La police chez moi! Nous allons donc ne manger que des pommes de terre! Je renverrai donc Christophe!

Le Savoyard, qui dormait, se réveilla soudain et dit:

— Madame?

— Pauvre garçon! c'est comme un dogue, dit Sylvie.

— Une saison morte, chacun s'est casé. D'où me tombera-t-il des pensionnaires? J'en perdrai la tête. Et cette sibylle de Michonneau qui m'enlève Poiret! Qu'est-ce qu'elle lui faisait donc pour s'être attaché cet homme-là qui la suit comme un toutou?

— Ah! dame! fit Sylvie en hochant la tête, ces vieilles filles, ça connaît les rubriques.[2]

— Ce pauvre monsieur Vautrin dont ils ont fait un forçat, reprit la veuve, eh bien! Sylvie, c'est plus fort que moi, je ne le crois pas encore. Un homme gai comme ça, qui prenait du gloria pour quinze francs par mois, et qui payait rubis sur l'ongle![3]

— Et qui était généreux! dit Christophe.

— Il y a erreur, dit Sylvie.

— Mais non, il a avoué lui-même, reprit madame Vauquer. Et dire que toutes ces choses-là sont arrivées chez moi, dans un quartier où il ne passe pas un chat! Foi d'honnête femme, je rêve. Car, vois-tu, nous avons vu Louis XVI avoir son accident,[4] nous avons vu tomber l'Empereur, nous l'avons vu revenir et retomber,[5] tout cela c'était dans l'ordre des choses possibles; tandis qu'il n'y a point de chances contre des pensions bourgeoises: on peut se passer de roi, mais il faut toujours qu'on mange; et quand une honnête femme, née de Conflans, donne à dîner avec toutes bonnes choses, mais à moins que la fin du monde n'arrive. . . . Mais, c'est ça, c'est la fin du monde.

— Et penser que mademoiselle Michonneau, qui vous fait tout ce tort, va recevoir, à ce qu'on dit, mille écus de rente,[6] s'écria Sylvie.

— Ne m'en parle pas, ce n'est qu'une scélérate! dit madame Vauquer. Et elle va chez la Buneaud, par-dessus le marché! Mais elle est capable de tout, elle a dû faire des horreurs, elle a tué, volé dans son temps. Elle devait aller au bagne à la place de ce pauvre cher homme. . . .

En ce moment Eugène et le père Goriot sonnèrent.

— Ah! voilà mes deux fidèles, dit la veuve en soupirant.

Les deux fidèles, qui n'avaient qu'un fort léger souvenir des désastres de la pension bourgeoise, annoncèrent sans cérémonie à leur hôtesse qu'ils allaient demeurer à la Chaussée-d'Antin.

— Ah, Sylvie! dit la veuve, voilà mon dernier atout. Vous m'avez donné le coup de la mort, messieurs! ça m'a frappée dans l'estomac. J'ai une barre là. Voilà une journée qui me met dix ans de plus sur la tête. Je deviendrai folle, ma parole d'honneur! Que faire des haricots? Ah! bien, si je suis seule ici, tu t'en iras demain, Christophe. Adieu, messieurs, bonne nuit.

— Qu'a-t-elle donc? demanda Eugène à Sylvie.

— Dame! voilà tout le monde parti par suite des affaires. Ça lui a troublé la tête. Allons, je l'entends qui pleure. Ça lui fera du bien de *chigner*.[1] Voilà la première fois qu'elle se vide les yeux depuis que je suis à son service.

Le lendemain, madame Vauquer s'était, suivant son expression, *raisonnée*. Si elle parut affligée comme une femme qui avait perdu tous ses pensionnaires, et dont la vie était bouleversée, elle avait toute sa tête, et montra ce qu'était la vraie douleur, une douleur profonde, la douleur causée par l'intérêt froissé, par les habitudes rompues. Certes, le regard qu'un amant jette sur les lieux habités par sa maîtresse, en les quittant, n'est pas plus triste que ne le fut celui de madame Vauquer sur sa table vide. Eugène la consola en lui disant que Bianchon, dont l'internat finissait dans quelques jours, viendrait sans doute le remplacer; que l'employé du Muséum avait souvent manifesté le désir d'avoir l'appartement de madame Couture, et que dans peu de jours elle aurait remonté son personnel.

— Dieu vous entende, mon cher monsieur! mais le malheur est ici. Avant dix jours, la mort y viendra, vous verrez, lui dit-elle en jetant un regard lugubre sur la salle à manger. Qui prendra-t-elle?

— Il fait bon déménager, dit tout bas Eugène au père Goriot.

— Madame, dit Sylvie en accourant effarée, voici trois jours que je n'ai vu Mistigris.[2]

— Ah! bien, si mon chat est mort, s'il nous a quittés, je. . .

La pauvre veuve n'acheva pas, elle joignit les mains et se renversa sur le dos de son fauteuil, accablée par ce terrible pronostic.

Vers midi, heure à laquelle les facteurs arrivaient dans le quartier du Panthéon, Eugène reçut une lettre élégamment enveloppée, cachetée aux armes de Beauséant. Elle contenait une invitation adressée à monsieur et à madame de Nucingen pour le grand bal annoncé depuis un mois, et qui devait avoir lieu chez la vicomtesse. A cette invitation était joint un petit mot pour Eugène :

« J'ai pensé, monsieur, que vous vous chargeriez avec plaisir d'être l'interprète de mes sentiments auprès de madame de Nucingen ; je vous envoie l'invitation que vous m'avez demandée, et serai charmée de faire la connaissance de la sœur de madame de Restaud. Amenez-moi donc cette jolie personne, et faites en sorte qu'elle ne prenne pas toute votre affection, vous m'en devez beaucoup en retour de celle que je vous porte.

« Vicomtesse DE BEAUSÉANT. »

— Mais, se dit Eugène en relisant ce billet, madame de Beauséant me dit assez clairement qu'elle ne veut pas du baron de Nucingen. Il alla promptement chez Delphine, heureux d'avoir à lui procurer une joie dont il recevrait sans doute le prix. Madame de Nucingen était au bain. Rastignac attendit dans le boudoir, en butte aux impatiences naturelles à un jeune homme ardent et pressé de prendre possession d'une maîtresse, l'objet de deux ans de désirs. C'est des émotions qui ne se rencontrent pas deux fois dans la vie des jeunes gens. La première femme réellement femme à laquelle s'attache un homme, c'est-à-dire celle qui se présente à lui dans la splendeur des accompagnements que veut la société parisienne, celle-là n'a jamais de rivale. L'amour à Paris ne ressemble en rien aux autres amours. Ni les hommes ni les femmes n'y sont dupes des montres pavoisées[1] de lieux communs que chacun étale par décence sur ses affections soi-disant désintéressées. En ce pays, une femme ne doit pas satisfaire seulement le cœur et les sens, elle sait parfaitement qu'elle a de plus grandes obligations à remplir envers les mille vanités dont se compose la vie. Là surtout l'amour est essentiellement vantard, effronté, gaspilleur, charlatan et fastueux. Si toutes les femmes de la cour de Louis XIV ont envié à mademoiselle de La Vallière l'entraînement de passion qui fit oublier à ce grand prince que ses manchettes coûtaient chacune mille écus quand il les déchira pour faciliter au duc de Vermandois[2] son entrée sur la scène du monde, que peut-on demander au reste de l'humanité ? Soyez jeunes, riches et titrés, soyez mieux encore si vous pouvez ; plus vous apporterez de grains d'encens à brûler devant l'idole, plus elle vous sera favorable, si toutefois vous avez une idole. L'amour est une religion, et son culte doit coûter plus cher que celui de toutes les

autres religions; il passe promptement, et passe en gamin qui tient à
marquer son passage par des dévastations. Le luxe du sentiment est
la poésie des greniers; sans cette richesse, qu'y deviendrait l'amour?
S'il est des exceptions à ces lois draconiennes du code parisien, elles
se rencontrent dans la solitude, chez les âmes qui ne se sont point
laissé entraîner par les doctrines sociales, qui vivent près de quelque
source aux eaux claires, fugitives, mais incessantes;[1] qui, fidèles à
leurs ombrages verts, heureuses d'écouter le langage de l'infini,
écrit pour elles en toute chose et qu'elles retrouvent en elles-mêmes,
attendent patiemment leurs ailes en plaignant ceux de la terre. Mais
Rastignac, semblable à la plupart des jeunes gens, qui, par avance,
ont goûté les grandeurs, voulait se présenter tout armé dans la lice
du monde; il en avait épousé la fièvre, et sentait peut-être la force de
le dominer, mais sans connaître ni les moyens ni le but de cette
ambition. A défaut d'un amour pur et sacré, qui remplit la vie, cette
soif du pouvoir peut devenir une belle chose; il suffit de dépouiller
tout intérêt personnel et de se proposer la grandeur d'un pays pour
objet.[2] Mais l'étudiant n'était pas encore arrivé au point d'où
l'homme peut contempler le cours de la vie et la juger. Jusqu'alors il
n'avait même pas complètement secoué le charme des fraîches et
suaves idées qui enveloppent comme d'un feuillage la jeunesse des
enfants élevés en province. Il avait continuellement hésité à franchir
le Rubicon[3] parisien. Malgré ses ardentes curiosités, il avait toujours
conservé quelques arrière-pensées de la vie heureuse que mène le
vrai gentilhomme dans son château. Néanmoins ses derniers
scrupules avaient disparu la veille, quand il s'était vu dans son
appartement. En jouissant des avantages matériels de la fortune,
comme il jouissait depuis longtemps des avantages moraux que
donne la naissance, il avait dépouillé sa peau d'homme de province,
et s'était doucement établi dans une position d'où il découvrait un
bel avenir. Aussi, en attendant Delphine, mollement assis dans ce
joli boudoir qui devenait un peu le sien, se voyait-il si loin du
Rastignac venu l'année dernière à Paris, qu'en le lorgnant par un
effet d'optique morale, il se demandait s'il se ressemblait en ce
moment à lui-même.[4]

— Madame est dans sa chambre, vint lui dire Thérèse qui le fit
tressaillir.

Il trouva Delphine étendue sur sa causeuse, au coin du feu,
fraîche, reposée. A la voir ainsi étalée sur des flots de mousseline, il
était impossible de ne pas la comparer à ces belles plantes de l'Inde
dont le fruit vient dans la fleur.

— Eh bien! nous voilà, dit-elle avec émotion.

— Devinez ce que je vous apporte, dit Eugène en s'asseyant près d'elle et lui prenant le bras pour lui baiser la main.

Madame de Nucingen fit un mouvement de joie en lisant l'invitation. Elle tourna sur Eugène ses yeux mouillés, et lui jeta ses bras au cou pour l'attirer à elle dans un délire de satisfaction vaniteuse.

— Et c'est vous (toi, lui dit-elle à l'oreille; mais Thérèse est dans mon cabinet de toilette, soyons prudents!), vous à qui je dois ce bonheur? Oui, j'ose appeler cela un bonheur. Obtenu par vous, n'est-ce pas plus qu'un triomphe d'amour-propre? Personne ne m'a voulu présenter dans ce monde. Vous me trouverez peut-être en ce moment petite, frivole, légère comme une Parisienne; mais pensez, mon ami, que je suis prête à tout vous sacrifier, et que, si je souhaite plus ardemment que jamais d'aller dans le faubourg Saint-Germain, c'est que vous y êtes.

— Ne pensez-vous pas, dit Eugène, que madame de Beauséant a l'air de nous dire qu'elle ne compte pas voir le baron de Nucingen à son bal?

— Mais oui, dit la baronne en rendant la lettre à Eugène. Ces femmes-là ont le génie de l'impertinence. Mais n'importe, j'irai. Ma sœur doit s'y trouver, je sais qu'elle prépare une toilette délicieuse. Eugène, reprit-elle à voix basse, elle y va pour dissiper d'affreux soupçons. Vous ne savez pas les bruits qui courent sur elle? Nucingen est venu me dire ce matin qu'on en parlait hier au Cercle sans se gêner. A quoi tient, mon Dieu! l'honneur des femmes et des familles! Je me suis sentie attaquée, blessée dans ma pauvre sœur. Selon certaines personnes, monsieur de Trailles aurait souscrit des lettres de change montant à cent mille francs, presque toutes échues, et pour lesquelles il allait être poursuivi. Dans cette extrémité, ma sœur aurait vendu ses diamants à un juif, ces beaux diamants que vous avez pu lui voir, et qui viennent de madame de Restaud la mère.[1] Enfin, depuis deux jours, il n'est question que de cela. Je conçois alors qu'Anastasie se fasse faire une robe lamée, et veuille attirer sur elle tous les regards chez madame de Beauséant, en y paraissant dans tout son éclat et avec ses diamants. Mais je ne veux pas être au-dessous d'elle. Elle a toujours cherché à m'écraser, elle n'a jamais été bonne pour moi, qui lui rendais tant de services, qui avais toujours de l'argent pour elle quand elle n'en avait pas. Mais laissons le monde, aujourd'hui je veux être tout heureuse.

Rastignac était encore à une heure du matin chez madame de Nucingen, qui, en lui prodiguant l'adieu des amants, cet adieu plein de joies à venir, lui dit avec une expression de mélancolie : — Je suis si peureuse, si superstitieuse, donnez à mes pressentiments le nom qu'il vous plaira, que je tremble de payer mon bonheur par quelque affreuse catastrophe.

— Enfant, dit Eugène.

— Ah ! c'est moi qui suis l'enfant ce soir, dit-elle en riant.

Eugène revint à la Maison-Vauquer avec la certitude de la quitter le lendemain, il s'abandonna donc pendant la route à ces jolis rêves que font tous les jeunes gens quand ils ont encore sur les lèvres le goût du bonheur.

— Eh bien ? lui dit le père Goriot quand Rastignac passa devant sa porte.

— Eh bien ! répondit Eugène, je vous dirai tout demain.

— Tout, n'est-ce pas ? cria le bonhomme. Couchez-vous. Nous allons commencer demain notre vie heureuse.

IV. LA MORT DU PÈRE

Le lendemain, Goriot et Rastignac n'attendaient plus que le bon vouloir d'un commissionnaire pour partir de la pension bourgeoise, quand vers midi le bruit d'un équipage qui s'arrêtait précisément à la porte de la Maison Vauquer retentit dans la rue Neuve-Sainte-Geneviève. Madame de Nucingen descendit de sa voiture, demanda si son père était encore à la pension. Sur la réponse affirmative de Sylvie, elle monta lestement l'escalier. Eugène se trouvait chez lui sans que son voisin le sût. Il avait, en déjeunant, prié le père Goriot d'emporter ses effets, en lui disant qu'ils se retrouveraient à quatre heures rue d'Artois. Mais, pendant que le bonhomme avait été chercher des porteurs, Eugène, ayant promptement répondu à l'appel de l'école, était revenu sans que personne l'eût aperçu, pour compter avec madame Vauquer, ne voulant pas laisser cette charge à Goriot, qui, dans son fanatisme, aurait sans doute payé pour lui. L'hôtesse était sortie. Eugène remonta chez lui pour voir s'il n'y oubliait rien, et s'applaudit d'avoir eu cette pensée en voyant dans le tiroir de sa table l'acceptation en blanc,[1] souscrite à Vautrin, qu'il avait insouciamment jetée là le jour où il l'avait acquittée. N'ayant pas de feu, il allait la déchirer en petits morceaux quand, en reconnaissant la voix de Delphine, il ne voulut faire aucun bruit, et s'arrêta pour l'entendre, en pensant qu'elle ne devait avoir aucun secret pour lui. Puis, dès les premiers mots, il trouva la conversation entre le père et la fille trop intéressante pour ne pas l'écouter.

— Ah! mon père, dit-elle, plaise au ciel que vous ayez eu l'idée de demander compte de ma fortune assez à temps pour que je ne sois pas ruinée! Puis-je parler?

— Oui, la maison est vide, dit le père Goriot d'une voix altérée.

— Qu'avez-vous donc, mon père? reprit madame de Nucingen.

— Tu viens, répondit le vieillard, de me donner un coup de hache sur la tête. Dieu te pardonne, mon enfant! Tu ne sais pas combien je t'aime; si tu l'avais su, tu ne m'aurais pas dit brusquement de semblables choses, surtout si rien n'est désespéré. Qu'est-il donc arrivé de si pressant pour que tu sois venue me chercher ici quand dans quelques instants nous allions être rue d'Artois?

— Eh! mon père, est-on maître de son premier mouvement dans une catastrophe? Je suis folle! Votre avoué nous a fait découvrir un peu plus tôt le malheur qui sans doute éclatera plus tard. Votre vieille expérience commerciale va nous devenir nécessaire et je suis accourue vous chercher comme on s'accroche à une branche quand on se noie. Lorsque monsieur Derville a vu Nucingen lui opposer mille chicanes, il l'a menacé d'un procès en lui disant que l'autorisation du président du tribunal serait promptement obtenue. Nucingen est venu ce matin chez moi pour me demander si je voulais sa ruine et la mienne. Je lui ai répondu que je ne me connaissais à rien de tout cela, que j'avais une fortune, que je devais être en possession de ma fortune, et que tout ce qui avait rapport à ce démêlé regardait mon avoué, que j'étais de la dernière ignorance et dans l'impossibilité de rien entendre à ce sujet. N'était-ce pas ce que vous m'aviez recommandé de dire?

— Bien, répondit le père Goriot.

— Eh bien! reprit Delphine, il m'a mise au fait de ses affaires. Il a jeté tous ses capitaux et les miens dans des entreprises à peine commencées, et pour lesquelles il a fallu mettre de grandes sommes en dehors. Si je le forçais à me représenter ma dot, il serait obligé de déposer son bilan; tandis que, si je veux attendre un an, il s'engage sur l'honneur à me rendre une fortune double ou triple de la mienne en plaçant mes capitaux dans des opérations territoriales à la fin desquelles je serai maîtresse de tous les biens. Mon cher père, il était sincère, il m'a effrayée. Il m'a demandé pardon de sa conduite, il m'a rendu ma liberté, m'a permis de me conduire à ma guise, à la condition de le laisser entièrement maître de gérer les affaires sous mon nom. Il m'a promis, pour me prouver sa bonne foi, d'appeler monsieur Derville toutes les fois que je le voudrais pour juger si les actes en vertu desquels il m'instituerait propriétaire seraient convenablement rédigés. Enfin il s'est remis entre mes mains pieds et poings liés. Il demande encore pendant deux ans la conduite de la maison, et m'a suppliée de ne rien dépenser pour moi de plus qu'il ne m'accorde. Il m'a prouvé que tout ce qu'il pouvait faire était de conserver les apparences, qu'il avait renvoyé sa danseuse, et qu'il allait être contraint à la plus stricte mais à la plus sourde économie, afin d'atteindre au terme de ses spéculations sans altérer son crédit. Je l'ai malmené, j'ai tout mis en doute afin de le pousser à bout et d'en apprendre davantage: il m'a montré ses livres, enfin il a pleuré. Je n'ai jamais vu d'homme en pareil état. Il avait perdu la tête, il parlait de se tuer, il délirait. Il m'a fait pitié.

— Et tu crois à ces sornettes, s'écria le père Goriot. C'est un comédien! J'ai rencontré des Allemands en affaires: ces gens-là sont

presque tous de bonne foi, pleins de candeur; mais, quand, sous leur
air de franchise et de bonhomie, ils se mettent à être malins et
charlatans, ils le sont alors plus que les autres. Ton mari t'abuse. Il se
sent serré de près, il fait le mort, il veut rester plus maître sous ton
nom qu'il ne l'est sous le sien. Il va profiter de cette circonstance
pour se mettre à l'abri des chances de son commerce. Il est aussi fin
que perfide; c'est un mauvais gars. Non, non, je ne m'en irai pas au
Père-Lachaise en laissant mes filles dénuees de tout. Je me connais
encore un peu aux affaires. Il a, dit-il, engagé ses fonds dans les
entreprises, eh bien! ses intérêts sont représentés par des valeurs, par
des reconnaissances, par des traités! qu'il les montre, et liquide avec
toi. Nous choisirons les meilleures spéculations, nous en courrons
les chances, et nous aurons les titres recognitifs en notre nom de
Delphine Goriot, épouse séparée quant aux biens[1] *du baron de Nucingen.*
Mais nous prend-il pour des imbéciles, celui-là? Croit-il que je
puisse supporter pendant deux jours l'idée de te laisser sans fortune,
sans pain? Je ne la supporterais pas un jour, pas une nuit, pas deux
heures! Si cette idée était vraie, je n'y survivrais pas. Eh quoi!
j'aurai travaillé pendant quarante ans de ma vie, j'aurai porté des
sacs sur mon dos, j'aurai sué des averses, je me serai privé pendant
toute ma vie pour vous, mes anges, qui me rendiez tout travail, tout
fardeau léger; et aujourd'hui ma fortune, ma vie s'en iraient en
fumée! Ceci me ferait mourir enragé. Par tout ce qu'il y a de plus
sacré sur terre et au ciel, nous allons tirer ça au clair, vérifier les
livres, la caisse, les entreprises! Je ne dors pas, je ne me couche pas,
je ne mange pas, qu'il ne me soit prouvé que ta fortune est là tout
entière. Dieu merci, tu es séparée de biens; tu auras maître Derville
pour avoué, un honnête homme heureusement. Jour de Dieu! tu
garderas ton bon petit million, tes cinquante mille livres de rente,
jusqu'à la fin de tes jours, ou je fais un tapage dans Paris, ah! ah!
Mais je m'adresserais aux chambres si les tribunaux nous victimaient.
Te savoir tranquille et heureuse du côté de l'argent, mais cette
pensée allégeait tous mes maux et calmait mes chagrins. L'argent,
c'est la vie. Monnaie fait tout.[2] Que nous chante-t-il donc, cette
grosse souche d'Alsacien? Delphine, ne fais pas une concession d'un
quart de liard à cette grosse bête, qui t'a mise à la chaîne et t'a rendue
malheureuse. S'il a besoin de toi, nous le tricoterons ferme,[3] et nous
le ferons marcher droit. Mon Dieu, j'ai la tête en feu, j'ai dans le
crâne quelque chose qui me brûle. Ma Delphine sur la paille! Oh!
ma Fifine, toi! Sapristi, où sont mes gants? Allons! partons, je veux
aller tout voir, les livres, les affaires, la caisse, la correspondance, à

l'instant. Je ne serai calme que quand il me sera prouvé que ta
fortune ne court plus de risques, et que je la verrai de mes yeux.

— Mon cher père! allez-y prudemment. Si vous mettiez la moindre
velléité de vengeance en cette affaire, et si vous montriez des
intentions trop hostiles, je serais perdue. Il vous connaît, il a trouvé
tout naturel que, sous votre inspiration, je m'inquiétasse de ma
fortune; mais, je vous le jure, il la tient en ses mains, et a voulu la
tenir. Il est homme à s'enfuir avec tous les capitaux, et à nous laisser
là, le scélérat! Il sait bien que je ne déshonorerai pas moi-même le
nom que je porte en le poursuivant. Il est à la fois fort et faible. J'ai
bien tout examiné. Si nous le poussons à bout, je suis ruinée.

— Mais c'est donc un fripon?

— Eh bien! oui, mon père, dit-elle en se jetant sur une chaise en
pleurant. Je ne voulais pas vous l'avouer pour vous épargner le
chagrin de m'avoir mariée à un homme de cette espèce-là! Mœurs
secrètes et conscience, l'âme et le corps, tout en lui s'accorde! c'est
effroyable: je le hais et le méprise. Oui, je ne puis plus estimer ce vil
Nucingen après tout ce qu'il m'a dit. Un homme capable de se jeter
dans les combinaisons commerciales dont il m'a parlé n'a pas la
moindre délicatesse, et mes craintes viennent de ce que j'ai lu
parfaitement dans son âme. Il m'a nettement proposé, lui, mon mari,
la liberté, vous savez ce que cela signifie? si je voulais être, en cas de
malheur, un instrument entre ses mains, enfin si je voulais lui servir
de prête-nom.

— Mais les lois sont là! Mais il y a une place de Grève pour les
gendres de cette espèce-là, s'écria le père Goriot; mais je le
guillotinerais moi-même s'il n'y avait pas de bourreau.

— Non, mon père, il n'y a pas de lois contre lui. Écoutez en deux
mots son langage, dégagé des circonlocutions dont il l'enveloppait:
« Ou tout est perdu, vous n'avez pas un liard, vous êtes ruinée; car
je ne saurais choisir pour complice une autre personne que vous; ou
vous me laisserez conduire à bien mes entreprises. » Est-ce clair?
Il tient encore à moi. Ma probité de femme le rassure; il sait que je
lui laisserai sa fortune, et me contenterai de la mienne. C'est une
association improbe et voleuse à laquelle je dois consentir sous peine
d'être ruinée. Il m'achète ma conscience et la paye en me laissant être
à mon aise la femme d'Eugène. « Je te permets de commettre des
fautes, laisse-moi faire des crimes en ruinant de pauvres gens! » Ce
langage est-il encore assez clair? Savez-vous ce qu'il nomme faire
des opérations? Il achète des terrains nus sous son nom, puis il y fait
bâtir des maisons par des hommes de paille. Ces hommes concluent

les marchés pour les bâtisses avec tous les entrepreneurs, qu'ils payent en effets à longs termes, et consentent, moyennant une légère somme, à donner quittance à mon mari, qui est alors possesseur des maisons, tandis que ces hommes s'acquittent avec les entrepreneurs dupés en faisant faillite.[1] Le nom de la maison Nucingen a servi à éblouir les pauvres constructeurs. J'ai compris cela. J'ai compris aussi que, pour prouver, en cas de besoin, le paiement de sommes énormes, Nucingen a envoyé des valeurs considérables à Amsterdam, à Londres, à Naples, à Vienne. Comment les saisirions-nous ?

Eugène entendit le son lourd des genoux du père Goriot, qui tomba sans doute sur le carreau de sa chambre.

— Mon Dieu, que t'ai-je fait ? Ma fille livrée à ce misérable, il exigera tout d'elle s'il le veut. Pardon, ma fille ! cria le vieillard.

— Oui, si je suis dans un abîme, il y a peut-être de votre faute, dit Delphine. Nous avons si peu de raison quand nous nous marions ! Connaissons-nous le monde, les affaires, les hommes, les mœurs ? Les pères devraient penser pour nous. Cher père, je ne vous reproche rien, pardonnez-moi ce mot. En ceci la faute est toute à moi. Non, ne pleurez point, papa, dit-elle en baisant le front de son père.

— Ne pleure pas non plus, ma petite Delphine. Donne tes yeux, que je les essuie en les baisant. Va ! je vais retrouver ma caboche,[2] et débrouiller l'écheveau d'affaires que ton mari a mêlé.

— Non, laisse-moi faire ; je saurai le manœuvrer. Il m'aime, eh bien, je me servirai de mon empire sur lui pour l'amener à me placer promptement quelques capitaux en propriétés. Peut-être lui ferai-je racheter sous mon nom Nucingen, en Alsace, il y tient. Seulement venez demain pour examiner ses livres, ses affaires. Monsieur Derville ne sait rien de ce qui est commercial. Non, ne venez pas demain. Je ne veux pas me tourner le sang. Le bal de madame de Beauséant a lieu après-demain, je veux me soigner pour y être belle, reposée, et faire honneur à mon cher Eugène ! Allons donc voir sa chambre.

En ce moment une voiture s'arrêta dans la rue Neuve-Sainte-Geneviève, et l'on entendit dans l'escalier la voix de madame de Restaud, qui disait à Sylvie : — Mon père y est-il ? Cette circonstance sauva heureusement Eugène, qui méditait déjà de se jeter sur son lit et de feindre d'y dormir.

— Ah ! mon père, vous a-t-on parlé d'Anastasie ? dit Delphine en reconnaissant la voix de sa sœur. Il paraîtrait qu'il arrive aussi de singulières choses dans son ménage.

— Quoi donc! dit le père Goriot: ce serait donc ma fin. Ma pauvre tête ne tiendra pas à un double malheur.

— Bonjour, mon père, dit la comtesse en entrant. Ah! te voilà, Delphine.

Madame de Restaud parut embarrassée de rencontrer sa sœur.

— Bonjour, Nasie, dit la baronne. Trouves-tu donc ma présence extraordinaire? Je vois mon père tous les jours, moi.

— Depuis quand?

— Si tu y venais, tu le saurais.

— Ne me taquine pas, Delphine, dit la comtesse d'une voix lamentable. Je suis bien malheureuse, je suis perdue, mon pauvre père! oh! bien perdue cette fois!

— Qu'as-tu, Nasie? cria le père Goriot. Dis-nous tout, mon enfant. Elle pâlit. Delphine, allons, secours-la donc, sois bonne pour elle, je t'aimerai encore mieux, si je peux, toi!

— Ma pauvre Nasie, dit madame de Nucingen en asseyant sa sœur, parle. Tu vois en nous les deux seules personnes qui t'aimeront toujours assez pour te pardonner tout. Vois-tu, les affections de famille sont les plus sûres. Elle lui fit respirer des sels, et la comtesse revint à elle.

— J'en mourrai, dit le père Goriot, Voyons, reprit-il en remuant son feu de mottes, approchez-vous toutes les deux. J'ai froid. Qu'as-tu, Nasie? dis vite, tu me tues. . . .

— Eh bien! dit la pauvre femme, mon mari sait tout. Figurez-vous, mon père, il y a quelque temps, vous souvenez-vous de cette lettre de change de Maxime? Eh bien! ce n'était pas la première. J'en avais déjà payé beaucoup. Vers le commencement de janvier, monsieur de Trailles me paraissait bien chagrin. Il ne me disait rien; mais il est si facile de lire dans le cœur des gens qu'on aime, un rien suffit: puis il y a des pressentiments. Enfin il était plus aimant, plus tendre que je ne l'avais jamais vu, j'étais toujours plus heureuse. Pauvre Maxime! dans sa pensée, il me faisait ses adieux, m'a-t-il dit; il voulait se brûler la cervelle. Enfin je l'ai tant tourmenté, tant supplié, je suis restée deux heures à ses genoux. Il m'a dit qu'il devait cent mille francs! Oh! papa, cent mille francs! Je suis devenue folle. Vous ne les aviez pas, j'avais tout dévoré. . . .

— Non, dit le père Goriot, je n'aurais pas pu les faire, à moins d'aller les voler. Mais j'y aurais été, Nasie! J'irai.

A ce mot lugubrement jeté, comme un son du râle d'un mourant, et qui accusait l'agonie du sentiment paternel réduit à l'impuissance, les deux sœurs firent une pause. Quel égoïsme serait resté froid à ce cri de désespoir qui, semblable à une pierre lancée dans un gouffre, en révélait la profondeur ?

— Je les ai trouvés en disposant de ce qui ne m'appartenait pas, mon père, dit la comtesse en fondant en larmes.

Delphine fut émue et pleura[1] en mettant la tête sur le cou de sa sœur.

— Tout est donc vrai, lui dit-elle.

Anastasie baissa la tête, madame de Nucingen la saisit à plein corps, la baisa tendrement, et l'appuyant sur son cœur : — Ici, tu seras toujours aimée sans être jugée, lui dit-elle.

— Mes anges, dit Goriot d'une voix faible, pourquoi votre union est-elle due au malheur ?

— Pour sauver la vie de Maxime, enfin pour sauver tout mon bonheur, reprit la comtesse encouragée par ces témoignages d'une tendresse chaude et palpitante, j'ai porté chez cet usurier que vous connaissez, un homme fabriqué par l'enfer, que rien ne peut attendrir, ce monsieur Gobseck, les diamants de famille auxquels tient tant monsieur de Restaud, les siens, les miens, tout, je les ai vendus. Vendus ! comprenez-vous ? il a été sauvé ! Mais, moi, je suis morte. Restaud a tout su.

— Par qui ? comment ? Que je le tue ! cria le père Goriot.

— Hier, il m'a fait appeler dans sa chambre. J'y suis allée... « Anastasie, m'a-t-il dit d'une voix ... (oh ! sa voix a suffi, j'ai tout deviné), où sont vos diamants ? » Chez moi. « Non, m'a-t-il dit en me regardant, ils sont là, sur ma commode. » Et il m'a montré l'écrin qu'il avait couvert de son mouchoir. « Vous savez d'où ils viennent ? » m'a-t-il dit. Je suis tombée à ses genoux ... j'ai pleuré, je lui ai demandé de quelle mort il voulait me voir mourir.

— Tu as dit cela ! s'écria le père Goriot. Par le sacré nom de Dieu, celui qui vous fera mal à l'une ou à l'autre, tant que je serai vivant, peut être sûr que je le brûlerai à petit feu ! Oui, je le déchiqueterai comme. ...

Le père Goriot se tut, les mots expiraient dans sa gorge.

— Enfin, ma chère, il m'a demandé quelque chose de plus difficile à faire que de mourir. Le ciel préserve toute femme d'entendre ce que j'ai entendu !

— J'assassinerai cet homme, dit le père Goriot tranquillement. Mais il n'a qu'une vie, et il m'en doit deux. Enfin, quoi ? reprit-il en regardant Anastasie.

— Eh bien ! dit la comtesse en continuant après une pause, il m'a regardée : « Anastasie, m'a-t-il dit, j'ensevelis tout dans le silence, nous resterons ensemble, nous avons des enfants. Je ne tuerai pas monsieur de Trailles, je pourrais le manquer, et pour m'en défaire autrement je pourrais me heurter contre la justice humaine. Le tuer dans vos bras, ce serait déshonorer *les* enfants. Mais pour ne voir périr ni vos enfants, ni leur père, ni moi, je vous impose deux conditions. Répondez: Ai-je un enfant à moi? » J'ai dit oui. « Lequel? » a-t-il demandé. Ernest, notre aîné. « Bien, a-t-il dit. Maintenant, jurez-moi de m'obéir désormais sur un seul point. » J'ai juré. « Vous signerez la vente de vos biens quand je vous le demanderai. »

   — Ne signe pas, cria le père Goriot. Ne signe jamais cela. Ah! ah! monsieur de Restaud, vous ne savez pas ce que c'est que de rendre une femme heureuse, elle va chercher le bonheur là où il est, et vous la punissez de votre niaise impuissance?... Je suis là, moi, halte-là! il me trouvera dans sa route. Nasie, sois en repos. Ah, il tient à son héritier! bon, bon. Je lui empoignerai son fils, qui, sacré tonnerre, est mon petit-fils. Je puis bien le voir, ce marmot? Je le mets dans mon village, j'en aurai soin, sois bien tranquille. Je le ferai capituler, ce monstre-là, en lui disant: A nous deux! Si tu veux avoir ton fils, rends à ma fille son bien, et laisse-la se conduire à sa guise.

   — Mon père!

   — Oui, ton père! Ah! je suis un vrai père. Que ce drôle de grand seigneur ne maltraite pas mes filles. Tonnerre! je ne sais pas ce que j'ai dans les veines. J'y ai le sang d'un tigre, je voudrais dévorer ces deux hommes. O mes enfants! voilà donc votre vie? Mais c'est ma mort. Que deviendrez-vous donc quand je ne serai plus là? Les pères devraient vivre autant que leurs enfants. Mon Dieu, comme ton monde est mal arrangé! Et tu as un fils cependant, à ce qu'on nous dit. Tu devrais nous empêcher de souffrir dans nos enfants. Mes chers anges, quoi! ce n'est qu'à vos douleurs que je dois votre présence. Vous ne me faites connaître que vos larmes. Eh bien!, oui, vous m'aimez, je le vois. Venez, venez vous plaindre ici! mon cœur est grand, il peut tout recevoir. Oui, vous aurez beau le percer, les lambeaux feront encore des cœurs de père. Je voudrais prendre vos peines, souffrir pour vous. Ah! quand vous étiez petites, vous étiez bien heureuses. . . .

   — Nous n'avons eu que ce temps-là de bon, dit Delphine. Où sont les moments où nous dégringolions du haut des sacs dans le grand grenier?

   — Mon père! ce n'est pas tout, dit Anastasie à l'oreille de Goriot qui fit un bond. Les diamants n'ont pas été vendus cent mille francs.

Maxime est poursuivi. Nous n'avons plus que douze mille francs à payer. Il m'a promis d'être sage, de ne plus jouer. Il ne me reste plus au monde que son amour, et je l'ai payé trop cher pour ne pas mourir s'il m'échappait. Je lui ai sacrifié fortune, honneur, repos, enfants. Oh! faites qu'au moins Maxime soit libre, honoré, qu'il puisse demeurer dans le monde où il saura se faire une position. Maintenant il ne me doit pas que le bonheur, nous avons des enfants qui seraient sans fortune. Tout sera perdu s'il est mis à Sainte-Pélagie.[1]

— Je ne les ai pas, Nasie. Plus, plus rien, plus rien! C'est la fin du monde. Oh! le monde va crouler, c'est sûr. Allez-vous-en, sauvez-vous avant! Ah! j'ai encore mes boucles d'argent, six couverts, les premiers que j'aie eus dans ma vie. Enfin, je n'ai plus que douze cents francs de rente viagère. . . .

— Qu'avez-vous donc fait de vos rentes perpétuelles?

— Je les ai vendues en me réservant ce petit bout de revenu pour mes besoins. Il me fallait douze mille francs pour arranger un appartement à Fifine.

— Chez toi, Delphine? dit madame de Restaud à sa sœur.

— Oh! qu'est-ce que cela fait! reprit le père Goriot, les douze mille francs sont employés.

— Je devine, dit la comtesse. Pour monsieur de Rastignac. Ah! ma pauvre Delphine, arrête-toi. Vois où j'en suis.

— Ma chère, monsieur de Rastignac est un jeune homme incapable de ruiner sa maîtresse.

— Merci, Delphine. Dans la crise où je me trouve, j'attendais mieux de toi; mais tu ne m'as jamais aimée.

— Si, elle t'aime, Nasie, cria le père Goriot, elle me le disait tout à l'heure. Nous parlions de toi, elle me soutenait que tu étais belle et qu'elle n'était que jolie, elle!

— Elle! répéta la comtesse, elle est d'un beau froid.

— Quand cela serait, dit Delphine en rougissant, comment t'es tu comportée envers moi? Tu m'as reniée, tu m'as fait fermer les portes de toutes les maisons où je souhaitais aller, enfin tu n'as jamais manqué la moindre occasion de me causer de la peine. Et moi, suis-je venue, comme toi, soutirer à ce pauvre père, mille francs à mille francs, sa fortune, et le réduire dans l'état où il est? Voilà ton ouvrage, ma sœur. Moi, j'ai vu mon père tant que j'ai pu, je ne l'ai pas mis à la porte, et je ne suis pas venue lui lécher les mains quand j'avais besoin de lui. Je ne savais seulement pas qu'il eût employé ces douze mille francs pour moi. J'ai de l'ordre, moi!

tu le sais. D'ailleurs, quand papa m'a fait des cadeaux, je ne les ai jamais quêtés.

— Tu étais plus heureuse que moi: monsieur de Marsay était riche, tu en sais quelque chose. Tu as toujours été vilaine comme l'or. Adieu, je n'ai ni sœur, ni. . . .

— Tais-toi, Nasie! cria le père Goriot.

— Il n'y a qu'une sœur comme toi qui puisse répéter ce que le monde ne croit plus, tu es un monstre, lui dit Delphine.

— Mes enfants, mes enfants, taisez-vous, ou je me tue devant vous.

— Va, Nasie, je te pardonne, dit madame de Nucingen en continant, tu es malheureuse. Mais je suis meilleure que tu ne l'es. Me dire cela au moment où je me sentais capable de tout pour te secourir, même d'entrer dans la chambre de mon mari, ce que je ne ferais ni pour moi ni pour. . . . Ceci est digne de tout ce que tu as commis de mal contre moi depuis neuf ans.

— Mes enfants, mes enfants, embrassez-vous! dit le père. Vous êtes deux anges.

— Non, laissez-moi, cria la comtesse que Goriot avait prise par le bras et qui secoua l'embrassement de son père. Elle a moins de pitié pour moi que n'en aurait mon mari. Ne dirait-on pas qu'elle est l'image de toutes les vertus!

— J'aime encore mieux passer pour devoir de l'argent à monsieur de Marsay que d'avouer que monsieur de Trailles me coûte plus de deux cent mille francs, répondit madame de Nucingen.

— Delphine! cria la comtesse en faisant un pas vers elle.

— Je te dis la vérité quand tu me calomnies, répliqua froidement la baronne.

— Delphine! tu es une. . . .

Le père Goriot s'élança, retint la comtesse et l'empêcha de parler en lui couvrant la bouche avec sa main.

— Mon Dieu! mon père, à quoi donc avez-vous touché ce matin? lui dit Anastasie.

— Eh bien, oui, j'ai tort, dit le pauvre père en s'essuyant les mains à son pantalon. Mais je ne savais pas que vous viendriez, je déménage.

Il était heureux de s'être attiré un reproche qui détournait sur lui la colère de sa fille.

— Ah! reprit-il en s'asseyant, vous m'avez fendu le cœur. Je me meurs, mes enfants! Le crâne me cuit intérieurement comme s'il avait du feu. Soyez donc gentilles, aimez-vous bien! Vous me feriez mourir. Delphine, Nasie, allons, vous aviez raison, vous aviez tort toutes les deux. Voyons, Dedel, reprit-il en portant sur la baronne des yeux pleins de larmes, il lui faut douze mille francs, cherchons-les. Ne vous regardez pas comme ça. Il se mit à genoux devant Delphine. — Demande-lui pardon pour me faire plaisir, lui dit-il à l'oreille, elle est la plus malheureuse, voyons ?

— Ma pauvre Nasie, dit Delphine épouvantée de la sauvage et folle expression que la douleur imprimait sur le visage de son père, j'ai eu tort, embrasse-moi. . . .

— Ah ! vous me mettez du baume sur le cœur, cria le père Goriot. Mais où trouver douze mille francs ? Si je me proposais comme remplaçant ?[1]

— Ah ! mon père ! dirent les deux filles en l'entourant, non, non.

— Dieu vous récompensera de cette pensée, notre vie n'y suffirait point ! n'est-ce pas, Nasie ? reprit Delphine.

— Et puis, pauvre père, ce serait une goutte d'eau, fit observer la comtesse.

— Mais on ne peut donc rien faire de son sang ? cria le vieillard désespéré. Je me voue à celui qui te sauvera, Nasie ! je tuerai un homme pour lui. Je ferai comme Vautrin, j'irai au bagne ! je . . . Il s'arrêta comme s'il eût été foudroyé. Plus rien ! dit-il en s'arrachant les cheveux. Si je savais où aller pour voler, mais il est encore difficile de trouver un vol à faire. Et puis il faudrait du monde et du temps pour prendre la Banque. Allons, je dois mourir, je n'ai plus qu'à mourir. Oui, je ne suis plus bon à rien, je ne suis plus père ! non. Elle me demande, elle a besoin ! et moi, misérable, je n'ai rien. Ah ! tu t'es fait des rentes viagères, vieux scélérat, et tu avais des filles ! Mais tu ne les aimes donc pas ? Crève, crève comme un chien que tu es ! Oui, je suis au-dessous d'un chien, un chien ne se conduirait pas ainsi ! Oh ! ma tête ! elle bout !

— Mais, papa, crièrent les deux jeunes femmes qui l'entouraient pour l'empêcher de se frapper la tête contre les murs, soyez donc raisonnable.

Il sanglotait. Eugène, épouvanté, prit la lettre de change souscrite à Vautrin, et dont le timbre comportait une plus forte somme ; il en corrigea le chiffre, en fit une lettre de change régulière de douze mille francs à l'ordre de Goriot et entra.

— Voici tout votre argent, madame, dit-il en présentant le papier. Je dormais, votre conversation m'a réveillé, j'ai pu savoir ainsi ce que je devais à monsieur Goriot. En voici le titre que vous pouvez négocier, je l'acquitterai fidèlement.

La comtesse, immobile, tenait le papier.

— Delphine, dit-elle pâle et tremblante de colère, de fureur, de rage, je te pardonnais tout, Dieu m'en est témoin, mais ceci ! Comment, monsieur était là, tu le savais ! tu as eu la petitesse de te venger en me laissant lui livrer mes secrets, ma vie, celle de mes enfants, ma honte, mon honneur ! Va, tu ne m'es plus de rien, je te hais, je te ferai tout le mal possible, je.... La colère lui coupa la parole, et son gosier se sécha.

— Mais c'est mon fils, notre enfant, ton frère, ton sauveur, criait le père Goriot. Embrassez-le donc, Nasie ! Tiens, moi je l'embrasse, reprit-il en serrant Eugène avec une sorte de fureur. Oh ! mon enfant ! je serai plus qu'un père pour toi, je veux être une famille. Je voudrais être Dieu, je te jetterais l'univers aux pieds. Mais, baise-le donc, Nasie ! ce n'est pas un homme, mais un ange, un véritable ange.

— Laissez-la, mon père, elle est folle en ce moment, dit Delphine.

— Folle ! folle ! Et toi, qu'es-tu ? demanda madame de Restaud.

— Mes enfants, je meurs si vous continuez, cria le vieillard en tombant sur son lit comme frappé par une balle. — Elles me tuent ! se dit-il.

La comtesse regarda Eugène, qui restait immobile, abasourdi par la violence de cette scène. — Monsieur, lui dit-elle en l'interrogeant du geste, de la voix et du regard, sans faire attention à son père dont le gilet fut rapidement défait par Delphine.

— Madame, je paierai et je me tairai, répondit-il sans attendre la question.

— Tu as tué notre père, Nasie ! dit Delphine en montrant le vieillard évanoui à sa sœur, qui se sauva.

— Je lui pardonne bien, dit le bonhomme en ouvrant les yeux, sa situation est épouvantable et tournerait une meilleure tête. Console Nasie, sois douce pour elle, promets-le à ton pauvre père, qui se meurt, demanda-t-il à Delphine en lui pressant la main.

— Mais qu'avez-vous ? dit-elle tout effrayée.

— Rien, rien, répondit le père, ça se passera. J'ai quelque chose qui me presse le front, une migraine. Pauvre Nasie, quel avenir !

En ce moment la comtesse rentra, se jeta aux genoux de son père : — Pardon ! cria-t-elle.

— Allons, dit le père Goriot, tu me fais encore plus de mal maintenant.

— Monsieur, dit la comtesse à Rastignac, les yeux baignés de larmes, la douleur m'a rendue injuste. Vous serez un frère pour moi ? reprit-elle en lui tendant la main.

— Nasie, lui dit Delphine en la serrant, ma petite Nasie, oublions tout.

— Non, dit-elle, je m'en souviendrai, moi!

— Les anges, s'écria le père Goriot, vous m'enlevez le rideau que j'avais sur les yeux, votre voix me ranime. Embrassez-vous donc encore. Eh bien! Nasie, cette lettre de change te sauvera-t-elle?

— Je l'espère. Dites donc, papa, voulez-vous y mettre votre signature?

— Tiens, suis-je bête, moi, d'oublier ça! Mais je me suis trouvé mal. Nasie, ne m'en veux pas. Envoie-moi dire que tu es hors de peine. Non, j'irai. Mais non, je n'irai pas, je ne puis plus voir ton mari, je le tuerais net. Quant à dénaturer tes biens, je serai là. Va vite, mon enfant, et fais que Maxime devienne sage.

Eugène était stupéfait.

— Cette pauvre Anastasie a toujours été violente, dit madame de Nucingen, mais elle a bon cœur.

— Elle est revenue pour l'endos, dit Eugène à l'oreille de Delphine.

— Vous croyez?

— Je voudrais ne pas le croire. Méfiez-vous d'elle, répondit-il en levant les yeux comme pour confier à Dieu des pensées qu'il n'osait exprimer.

— Oui, elle a toujours été un peu comédienne, et mon pauvre père se laisse prendre à ses mines.

— Comment allez-vous, mon bon père Goriot? demanda Rastignac au vieillard.

— J'ai envie de dormir, répondit-il.

Eugène aida Goriot à se coucher. Puis, quand le bonhomme se fut endormi en tenant la main de Delphine, sa fille se retira.

— Ce soir aux Italiens, dit-elle à Eugène, et tu me diras comment il va. Demain, vous déménagerez, monsieur. Voyons votre chambre. Oh! quelle horreur! dit-elle en y entrant. Mais vous étiez plus mal que n'est mon père. Eugène, tu t'es bien conduit. Je vous aimerais davantage si c'était possible; mais, mon enfant, si vous voulez faire fortune, il ne faut pas jeter comme ça des douze mille francs par les fenêtres. Le comte de Trailles est joueur. Ma sœur ne veut pas voir ça. Il aurait été chercher ses douze mille francs là où il sait perdre ou gagner des monts d'or.

Un gémissement les fit revenir chez Goriot, qu'ils trouvèrent en apparence endormi; mais quand les deux amants s'approchèrent, ils entendirent ces mots : « Elles ne sont pas heureuses ! » Qu'il dormît ou qu'il veillât, l'accent de cette phrase frappa si vivement le cœur de sa fille, qu'elle s'approcha du grabat sur lequel gisait son père, et le baisa au front. Il ouvrit ses yeux en disant : — C'est Delphine !

— Eh bien ! comment vas-tu ? demanda-t-elle.

— Bien, dit-il. Ne sois pas inquiète, je vais sortir. Allez, allez, mes enfants, soyez heureux.

Eugène accompagna Delphine jusque chez elle ; mais, inquiet de l'état dans lequel il avait laissé Goriot, il refusa de dîner avec elle, et revint à la Maison Vauquer. Il trouva le père Goriot debout et prêt à s'attabler. Bianchon s'était mis de manière à bien examiner la figure du vermicellier. Quand il lui vit prendre son pain et le sentir pour juger de la farine avec laquelle il était fait, l'étudiant, ayant observé dans ce mouvement une absence totale de ce que l'on pourrait nommer la conscience de l'acte, fit un geste sinistre.

— Viens donc près de moi, monsieur l'interne à Cochin, dit Eugène.

Bianchon s'y transporta d'autant plus volontiers qu'il allait être près du vieux pensionnaire.

— Qu'a-t-il ? demanda Rastignac.

— A moins que je ne me trompe, il est flambé ! Il a dû se passer quelque chose d'extraordinaire en lui, il me semble être sous le poids d'une apoplexie séreuse imminente. Quoique le bas de la figure soit assez calme, les traits supérieurs du visage se tirent vers le front malgré lui, vois ! Puis les yeux sont dans l'état particulier qui dénote l'invasion du sérum dans le cerveau. Ne dirait-on pas qu'ils sont pleins d'une poussière fine ? Demain matin j'en saurai davantage.

— Y aurait-il quelque remède ?

— Aucun. Peut-être pourra-t-on retarder sa mort si l'on trouve les moyens de déterminer une réaction vers les extrémités, vers les jambes ; mais si demain soir les symptômes ne cessent pas, le pauvre bonhomme est perdu. Sais-tu par quel événement la maladie a été causée ? il a dû recevoir un coup violent sous lequel son moral aura succombé.

— Oui, dit Rastignac en se rappelant que les deux filles avaient battu sans relâche sur le cœur de leur père.

— Au moins, se disait Eugène, Delphine aime son père, elle !

Le soir, aux Italiens, Rastignac prit quelques précautions afin de ne pas trop alarmer madame de Nucingen.

— N'ayez pas d'inquiétude, répondit-elle aux premiers mots que lui dit Eugène, mon père est fort. Seulement, ce matin, nous l'avons un peu secoué. Nos fortunes sont en question, songez-vous à l'étendue de ce malheur ? Je ne vivrais pas si votre affection ne me rendait pas insensible à ce que j'aurais regardé naguère comme des angoisses mortelles. Il n'est plus aujourd'hui qu'une seule crainte, un seul malheur pour moi, c'est de perdre l'amour qui m'a fait sentir le plaisir de vivre. En dehors de ce sentiment tout m'est indifférent, je n'aime plus rien au monde. Vous êtes tout pour moi. Si je sens le bonheur d'être riche, c'est pour mieux vous plaire. Je suis, à ma honte, plus amante que je ne suis fille. Pourquoi ? je ne sais. Toute ma vie est en vous. Mon père m'a donné un cœur, mais vous l'avez fait battre. Le monde entier peut me blâmer, que m'importe ! si vous, qui n'avez pas le droit de m'en vouloir, m'acquittez des crimes auxquels me condamne un sentiment irrésistible ? Me croyez-vous une fille dénaturée ? oh, non, il est impossible de ne pas aimer un père aussi bon que l'est le nôtre. Pouvais-je empêcher qu'il ne vît enfin les suites naturelles de nos déplorables mariages ? Pourquoi ne les a-t-il pas empêchés ? N'était-ce pas à lui de réfléchir pour nous ? Aujourd'hui, je le sais, il souffre autant que nous ; mais que pouvions-nous y faire ? Le consoler ! nous ne le consolerions de rien. Notre résignation lui faisait plus de douleur que nos reproches et nos plaintes ne lui causeraient de mal. Il est des situations dans la vie où tout est amertume.

Eugène resta muet, saisi de tendresse par l'expression naïve d'un sentiment vrai. Si les Parisiennes sont souvent fausses, ivres de vanité, personnelles, coquettes, froides, il est sûr que quand elles aiment réellement, elles sacrifient plus de sentiments que les autres femmes à leurs passions ; elles se grandissent de toutes leurs petitesses, et deviennent sublimes. Puis Eugène était frappé de l'esprit profond et judicieux que la femme déploie pour juger les sentiments les plus naturels, quand une affection privilégiée l'en sépare et la met à distance. Madame de Nucingen se choqua du silence que gardait Eugène.

— A quoi pensez-vous donc ? lui demanda-t-elle.

— J'écoute encore ce que vous m'avez dit. J'ai cru jusqu'ici vous aimer plus que vous ne m'aimiez.

Elle sourit et s'arma contre le plaisir qu'elle éprouva, pour laisser la conversation dans les bornes imposées par les convenances. Elle n'avait jamais entendu les expressions vibrantes d'un amour jeune et sincère. Quelques mots de plus, elle ne se serait plus contenue.

— Eugène, dit-elle en changeant de conversation, vous ne savez donc pas ce qui se passe ? Tout Paris sera demain chez madame de

Beauséant. Les Rochefide et le marquis d'Ajuda se sont entendus pour ne rien ébruiter ; mais le Roi signe demain le contrat de mariage, et votre pauvre cousine ne sait rien encore. Elle ne pourra pas se dispenser de recevoir, et le marquis ne sera pas à son bal. On ne s'entretient que de cette aventure.

— Et le monde se rit d'une infamie, et il y trempe ! Vous ne savez donc pas que madame de Beauséant en mourra ?

— Non, dit Delphine en souriant, vous ne connaissez pas ces sortes de femmes-là. Mais tout Paris viendra chez elle, et j'y serai ! Je vous dois ce bonheur-là pourtant.

— Mais, dit Rastignac, n'est-ce pas un de ces bruits absurdes comme on en fait tant courir à Paris ?

— Nous saurons la vérité demain.

Eugène ne rentra pas à la Maison Vauquer. Il ne put se résoudre à ne pas jouir de son nouvel appartement. Si, la veille, il avait été forcé de quitter Delphine, à une heure après minuit, ce fut Delphine qui le quitta vers deux heures pour retourner chez elle. Il dormit le lendemain assez tard, attendit vers midi madame de Nucingen, qui vint déjeuner avec lui. Les jeunes gens sont si avides de ces jolis bonheurs, qu'il avait presque oublié le père Goriot. Ce fut une longue fête pour lui que de s'habituer à chacune de ces élégantes choses qui lui appartenaient. Madame de Nucingen était là, donnant à tout un nouveau prix. Cependant, vers quatre heures, les deux amants pensèrent au père Goriot en songeant au bonheur qu'il se promettait à venir demeurer dans cette maison. Eugène fit observer qu'il était nécessaire d'y transporter promptement le bonhomme, s'il devait être malade, et quitta Delphine pour courir à la Maison Vauquer. Ni le père Goriot ni Bianchon n'étaient à table.

— Eh bien ! lui dit le peintre, le père Goriot est éclopé.[1] Bianchon est là-haut près de lui. Le bonhomme a vu l'une de ses filles, la comtesse de Restaurama. Puis il a voulu sortir et sa maladie a empiré. La société va être privée d'un de ses beaux ornements.

Rastignac s'élança vers l'escalier.

— Hé ! monsieur Eugène !

— Monsieur Eugène ! madame vous appelle, cria Sylvie.

— Monsieur, lui dit la veuve, monsieur Goriot et vous, vous deviez sortir le quinze de février. Voici trois jours que le quinze est passé, nous sommes au dix-huit, il faudra me payer un mois pour vous et pour lui, mais, si vous voulez garantir le père Goriot, votre parole me suffira.

— Pourquoi ? n'avez-vous pas confiance ?

— Confiance! si le bonhomme n'avait plus sa tête et mourait, ses filles ne me donneraient pas un liard, et toute sa défroque ne vaut pas dix francs. Il a emporté ce matin ses derniers couverts, je ne sais pourquoi. Il s'était mis en jeune homme. Dieu me pardonne, je crois qu'il avait du rouge, il m'a paru rajeuni.

— Je réponds de tout, dit Eugène en frissonnant d'horreur et appréhendant une catastrophe.

Il monta chez le père Goriot. Le vieillard gisait sur son lit, et Bianchon était auprès de lui.

— Bonjour, père, lui dit Eugène.

Le bonhomme lui sourit doucement, et répondit en tournant vers lui des yeux vitreux. — Comment va-t-elle?

— Bien. Et vous?

— Pas mal.

— Ne le fatigue pas, dit Bianchon en entraînant Eugène dans un coin de la chambre.

— Eh bien? lui dit Rastignac.

— Il ne peut être sauvé que par un miracle. La congestion séreuse a eu lieu, il a les sinapismes; heureusement il les sent, ils agissent.

— Peut-on le transporter?

— Impossible. Il faut le laisser là, lui éviter tout mouvement physique et toute émotion. . . .

— Mon bon Bianchon, dit Eugène, nous le soignerons à nous deux.

— J'ai déjà fait venir le médecin en chef de mon hôpital.

— Eh bien?

— Il prononcera demain soir. Il m'a promis de venir après sa journée. Malheureusement ce fichu bonhomme a commis ce matin une imprudence sur laquelle il ne veut pas s'expliquer. Il est entêté comme une mule. Quand je lui parle, il fait semblant de ne pas entendre, et dort pour ne pas me répondre; ou bien, s'il a les yeux ouverts, il se met à geindre. Il est sorti vers le matin, il a été à pied dans Paris, on ne sait où. Il a emporté tout ce qu'il possédait de vaillant,[1] il a été faire quelque sacré trafic pour lequel il a outrepassé ses forces! Une de ses filles est venue.

— La comtesse? dit Eugène. Une grande brune, l'œil vif et bien coupé, joli pied, taille souple?

— Oui.

— Laisse-moi seul un moment avec lui, dit Rastignac. Je vais le confesser, il me dira tout, à moi.

— Je vais aller dîner pendant ce temps-là. Seulement tâche de ne pas trop l'agiter; nous avons encore quelque espoir.

— Sois tranquille.

— Elles s'amuseront bien demain, dit le père Goriot à Eugène quand ils furent seuls. Elles vont à un grand bal.

— Qu'avez-vous donc fait ce matin, papa, pour être si souffrant ce soir qu'il vous faille rester au lit?

— Rien.

— Anastasie est venue? demanda Rastignac.

— Oui, répondit le père Goriot.

— Eh bien! ne me cachez rien. Que vous a-t-elle encore demandé?

— Ah! reprit-il en rassemblant ses forces pour parler, elle était bien malheureuse, allez, mon enfant! Nasie n'a pas un sou depuis l'affaire des diamants. Elle avait commandé, pour ce bal, une robe lamée qui doit lui aller comme un bijou. Sa couturière, une infâme, n'a pas voulu lui faire crédit, et sa femme de chambre a payé mille francs en à-compte sur la toilette. Pauvre Nasie, en être venue là! Ça m'a déchiré le cœur. Mais la femme de chambre, voyant ce Restaud retirer toute sa confiance à Nasie, a eu peur de perdre son argent, et s'entend avec la couturière pour ne livrer la robe que si les mille francs sont rendus. Le bal est demain, la robe est prête, Nasie est au désespoir. Elle a voulu m'emprunter mes couverts pour les engager. Son mari veut qu'elle aille à ce bal pour montrer à tout Paris les diamants qu'on prétend vendus par elle. Peut-elle dire à ce monstre: « Je dois mille francs, payez-les »? Non. J'ai compris ça, moi. Sa sœur Delphine ira là dans une toilette superbe. Anastasie ne doit pas être au-dessous de sa cadette. Et puis elle est si noyée de larmes, ma pauvre fille! J'ai été si humilié de n'avoir pas eu douze mille francs hier, que j'aurais donné le reste de ma misérable vie pour racheter ce tort-là. Voyez-vous? j'avais eu la force de tout supporter, mais mon dernier manque d'argent m'a crevé le cœur. Oh! oh! je n'en ai fait ni une ni deux,[1] je me suis rafistolé, requinqué; j'ai vendu pour six cents francs de couverts et de boucles, puis j'ai engagé, pour un an, mon titre de rente viagère contre quatre cents francs une fois payés, au papa Gobseck. Bah! je mangerai du pain! ça me suffisait quand j'étais jeune, ça peut encore aller. Au moins elle aura une belle soirée, ma Nasie. Elle sera pimpante. J'ai le billet de mille francs là sous mon chevet. Ça me réchauffe d'avoir là sous la tête ce qui va faire plaisir à la pauvre Nasie. Elle pourra mettre sa mauvaise Victoire[2] à la porte. A-t-on vu des domestiques ne pas avoir confiance dans leurs maîtres! Demain je serai bien, Nasie vient à dix heures. Je ne veux pas qu'elles me croient malade, elles n'iraient point au bal, elles me soigneraient. Nasie m'embrassera demain comme son enfant, ses caresses me guériront. Enfin, n'aurais-je pas dépensé mille francs chez l'apothicaire? J'aime mieux les donner à mon Guérit-Tout, à ma Nasie. Je la consolerai dans sa misère, au moins. Ça m'acquitte du tort de m'être fait du viager. Elle est au fond de l'abîme, et moi je ne suis plus assez fort pour l'en tirer. Oh! je vais me remettre au commerce. J'irai à Odessa pour y acheter du grain. Les blés valent là trois fois moins que les nôtres ne coûtent. Si l'introduction des céréales est défendue en nature, les braves gens qui font les lois n'ont pas songé à prohiber les fabrications dont les blés sont le principe. Hé, hé! . . . j'ai trouvé cela, moi, ce matin! Il y a de beaux coups à faire dans les amidons.

— Il est fou, se dit Eugène en regardant le vieillard. Allons, restez en repos, ne parlez pas. . . .

Eugène descendit pour dîner quand Bianchon remonta. Puis tous deux passèrent la nuit à garder le malade à tour de rôle, en s'occupant, l'un à lire ses livres de médecine, l'autre à écrire à sa mère et à ses sœurs. Le lendemain, les symptômes qui se déclarèrent chez le malade furent, suivant Bianchon, d'un favorable augure; mais ils exigèrent des soins continuels dont les deux étudiants étaient seuls capables, et dans le récit desquels il est impossible de compromettre la pudibonde phraséologie de l'époque. Les sangsues mises sur le corps appauvri du bonhomme furent accompagnées de cataplasmes, de bains de pied, de manœuvres médicales pour lesquelles il fallait d'ailleurs la force et le dévouement des deux jeunes gens. Madame de Restaud ne vint pas; elle envoya chercher sa somme par un commissionnaire.

— Je croyais qu'elle serait venue elle-même. Mais ce n'est pas un mal, elle se serait inquiétée, dit le père en paraissant heureux de cette circonstance.

A sept heures du soir, Thérèse vint apporter une lettre de Delphine.

« Que faites-vous donc, mon ami? A peine aimée, serais-je déjà négligée? Vous m'avez montré, dans ces confidences versées de cœur à cœur, une trop belle âme pour n'être pas de ceux qui restent toujours fidèles en voyant combien les sentiments ont de nuances. Comme vous l'avez dit en écoutant la prière de *Mosé*:[1] « Pour les uns c'est une même note, pour les autres c'est l'infini de la musique! » Songez que je vous attends ce soir pour aller au bal de madame de Beauséant. Décidément le contrat de monsieur d'Ajuda a été signé ce

H

matin à la cour, et la pauvre vicomtesse ne l'a su qu'à deux heures. Tout Paris va se porter chez elle, comme le peuple encombre la Grève quand il doit y avoir une exécution. N'est-ce pas horrible d'aller voir si cette femme cachera sa douleur, si elle saura bien mourir? Je n'irais certes pas, mon ami, si j'avais été déjà chez elle; mais elle ne recevra plus sans doute, et tous les efforts que j'ai faits seraient superflus. Ma situation est bien différente de celle des autres. D'ailleurs, j'y vais pour vous aussi. Je vous attends. Si vous n'étiez pas près de moi dans deux heures, je ne sais si je vous pardonnerais cette félonie. »

Rastignac prit une plume et répondit ainsi:

« J'attends un médecin pour savoir si votre père doit vivre encore. Il est mourant. J'irai vous porter l'arrêt, et j'ai peur que ce ne soit un arrêt de mort. Vous verrez si vous pouvez aller au bal. Mille tendresses. »

Le médecin vint à huit heures et demie, et, sans donner un avis favorable, il ne pensa pas que la mort dût être imminente. Il annonça des mieux et des rechutes alternatives d'où dépendraient la vie et la raison du bonhomme.

— Il vaudrait mieux qu'il mourût promptement, fut le dernier mot du docteur.

Eugène confia le père Goriot aux soins de Bianchon, et partit pour aller porter à madame de Nucingen les tristes nouvelles qui, dans son esprit encore imbu des devoirs de famille, devaient suspendre toute joie.

— Dites-lui qu'elle s'amuse tout de même, lui cria le père Goriot qui paraissait assoupi, mais qui se dressa sur son séant au moment où Rastignac sortit.

Le jeune homme se présenta navré de douleur à Delphine, et la trouva coiffée, chaussée, n'ayant plus que sa robe de bal à mettre. Mais, semblables aux coups de pinceau par lesquels les peintres achèvent leurs tableaux, les derniers apprêts voulaient plus de temps que n'en demandait le fond même de la toile.

— Eh quoi, vous n'êtes pas habillé? dit-elle.

— Mais, madame, votre père. . . .

— Encore mon père, s'écria-t-elle en l'interrompant. Mais vous ne m'apprendrez pas ce que je dois à mon père. Je connais mon père depuis longtemps. Pas un mot, Eugène. Je ne vous écouterai que quand vous aurez fait votre toilette. Thérèse a tout préparé chez vous; ma voiture est prête, prenez-la; revenez. Nous causerons de mon père en allant au bal. Il faut partir de bonne heure; si nous sommes pris dans la file des voitures, nous serons bien heureux de faire notre entrée à onze heures.

— Madame!

— Allez! pas un mot, dit-elle courant dans son boudoir pour y prendre un collier.

— Mais allez donc, monsieur Eugène, vous fâcherez madame, dit Thérèse en poussant le jeune homme épouvanté de cet élégant parricide.

Il alla s'habiller en faisant les plus tristes, les plus décourageantes réflexions. Il voyait le monde comme un océan de boue[1] dans lequel un homme se plongeait jusqu'au cou, s'il y trempait le pied. — Il ne s'y commet que des crimes mesquins! se dit-il. Vautrin est plus grand. Il avait vu les trois grandes expressions de la société: l'Obéissance, la Lutte et la Révolte; la Famille, le Monde et Vautrin. Et il n'osait prendre parti. L'Obéissance était ennuyeuse, la Révolte impossible, et la Lutte incertaine.[2] Sa pensée le reporta au sein de sa famille. Il se souvint des pures émotions de cette vie calme, il se rappela les jours passés au milieu des êtres dont il était chéri. En se conformant aux lois naturelles du foyer domestique, ces chères créatures y trouvaient un bonheur plein, continu, sans angoisses.[3] Malgré ces bonnes pensées, il ne se sentit pas le courage de venir confesser la foi des âmes pures à Delphine, en lui ordonnant la Vertu au nom de l'Amour. Déjà son éducation commencée avait porté ses fruits. Il aimait égoïstement déjà. Son tact lui avait permis de reconnaître la nature du cœur de Delphine. Il pressentait qu'elle était capable de marcher sur le corps de son père pour aller au bal, et il n'avait ni la force de jouer le rôle d'un raisonneur, ni le courage de lui déplaire, ni la vertu de la quitter. «Elle ne me pardonnerait jamais d'avoir eu raison contre elle dans cette circonstance, » se dit-il. Puis il commenta les paroles des médecins, il se plut à penser que le père Goriot n'était pas aussi dangereusement malade qu'il le croyait; enfin, il entassa des raisonnements assassins pour justifier Delphine. Elle ne connaissait pas l'état dans lequel était son père. Le bonhomme lui-même la renverrait au bal, si elle l'allait voir. Souvent la loi sociale, implacable dans sa formule, condamne là où le crime apparent est excusé par les innombrables modifications qu'introduisent au sein des familles la différence des caractères, la diversité des intérêts et des situations. Eugène voulait se tromper lui-même, il était prêt à faire à sa maîtresse le sacrifice de sa conscience. Depuis deux jours, tout était changé dans sa vie. La femme y avait jeté ses désordres, elle avait fait pâlir la famille, elle avait tout confisqué à son profit.

Rastignac et Delphine s'étaient rencontrés dans les conditions voulues pour éprouver l'un par l'autre les plus vives jouissances. Leur passion bien préparée avait grandi par ce qui tue les passions, par la jouissance. En possédant cette femme, Eugène s'aperçut que jusqu'alors il ne l'avait que désirée, il ne l'aima qu'au lendemain du bonheur : l'amour n'est peut-être que la reconnaissance du plaisir. Infâme ou sublime, il adorait cette femme pour les voluptés qu'il lui avait apportées en dot, et pour toutes celles qu'il en avait reçues ; de même que Delphine aimait Rastignac autant que Tantale aurait aimé l'ange[1] qui serait venu satisfaire sa faim, ou étancher la soif de son gosier desséché.

— Eh bien ! comment va mon père ? lui dit madame de Nucingen quand il fut de retour et en costume de bal.

— Extrêmement mal, répondit-il, si vous voulez me donner une preuve de votre affection, nous courrons le voir.

— Eh bien, oui, dit-elle, mais après le bal. Mon bon Eugène, sois gentil, ne me fais pas de morale, viens.

Ils partirent. Eugène resta silencieux pendant une partie du chemin.

— Qu'avez-vous donc ? dit-elle.

— J'entends le râle de votre père, répondit-il avec l'accent de la fâcherie. Et il se mit à raconter avec la chaleureuse éloquence du jeune âge la féroce action à laquelle madame de Restaud avait été poussée par la vanité, la crise mortelle que le dernier dévouement du père avait déterminée, et ce que coûterait la robe lamée d'Anastasie. Delphine pleurait.

— Je vais être laide, pensa-t-elle. Ses larmes se séchèrent. J'irai garder mon père, je ne quitterai pas son chevet, reprit-elle.

— Ah ! te voilà comme je te voulais, s'écria Rastignac.

Les lanternes de cinq cents voitures éclairaient les abords de l'hôtel de Beauséant. De chaque côté de la porte illuminée piaffait un gendarme.[2] Le grand monde affluait si abondamment, et chacun mettait tant d'empressement à voir cette grande femme au moment de sa chute, que les appartements, situés au rez-de-chaussée de l'hôtel, étaient déjà pleins quand madame de Nucingen et Rastignac s'y présentèrent. Depuis le moment où toute la cour se rua chez la grande Mademoiselle[3] à qui Louis XIV arrachait son amant, nul désastre de cœur ne fut plus éclatant que ne l'était celui de madame de Beauséant. En cette circonstance, la dernière fille de la quasi royale maison de Bourgogne se montra supérieure à son mal, et domina jusqu'à son dernier moment le monde dont elle n'avait accepté les vanités que pour les faire servir au triomphe de sa passion. Les plus belles femmes de Paris animaient les salons de leurs toilettes et de leurs sourires. Les hommes les plus distingués de la cour, les ambassadeurs, les ministres, les gens illustrés en tout genre, chamarrés de croix, de plaques, de cordons multicolores, se pressaient autour de la vicomtesse. L'orchestre faisait résonner les motifs de sa musique sous les lambris dorés de ce palais, désert pour sa reine. Madame de Beauséant se tenait debout devant son premier salon pour recevoir ses prétendus amis. Vêtue de blanc, sans aucun ornement dans ses cheveux simplement nattés, elle semblait calme, et n'affichait ni douleur, ni fierté, ni fausse joie. Personne ne pouvait lire dans son âme. Vous eussiez dit d'une Niobé¹ de marbre. Son sourire à ses intimes amis fut parfois railleur; mais elle parut à tous semblable à elle-même, et se montra si bien ce qu'elle était quand le bonheur la parait de ses rayons, que les plus insensibles l'admirèrent, comme les jeunes Romaines applaudissaient le gladiateur qui savait sourire en expirant. Le monde semblait s'être paré pour faire ses adieux à l'une de ses souveraines.

— Je tremblais que vous ne vinssiez pas, dit-elle à Rastignac.

— Madame, répondit-il d'une voix émue en prenant ce mot pour un reproche, je suis venu pour rester le dernier.

— Bien, dit-elle en lui prenant la main. Vous êtes peut-être ici le seul auquel je puisse me fier. Mon ami, aimez une femme que vous puissiez aimer toujours. N'en abandonnez aucune.

Elle prit le bras de Rastignac et le mena sur un canapé, dans le salon où l'on jouait.

— Allez, lui dit-elle, chez le marquis. Jacques, mon valet de chambre, vous y conduira et vous remettra une lettre pour lui. Je lui demande ma correspondance. Il vous la remettra tout entière, j'aime à le croire. Si vous avez mes lettres, montez dans ma chambre. On me préviendra.

Elle se leva pour aller au-devant de la duchesse de Langeais, sa meilleure amie, qui venait aussi. Rastignac partit, fit demander le marquis d'Ajuda à l'hôtel de Rochefide, où il devait passer la soirée, et où il le trouva. Le marquis l'emmena chez lui, remit une boîte à l'étudiant, et lui dit: « Elles y sont toutes. » Il parut vouloir parler à Eugène, soit pour le questionner sur les événements du bal et sur la vicomtesse, soit pour lui avouer que déjà peut-être il était au désespoir de son mariage, comme il le fut plus tard; mais un éclair d'orgueil brilla dans ses yeux, et il eut le déplorable courage de garder le secret sur ses plus nobles sentiments. « Ne lui dites rien de moi, mon cher Eugène. » Il pressa la main de Rastignac par un mouvement affectueusement triste, et lui fit signe de partir. Eugène revint à l'hôtel de Beauséant, et fut introduit dans la chambre de la vicomtesse, où il vit les apprêts d'un départ. Il s'assit auprès du feu, regarda la cassette en cèdre, et tomba dans une profonde mélancolie. Pour lui, madame de Beauséant avait les proportions des déesses de l'Iliade.[1]

— Ah! mon ami, dit la vicomtesse en entrant et appuyant sa main sur l'épaule de Rastignac.

Il aperçut sa cousine en pleurs, les yeux levés, une main tremblante, l'autre levée. Elle prit tout à coup la boîte, la plaça dans le feu et la vit brûler.

— Ils dansent! ils sont venus tous bien exactement, tandis que la mort viendra tard. Chut! mon ami, dit-elle en mettant un doigt sur la bouche de Rastignac prêt à parler. Je ne verrai plus jamais ni Paris ni le monde. A cinq heures du matin, je vais partir pour aller m'ensevelir au fond de la Normandie. Depuis trois heures après midi, j'ai été obligée de faire mes préparatifs, signer des actes, voir à des affaires; je ne pouvais envoyer personne chez. . . . Elle s'arrêta. Il était sûr qu'on le trouverait chez. . . . Elle s'arrêta encore accablée de douleur. En ces moments tout est souffrance, et certains mots sont impossibles à prononcer. — Enfin, reprit-elle, je comptais sur vous ce soir pour ce dernier service. Je voudrais vous donner un gage de mon amitié. Je penserai souvent à vous, qui m'avez paru bon et noble, jeune et candide au milieu de ce monde où ces qualités sont si rares. Je souhaite que vous songiez quelquefois à moi. Tenez, dit-elle en jetant les yeux autour d'elle, voici le coffret où je mettais mes gants. Toutes les fois que j'en ai pris avant d'aller au bal ou au spectacle, je me sentais belle, parce que j'étais heureuse, et je n'y touchais que pour y laisser quelque pensée gracieuse: il y a beaucoup de moi là-dedans, il y a toute une madame de Beauséant qui n'est plus. Acceptez-le. J'aurai soin qu'on le porte chez vous, rue d'Artois. Madame de Nucingen est fort bien ce soir, aimez-la bien. Si nous ne nous voyons plus, mon ami, soyez sûr que je ferai des vœux pour vous, qui avez été bon pour moi. Descendons, je ne veux pas leur laisser croire que je pleure. J'ai l'éternité devant moi, j'y serai seule, et personne ne m'y demandera compte de mes larmes. Encore un regard à cette chambre. Elle s'arrêta. Puis, après s'être un moment caché les yeux avec sa main, elle se les essuya, les baigna d'eau fraîche, et prit le bras de l'étudiant. Marchons! dit-elle.

Rastignac n'avait pas encore senti d'émotion aussi violente que fut le contact de cette douleur si noblement contenue. En rentrant dans le bal, Eugène en fit le tour avec madame de Beauséant, dernière et délicate attention de cette gracieuse femme. Bientôt il aperçut les deux sœurs, madame de Restaud et madame de Nucingen. La comtesse était magnifique avec tous ses diamants étalés, qui, pour elle, étaient brûlants sans doute, elle les portait pour la dernière fois. Quelque puissants que fussent son orgueil et son amour, elle ne soutenait pas bien les regards de son mari. Ce spectacle n'était pas de nature à rendre les pensées de Rastignac moins tristes. Il revit alors, sous les diamants des deux sœurs, le grabat sur lequel gisait le père Goriot. Son attitude mélancolique ayant trompé la vicomtesse, elle lui retira son bras.

— Allez! je ne veux pas vous coûter un plaisir, dit-elle.

Eugène fut bientôt réclamé par Delphine, heureuse de l'effet qu'elle produisait, et jalouse de mettre aux pieds de l'étudiant les hommages qu'elle recueillait dans ce monde, où elle espérait être adoptée.

— Comment trouvez-vous Nasie? lui dit-elle.

— Elle a, dit Rastignac, escompté jusqu'à la mort de son père.

Vers quatre heures du matin, la foule des salons commençait à s'éclaircir. Bientôt la musique ne se fit plus entendre. La duchesse de Langeais et Rastignac se trouvèrent seuls dans le grand salon. La vicomtesse, croyant n'y rencontrer que l'étudiant, y vint après avoir dit adieu à monsieur de Beauséant, qui s'alla coucher en lui répétant: « Vous avez tort, ma chère, d'aller vous enfermer à votre âge! Restez donc avec nous. »

En voyant la duchesse, madame de Beauséant ne put retenir une exclamation.

— Je vous ai devinée, Clara, dit madame de Langeais. Vous partez pour ne plus revenir; mais vous ne partirez pas sans m'avoir entendue et sans que nous nous soyons comprises. Elle prit son amie par le bras, l'emmena dans le salon voisin, et là, la regardant avec des larmes dans les yeux, elle la serra dans ses bras et la baisa sur les joues. — Je ne veux pas vous quitter froidement, ma chère, ce serait un remords trop lourd. Vous pouvez compter sur moi comme sur vous-même. Vous avez été grande ce soir, je me suis sentie digne de vous, et veux vous le prouver. J'ai eu des torts envers vous, je n'ai pas toujours été bien, pardonnez-moi, ma chère: je désavoue tout ce qui a pu vous blesser, je voudrais reprendre mes paroles. Une même douleur a réuni nos âmes, et je ne sais qui de nous sera la plus malheureuse. Monsieur de Montriveau n'était pas ici ce soir, comprenez-vous? Qui vous a vue pendant ce bal, Clara, ne vous oubliera jamais. Moi, je tente un dernier effort. Si j'échoue, j'irai dans un couvent! Où allez-vous, vous?

— En Normandie, à Courcelles, aimer, prier, jusqu'au jour où Dieu me retirera de ce monde.

— Venez, monsieur de Rastignac, dit la vicomtesse d'une voix émue, en pensant que ce jeune homme attendait. L'étudiant plia le genou, prit la main de sa cousine et la baisa. — Antoinette, adieu! reprit madame de Beauséant, soyez heureuse. Quant à vous, vous l'êtes, vous êtes jeune, vous pouvez croire à quelque chose, dit-elle à l'étudiant. A mon départ de ce monde, j'aurai eu, comme quelques mourants privilégiés, de religieuses, de sincères émotions autour de moi!

Rastignac s'en alla vers cinq heures, après avoir vu madame de Beauséant dans sa berline de voyage, après avoir reçu son dernier adieu mouillé de larmes qui prouvaient que les personnes les plus élevées ne sont pas mises hors de la loi du cœur et ne vivent pas sans chagrins, comme quelques courtisans du peuple voudraient le lui faire croire. Eugène revint à pied vers la Maison-Vauquer, par un temps humide et froid. Son éducation s'achevait.

— Nous ne sauverons pas le pauvre père Goriot, lui dit Bianchon quand Rastignac entra chez son voisin.

— Mon ami, lui dit Eugène après avoir regardé le vieillard endormi, va, poursuis la destinée modeste à laquelle tu bornes tes désirs. Moi, je suis en enfer, et il faut que j'y reste. Quelque mal que l'on te dise du monde, crois-le![1] il n'y a pas de Juvénal qui puisse en peindre l'horreur couverte d'or et de pierreries.

Le lendemain, Rastignac fut éveillé sur les deux heures après midi par Bianchon, qui, forcé de sortir, le pria de garder le père Goriot, dont l'état avait fort empiré pendant la matinée.

— Le bonhomme n'a pas deux jours, n'a peut-être pas six heures à vivre, dit l'élève en médecine, et cependant nous ne pouvons pas cesser de combattre le mal. Il va falloir lui donner des soins coûteux. Nous serons bien ses garde-malades; mais je n'ai pas le sou, moi. J'ai retourné ses poches, fouillé ses armoires: zéro au quotient. Je l'ai questionné dans un moment où il avait sa tête, il m'a dit ne pas avoir un liard à lui. Qu'as-tu, toi?

— Il me reste vingt francs, répondit Rastignac, mais j'irai les jouer, je gagnerai.

— Si tu perds?

— Je demanderai de l'argent à ses gendres et à ses filles.

— Et s'ils ne t'en donnent pas ? reprit Bianchon. Le plus pressé dans ce moment n'est pas de trouver de l'argent, il faut envelopper le bonhomme d'un sinapisme bouillant depuis les pieds jusqu'à la moitié des cuisses. S'il crie, il y aura de la ressource. Tu sais comment cela s'arrange. D'ailleurs, Christophe t'aidera. Moi, je passerai chez l'apothicaire répondre de tous les médicaments que nous y prendrons. Il est malheureux que le pauvre homme n'ait pas été transportable à notre hospice, il y aurait été mieux. Allons, viens que je t'installe, et ne le quitte pas que je ne sois revenu.

Les deux jeunes gens entrèrent dans la chambre où gisait le vieillard. Eugène fut effrayé du changement de cette face convulsée, blanche et profondément débile.

— Eh bien, papa ? lui dit-il en se penchant sur le grabat.

Goriot leva sur Eugène des yeux ternes et le regarda fort attentivement sans le reconnaître. L'étudiant ne soutint pas ce spectacle, des larmes humectèrent ses yeux.

— Bianchon, ne faudrait-il pas des rideaux aux fenêtres ?

— Non. Les circonstances atmosphériques ne l'affectent plus. Ce serait trop heureux s'il avait chaud ou froid. Néanmoins il nous faut du feu pour faire les tisanes et préparer bien des choses. Je t'enverrai des falourdes qui nous serviront jusqu'à ce que nous ayons du bois. Hier et cette nuit, j'ai brûlé le tien et toutes les mottes du pauvre homme. Il faisait humide, l'eau dégouttait des murs. A peine ai-je pu sécher la chambre. Christophe l'a balayée, c'est vraiment une écurie. J'y ai brûlé du genièvre, ça puait trop.

— Mon Dieu ! dit Rastignac, mais ses filles !

— Tiens, s'il demande à boire, tu lui donneras de ceci, dit l'interne en montrant à Rastignac un grand pot blanc. Si tu l'entends se plaindre et que le ventre soit chaud et dur, tu te feras aider par Christophe pour lui administrer ... tu sais. S'il avait, par hasard, une grande exaltation, s'il parlait beaucoup, s'il avait enfin un petit brin de démence, laisse-le aller. Ce ne sera pas un mauvais signe. Mais envoie Christophe à l'hospice Cochin. Notre médecin, mon camarade ou moi, nous viendrions lui appliquer des moxas. Nous avons fait ce matin, pendant que tu dormais, une grande consultation avec un élève du docteur Gall, avec un médecin en chef de l'Hôtel-Dieu et le nôtre. Ces messieurs ont cru reconnaître de curieux symptômes, et nous allons suivre les progrès de la maladie, afin de nous éclairer sur plusieurs points scientifiques assez importants. Un de ces messieurs prétend que la pression du sérum, si elle portait plus sur un organe que sur un autre, pourrait développer des faits particuliers. Écoute-le donc bien, au cas où il parlerait, afin de constater à quel genre d'idées appartiendraient ses discours : si c'est des effets de mémoire, de pénétration, de jugement ; s'il s'occupe de matérialités, ou de sentiments ; s'il calcule, s'il revient sur le passé ; enfin sois en état de nous faire un rapport exact. Il est possible que l'invasion ait lieu en bloc, il mourra imbécile comme il l'est en ce moment. Tout est bien bizarre dans ces sortes de maladie ! Si la bombe crevait par ici, dit Bianchon en montrant l'occiput du malade, il y a des exemples de phénomènes singuliers : le cerveau recouvre quelques-unes de ses facultés, et la mort est plus lente à se déclarer. Les sérosités peuvent se détourner du cerveau, prendre des routes dont on ne connaît le cours que par l'autopsie. Il y a aux Incurables un vieillard hébété chez qui l'épanchement a suivi la colonne vertébrale ; il souffre horriblement, mais il vit.

— Se sont-elles bien amusées ? dit le père Goriot, qui reconnut Eugène.

— Oh ! il ne pense qu'à ses filles, dit Bianchon. Il m'a dit plus de cent fois cette nuit : « Elles dansent ! Elle a sa robe. » Il les appelait par leurs noms. Il me faisait pleurer, diable m'emporte ! avec ses intonations : « Delphine ! ma petite Delphine ! Nasie ! » Ma parole d'honneur, dit l'élève en médecine, c'était à fondre en larmes.

— Delphine, dit le vieillard, elle est là, n'est-ce pas ? Je le savais bien. Et ses yeux recouvrèrent une activité folle pour regarder les murs et la porte.

— Je descends dire à Sylvie de préparer les sinapismes, cria Bianchon, le moment est favorable.

Rastignac resta seul près du vieillard, assis au pied du lit, les yeux fixés sur cette tête effrayante et douloureuse à voir.

— Madame de Beauséant s'enfuit, celui-ci se meurt, dit-il. Les belles âmes ne peuvent pas rester longtemps en ce monde. Comment les grands sentiments s'allieraient-ils, en effet, à une société mesquine, petite, superficielle ?[1]

Les images de la fête à laquelle il avait assisté se représentèrent à son souvenir et contrastèrent avec le spectacle de ce lit de mort. Bianchon reparut soudain.

— Dis donc, Eugène, je viens de voir notre médecin en chef, et je suis revenu toujours courant. S'il se manifeste des symptômes de raison, s'il parle, couche-le sur un long sinapisme, de manière à l'envelopper de moutarde depuis la nuque jusqu'à la chute des reins, et fais-nous appeler.

— Cher Bianchon, dit Eugène.

— Oh! il s'agit d'un fait scientifique, reprit l'élève en médecine avec toute l'ardeur d'un néophyte.

— Allons, dit Eugène, je serai donc le seul à soigner ce pauvre vieillard par affection.

— Si tu m'avais vu ce matin, tu ne dirais pas cela, reprit Bianchon sans s'offenser du propos. Les médecins qui ont exercé ne voient que la maladie; moi, je vois encore le malade, mon cher garçon.

Il s'en alla, laissant Eugène seul avec le vieillard, et dans l'appréhension d'une crise qui ne tarda pas à se déclarer.

— Ah! c'est vous, mon cher enfant, dit le père Goriot en reconnaissant Eugène.

— Allez-vous mieux? demanda l'étudiant en lui prenant la main.

— Oui, j'avais la tête serrée comme dans un étau, mais elle se dégage. Avez-vous vu mes filles? Elles vont venir bientôt, elles accourront aussitôt qu'elles me sauront malade, elles m'ont tant soigné rue de la Jussienne! Mon Dieu! je voudrais que ma chambre fût propre pour les recevoir. Il y a un jeune homme qui m'a brûlé toutes mes mottes.

— J'entends Christophe, lui dit Eugène, il vous monte du bois que ce jeune homme vous envoie.

— Bon! mais comment payer le bois? je n'ai pas un sou, mon enfant. J'ai tout donné, tout. Je suis à la charité. La robe lamée était-elle belle au moins? (Ah! je souffre!) Merci, Christophe. Dieu vous récompensera, mon garçon; moi, je n'ai plus rien.

— Je te payerai bien, toi et Sylvie, dit Eugène à l'oreille du garçon.

— Mes filles vous ont dit qu'elles allaient venir, n'est-ce pas, Christophe? Vas-y encore, je te donnerai cent sous. Dis-leur que je ne me sens pas bien, que je voudrais les embrasser, les voir encore une fois avant de mourir. Dis-leur cela, mais sans trop les effrayer.

Christophe partit sur un signe de Rastignac.

— Elles vont venir, reprit le vieillard. Je les connais. Cette bonne Delphine, si je meurs, quel chagrin je lui causerai! Nasie aussi. Je ne voudrais pas mourir, pour ne pas les faire pleurer. Mourir, mon bon Eugène, c'est ne plus les voir. Là où l'on s'en va, je m'ennuierai bien. Pour un père, l'enfer c'est d'être sans enfants, et j'ai déjà fait mon apprentissage depuis qu'elles sont mariées. Mon paradis était rue de la Jussienne.[1] Dites donc, si je vais en paradis, je pourrai revenir sur terre en esprit autour d'elles.[2] J'ai entendu dire de ces choses-là. Sont-elles vraies? Je crois les voir en ce moment telles qu'elles étaient rue de la Jussienne. Elles descendaient le matin. Bonjour, papa, disaient-elles. Je les prenais sur mes genoux, je leur faisais mille agaceries, des niches. Elles me caressaient gentiment. Nous déjeunions tous les matins ensemble, nous dînions, enfin j'étais père, je jouissais de mes enfants. Quand elles étaient rue de la Jussienne, elles ne raisonnaient pas, elles ne savaient rien du monde, elles m'aimaient bien. Mon Dieu! pourquoi ne sont-elles pas toujours restées petites? (Oh! je souffre, la tête me tire.) Ah! ah! pardon, mes enfants! je souffre horriblement, et il faut que ce soit de la vrai douleur, vous m'avez rendu bien dur au mal. Mon Dieu! si j'avais seulement leurs mains dans les miennes, je ne sentirais point mon mal. Croyez-vous qu'elles viennent? Christophe est si bête! J'aurais dû y aller moi-même. Il va les voir, lui. Mais vous avez été hier au bal. Dites-moi donc comment elles étaient? Elles ne savaient rien de ma maladie, n'est-ce pas? Elles n'auraient pas dansé, pauvres petites! Oh! je ne veux plus être malade. Elles ont encore trop besoin de moi. Leurs fortunes sont compromises. Et à quels maris sont-elles livrées! Guérissez-moi, guérissez-moi! (Oh! que je souffre! Ah! ah! ah!) Voyez-vous, il faut me guérir, parce qu'il leur faut de l'argent, et je sais où aller en gagner. J'irai faire de l'amidon en aiguilles[1] à Odessa. Je suis un malin, je gagnerai des millions. (Oh! je souffre trop!)

Goriot garda le silence pendant un moment, en paraissant faire tous ses efforts pour rassembler ses forces afin de supporter la douleur.

— Si elles étaient là, je ne me plaindrais pas, dit-il. Pourquoi donc me plaindre?

Un léger assoupissement survint et dura longtemps. Christophe revint. Rastignac, qui croyait le père Goriot endormi, laissa le garçon lui rendre compte à haute voix de sa mission.

— Monsieur, dit-il, je suis d'abord allé chez madame la comtesse, à laquelle il m'a été impossible de parler, elle était dans de grandes affaires avec son mari. Comme j'insistais, monsieur de Restaud est venu lui-même, et m'a dit comme ça: «Monsieur Goriot se meurt, eh bien! c'est ce qu'il a de mieux à faire. J'ai besoin de madame de Restaud pour terminer des affaires importantes, elle ira quand tout sera fini.» Il avait l'air en colère, ce monsieur-là. J'allais sortir, lorsque madame est entrée dans l'antichambre par une porte que je ne voyais pas, et m'a dit: «Christophe, dis à mon père que je suis en discussion avec mon mari, je ne puis pas le quitter; il s'agit de la vie ou de la mort de mes enfants; mais aussitôt que tout sera fini, j'irai.» Quand à madame la baronne, autre histoire! je ne l'ai point vue, et je n'ai pas pu lui parler. «Ah! me dit la femme de chambre, madame est rentrée du bal à cinq heures un quart, elle dort; si je l'éveille avant midi, elle me grondera. Je lui dirai que son père va plus mal quand elle me sonnera. Pour une mauvaise nouvelle, il est toujours temps de la lui dire. » J'ai eu beau prier! Ah ouin! J'ai demandé à parler à monsieur le baron, il était sorti.

— Aucune de ses filles ne viendrait! s'écria Rastignac. Je vais écrire à toutes deux.

— Aucune, répondit le vieillard en se dressant sur son séant. Elles ont des affaires, elles dorment, elles ne viendront pas. Je le savais. Il faut mourir pour savoir ce que c'est que des enfants. Ah! mon ami, ne vous mariez pas, n'ayez pas d'enfants! Vous leur donnez la vie, ils vous donnent la mort. Vous les faites entrer dans le monde, ils vous en chassent. Non, elles ne viendront pas! Je sais cela depuis dix ans. Je me le disais quelquefois, mais je n'osais pas y croire.[1]

Une larme roula dans chacun de ses yeux, sur la bordure rouge, sans en tomber.

— Ah! si j'étais riche, si j'avais gardé ma fortune, si je ne la leur avais pas donnée, elles seraient là, elles me lècheraient les joues de leurs baisers! je demeurerais dans un hôtel, j'aurais de belles chambres, des domestiques, du feu à moi; et elles seraient tout en larmes, avec leurs maris, leurs enfants. J'aurais tout cela. Mais rien. L'argent donne tout, même des filles.[2] Oh! mon argent, où est-il? Si j'avais des trésors à laisser, elles me panseraient, elles me soigneraient; je les entendrais, je les verrais. Ah! mon cher enfant, mon seul enfant, j'aime mieux mon abandon et ma misère! Au moins, quand un malheureux est aimé, il est bien sûr qu'on l'aime. Non, je voudrais être riche, je les verrais. Ma foi, qui sait? Elles ont toutes les deux des cœurs de roche. J'avais trop d'amour pour elles pour qu'elles en eussent pour moi.[3] Un père doit être toujours riche, il doit tenir ses enfants en bride comme des chevaux sournois. Et j'étais à genoux devant elles. Les misérables! elles couronnent dignement leur conduite envers moi depuis dix ans. Si vous saviez comme elles étaient aux petits soins pour moi dans les premiers temps de leur mariage! (Oh! je souffre un cruel martyre!) Je venais de leur donner à chacune près de huit cent mille francs, elles ne pouvaient pas, ni leurs maris non plus, être rudes avec moi. L'on me recevait: « Mon père, par-ci; mon cher père, par-là ». Mon couvert était toujours mis chez elles. Enfin je dînais avec leurs maris, qui me traitaient avec considération. J'avais l'air d'avoir encore quelque chose. Pourquoi ça? Je n'avais rien dit de mes affaires. Un homme qui donne huit cent mille francs à ses filles était un homme à soigner.

Et l'on était aux petits soins, mais c'était pour mon argent. Le monde n'est pas beau. J'ai vu cela, moi! L'on me menait en voiture au spectacle, et je restais comme je voulais aux soirées. Enfin elles se disaient mes filles, et elles m'avouaient pour leur père. J'ai encore ma finesse, allez, et rien ne m'est échappé. Tout a été à son adresse[1] et m'a percé le cœur. Je voyais bien que c'était des frimes; mais le mal était sans remède. Je n'étais pas chez elles aussi à l'aise qu'à la table d'en bas. Je ne savais rien dire. Aussi quand quelques-uns de ces gens du monde demandaient à l'oreille de mes gendres: — Qui est-ce que ce monsieur-là? — C'est le père aux écus, il est riche. — Ah, diable! disait-on, et l'on me regardait avec le respect dû aux écus. Mais si je les gênais quelquefois un peu, je rachetais bien mes défauts! D'ailleurs, qui donc est parfait? (Ma tête est une plaie!) Je souffre en ce moment ce qu'il faut souffrir pour mourir, mon cher monsieur Eugène, eh bien! ce n'est rien en comparaison de la douleur que m'a causée le premier regard par lequel Anastasie m'a fait comprendre que je venais de dire une bêtise qui l'humiliait: son regard m'a ouvert toutes les veines. J'aurais voulu tout savoir, mais ce que j'ai bien su, c'est que j'étais de trop sur terre. Le lendemain je suis allé chez Delphine pour me consoler, et voilà que j'y fais une bêtise qui me l'a mise en colère. J'en suis devenu comme fou. J'ai été huit jours ne sachant plus ce que je devais faire. Je n'ai pas osé les aller voir, de peur de leurs reproches. Et me voilà à la porte de mes filles. O mon Dieu puisque tu connais les misères, les souffrances que j'ai endurées; puisque tu as compté les coups de poignard que j'ai reçus, dans ce temps qui m'a vieilli, changé, tué, blanchi, pourquoi me fais-tu donc souffrir aujourd'hui? J'ai bien expié le péché de les trop aimer.[2] Elles se sont bien vengées de mon affection, elles m'ont tenaillé comme des bourreaux. Eh bien! les pères sont si bêtes! je les aimais tant que j'y suis retourné comme un joueur au jeu. Mes filles, c'était mon vice à moi; elles étaient mes maîtresses,[3] enfin tout! Elles avaient toutes les deux besoin de quelque chose, de parures; les femmes de chambre me le disaient, et je les donnais pour être bien reçu! Mais elles m'ont fait tout de même quelques petites leçons sur ma manière d'être dans le monde. Oh! elles n'ont pas attendu le lendemain. Elles commençaient à rougir de moi. Voilà ce que c'est que de bien élever ses enfants. A mon âge je ne pouvais pourtant pas aller à l'école. (Je souffre horriblement, mon Dieu! les médecins! les médecins! Si l'on m'ouvrait la tête, je souffrirais moins.) Mes filles, mes filles, Anastasie, Delphine! je veux les voir. Envoyez-les chercher par la gendarmerie, de force! la justice est pour

moi, tout est pour moi, la nature, le code civil. Je proteste. La patrie
périra si les pères sont foulés aux pieds. Cela est clair. La société, le
monde roulent sur la paternité, tout croule si les enfants n'aiment
pas leurs pères. Oh! les voir, les entendre, n'importe ce qu'elles me
diront, pourvu que j'entende leur voix, ça calmera mes douleurs,
Delphine surtout. Mais dites-leur, quand elles seront là, de ne pas
me regarder froidement comme elles font. Ah! mon bon ami,
monsieur Eugène, vous ne savez pas ce que c'est que de trouver l'or
du regard changé tout à coup en plomb gris, Depuis le jour où leurs
yeux n'ont plus rayonné sur moi, j'ai toujours été en hiver ici; je n'ai
plus eu que des chagrins à dévorer, et je les ai dévorés! J'ai vécu
pour être humilié, insulté. Je les aime tant, que j'avalais tous les
affronts par lesquels elles me vendaient une pauvre petite jouissance
honteuse. Un père se cacher pour voir ses filles! Je leur ai donné ma
vie, elles ne me donneront pas une heure aujourd'hui! J'ai soif, j'ai
faim, le cœur me brûle, elles ne viendront pas rafraîchir mon agonie,
car je meurs, je le sens. Mais elles ne savent donc pas ce que c'est que
de marcher sur le cadavre de son père! Il y a un Dieu dans les cieux,
il nous venge malgré nous, nous autres pères. Oh! elles viendront!
Venez, mes chéries, venez encore me baiser, un dernier baiser, le
viatique[1] de votre père, qui priera Dieu pour vous, qui lui dira que
vous avez été de bonnes filles, qui plaidera pour vous! Après tout,
vous êtes innocentes. Elles sont innocentes, mon ami! Dites-le bien
à tout le monde, qu'on ne les inquiète pas à mon sujet. Tout est de
ma faute, je les ai habituées à me fouler aux pieds. J'aimais cela, moi.
Ça ne regarde personne, ni la justice humaine, ni la justice divine.
Dieu serait injuste s'il les condamnait à cause de moi. Je n'ai pas su
me conduire, j'ai fait la bêtise d'abdiquer mes droits. Je me serais
avili pour elles! Que voulez-vous! le plus beau naturel, les meilleures
âmes auraient succombé à la corruption de cette facilité paternelle.
Je suis un misérable, je suis justement puni. Moi seul ai causé les
désordres de mes filles, je les ai gâtées. Elles veulent aujourd'hui le
plaisir, comme elles voulaient autrefois du bonbon. Je leur ai
toujours permis de satisfaire leurs fantaisies de jeunes filles. A quinze
ans, elles avaient voiture! Rien ne leur a résisté. Moi seul suis
coupable, mais coupable par amour. Leur voix m'ouvrait le cœur.
Je les entends, elles viennent. Oh! oui, elles viendront. La loi veut
qu'on vienne voir mourir son père, la loi est pour moi. Puis ça ne
coûtera qu'une course. Je la paierai. Écrivez-leur que j'ai des
millions à leur laisser! Parole d'honneur. J'irai faire des pâtes d'Italie
à Odessa. Je connais la manière. Il y a, dans mon projet, des millions

à gagner. Personne n'y a pensé. Ça ne se gâtera point dans le transport comme le blé ou comme la farine. Eh, eh, l'amidon ? il y aura là des millions ! Vous ne mentirez pas, dites-leur des millions, et quand même elles viendraient par avarice, j'aime mieux être trompé, je les verrai. Je veux mes filles ! je les ai faites ! elles sont à moi ! dit-il en se dressant sur son séant, en montrant à Eugène une tête dont les cheveux blancs étaient épars et qui menaçait par tout ce qui pouvait exprimer la menace.

— Allons, lui dit Eugène, recouchez-vous, mon bon père Goriot, je vais leur écrire. Aussitôt que Bianchon sera de retour, j'irai si elles ne viennent pas.

— Si elles ne viennent pas ? répéta le vieillard en sanglotant. Mais je serai mort, mort dans un accès de rage, de rage ! La rage me gagne ! En ce moment, je vois ma vie entière. Je suis dupe ! elles ne m'aiment pas, elles ne m'ont jamais aimé ! cela est clair. Si elles ne sont pas venues, elles ne viendront pas. Plus elles auront tardé, moins elles se décideront à me faire cette joie. Je les connais. Elles n'ont jamais su rien deviner de mes chagrins, de mes douleurs, de mes besoins, elles ne devineront pas plus ma mort ; elles ne sont seulement pas dans le secret de ma tendresse. Oui, je le vois, pour elles, l'habitude de m'ouvrir les entrailles a ôté du prix à tout ce que je faisais. Elles auraient demandé à me crever les yeux, je leur aurais dit : « Crevez-les ! » Je suis trop bête. Elles croient que tous les pères sont comme le leur. Il faut toujours se faire valoir. Leurs enfants me vengeront. Mais c'est dans leur intérêt de venir ici. Prévenez-les donc qu'elles compromettent leur agonie. Elles commettent tous les crimes en un seul. Mais allez donc, dites-leur donc que, ne pas venir, c'est un parricide ! Elles en ont assez commis sans ajouter celui-là. Criez donc comme moi : « Hé, Nasie ! hé, Delphine ! venez à votre père qui a été si bon pour vous et qui souffre ! » Rien, personne. Mourrai-je donc comme un chien ? Voilà ma récompense, l'abandon. Ce sont des infâmes, des scélérates ; je les abomine, je les maudis ; je me relèverai, la nuit, de mon cercueil pour les remaudire, car, enfin, mes amis, ai-je tort ? elles se conduisent bien mal ! hein ? Qu'est-ce que je dis ? Ne m'avez-vous pas averti que Delphine est là ? C'est la meilleure des deux. Vous êtes mon fils, Eugène, vous ! aimez-la, soyez un père pour elle. L'autre est bien malheureuse. Et leurs fortunes ! Ah, mon Dieu ! J'expire, je souffre un peu trop ! Coupez-moi la tête, laissez-moi seulement le cœur.

— Christophe, allez chercher Bianchon, s'écria Eugène épouvanté du caractère que prenaient les plaintes et les cris du vieillard, et ramenez-moi un cabriolet.

— Je vais aller chercher vos filles, mon bon père Goriot, je vous les ramènerai.

— De force, de force! Demandez la garde, la ligne,[1] tout! tout, dit-il en jetant à Eugène un dernier regard où brilla la raison. Dites au gouvernement, au procureur du roi, qu'on me les amène, je le veux!

— Mais vous les avez maudites.

— Qui est-ce qui a dit cela? répondit le vieillard stupéfait. Vous savez bien que je les aime, je les adore! Je suis guéri si je les vois. . . . Allez, mon bon voisin, mon cher enfant, allez, vous êtes bon, vous; je voudrais vous remercier, mais je n'ai rien à vous donner que les bénédictions d'un mourant. Ah! je voudrais au moins voir Delphine pour lui dire de m'acquitter envers vous. Si l'autre ne peut pas, amenez-moi celle-là. Dites-lui que vous ne l'aimerez plus si elle ne veut pas venir. Elle vous aime tant qu'elle viendra. A boire, les entrailles me brûlent! Mettez-moi quelque chose sur la tête. La main de mes filles, ça me sauverait, je le sens. . . . Mon Dieu! qui refera leurs fortunes si je m'en vais? Je veux aller à Odessa pour elles, à Odessa, y faire des pâtes.

— Buvez ceci, dit Eugène en soulevant le moribond et le prenant dans son bras gauche tandis que de l'autre il tenait une tasse pleine de tisane.

— Vous devez aimer votre père et votre mère, vous! dit le vieillard en serrant de ses mains défaillantes la main d'Eugène. Comprenez-vous que je vais mourir sans les voir, mes filles? Avoir soif toujours, et ne jamais boire, voilà comment j'ai vécu depuis dix ans. . . . Mes deux gendres ont tué mes filles. Oui, je n'ai plus eu de filles après qu'elles ont été mariées. Pères, dites aux Chambres de faire une loi sur le mariage! Enfin, ne mariez pas vos filles si vous les aimez. Le gendre est un scélérat qui gâte tout chez une fille, il souille tout. Plus de mariages! C'est ce qui nous enlève nos filles, et nous ne les avons plus quand nous mourons. Faites une loi sur la mort des pères. C'est épouvantable, ceci! Vengeance! Ce sont mes gendres qui les empêchent de venir. Tuez-les! A mort le Restaud, à mort l'Alsacien, ils sont mes assassins! La mort ou mes filles! Ah! c'est fini, je meurs sans elles! Elles! Nasie, Fifine, allons, venez donc! Votre papa sort. . . .

— Mon bon père Goriot, calmez-vous, voyons, restez tranquille, ne vous agitez pas, ne pensez pas.

— Ne pas les voir, voilà l'agonie!

— Vous allez les voir.

— Vrai! cria le vieillard égaré. Oh! les voir! je vais les voir, entendre leur voix. Je mourrai heureux. Eh bien! oui, je ne demande plus à vivre, je n'y tenais plus, les peines allaient croissant. Mais les voir, toucher leurs robes, ah! rien que leurs robes, c'est bien peu; mais que je sente quelque chose d'elles! Faites-moi prendre les cheveux... veux....

Il tomba la tête sur l'oreiller comme s'il recevait un coup de massue. Ses mains s'agitèrent sur la couverture comme pour prendre les cheveux de ses filles.

— Je les bénis, dit-il en faisant un effort, bénis.

Il s'affaissa tout à coup. En ce moment Bianchon entra.

— J'ai rencontré Christophe, dit-il, il va t'amener une voiture. Puis il regarda le malade, lui souleva de force les paupières, et les deux étudiants lui virent un œil sans chaleur et terne. — Il n'en reviendra pas, dit Bianchon, je ne crois pas. Il prit le pouls, le tâta, mit la main sur le cœur du bonhomme.

— La machine va toujours; mais, dans sa position, c'est un malheur, il vaudrait mieux qu'il mourût!

— Ma foi, oui, dit Rastignac.

— Qu'as-tu donc? tu es pâle comme la mort.

— Mon ami, je viens d'entendre des cris et des plaintes. Il y a un Dieu! Oh! oui! il y a un Dieu, et il nous a fait un monde meilleur, ou notre terre est un non-sens. Si ce n'avait pas été si tragique, je fondrais en larmes, mais j'ai le cœur et l'estomac horriblement serrés.

— Dis donc, il va falloir bien des choses; où prendre de l'argent? Rastignac tira sa montre.

— Tiens, mets-la vite en gage. Je ne veux pas m'arrêter en route, car j'ai peur de perdre une minute, et j'attends Christophe. Je n'ai pas un liard, il faudra payer mon cocher au retour.

Rastignac se précipita dans l'escalier, et partit pour aller rue du Helder chez madame de Restaud. Pendant le chemin, son imagination, frappée de l'horrible spectacle dont il avait été témoin, échauffa son indignation. Quand il arriva dans l'antichambre et qu'il demanda madame de Restaud, on lui répondit qu'elle n'était pas visible.

— Mais, dit-il au valet de chambre, je viens de la part de son père qui se meurt.

— Monsieur, nous avons de monsieur le comte les ordres les plus sévères.

— Si monsieur de Restaud y est, dites-lui dans quelle circonstance se trouve son beau-père et prévenez-le qu'il faut que je lui parle à l'instant même.

Eugène attendit pendant longtemps.

— Il se meurt peut-être en ce moment, pensait-il.

Le valet de chambre l'introduisit dans le premier salon, où monsieur de Restaud reçut l'étudiant debout, sans le faire asseoir, devant une cheminée où il n'y avait pas de feu.

— Monsieur le comte, lui dit Rastignac, monsieur votre beau-père expire en ce moment dans un bouge infâme, sans un liard pour avoir du bois; il est exactement à la mort et demande à voir sa fille. . . .

— Monsieur, lui répondit avec froideur le comte de Restaud, vous avez pu vous apercevoir que j'ai fort peu de tendresse pour monsieur Goriot. Il a compromis son caractère avec madame de Restaud, il a fait le malheur de ma vie, je vois en lui l'ennemi de mon repos. Qu'il meure, qu'il vive, tout m'est parfaitement indifférent. Voilà quels sont mes sentiments à son égard. Le monde pourra me blâmer, je méprise l'opinion. J'ai maintenant des choses plus importantes à accomplir qu'à m'occuper de ce que penseront de moi des sots ou des indifférents. Quant à madame de Restaud, elle est hors d'état de sortir. D'ailleurs, je ne veux pas qu'elle quitte sa maison. Dites à son père qu'aussitôt qu'elle aura rempli ses devoirs envers moi, envers mon enfant, elle ira le voir. Si elle aime son père, elle peut être libre dans quelques instants. . . .

— Monsieur le comte, il ne m'appartient pas de juger de votre conduite, vous êtes le maître de votre femme; mais je puis compter sur votre loyauté? eh bien! promettez-moi seulement de lui dire que son père n'a pas un jour à vivre, et l'a déjà maudite en ne la voyant pas à son chevet!

— Dites-le-lui vous-même, répondit monsieur de Restaud frappé des sentiments d'indignation que trahissait l'accent d'Eugène.

Rastignac entra, conduit par le comte, dans le salon où se tenait habituellement la comtesse: il la trouva noyée de larmes, et plongée dans une bergère comme une femme qui voulait mourir. Elle lui fit pitié. Avant de regarder Rastignac, elle jeta sur son mari de craintifs regards qui annonçaient une prostration complète de ses forces écrasées par une tyrannie morale et physique. Le comte hocha la tête, elle se crut encouragée à parler.

— Monsieur, j'ai tout entendu. Dites à mon père que s'il connaissait la situation dans laquelle je suis, il me pardonnerait. Je ne comptais pas sur ce supplice, il est au-dessus de mes forces, monsieur, mais je résisterai jusqu'au bout, dit-elle à son mari. Je suis mère.

Dites à mon père que je suis irréprochable envers lui, malgré les apparences, cria-t-elle avec désespoir à l'étudiant.

Eugène salua les deux époux, en devinant l'horrible crise dans laquelle était la femme, et se retira stupéfait. Le ton de monsieur de Restaud lui avait démontré l'inutilité de sa démarche, et il comprit qu'Anastasie n'était plus libre. Il courut chez madame de Nucingen, et la trouva dans son lit.

— Je suis souffrante, mon pauvre ami, lui dit-elle. J'ai pris froid en sortant du bal, j'ai peur d'avoir une fluxion de poitrine, j'attends le médecin....

— Eussiez-vous la mort sur les lèvres, lui dit Eugène en l'interrompant, il faut vous traîner auprès de votre père. Il vous appelle! si vous pouviez entendre le plus léger de ses cris, vous ne vous sentiriez point malade.

— Eugène, mon père n'est peut-être pas aussi malade que vous le dites; mais je serais au désespoir d'avoir le moindre tort à vos yeux, et je me conduirai comme vous le voudrez. Lui, je le sais, il mourrait de chagrin si ma maladie devenait mortelle par suite de cette sortie. Eh bien! j'irai dès que mon médecin sera venu. Ah! pourquoi n'avez-vous plus votre montre? dit-elle en ne voyant plus la chaîne. Eugène rougit. Eugène! Eugène, si vous l'aviez déjà vendue, perdue... oh! cela serait bien mal.

L'étudiant se pencha sur le lit de Delphine, et lui dit à l'oreille:

— Vous voulez le savoir? eh bien! sachez-le! Votre père n'a pas de quoi s'acheter le linceul dans lequel on le mettra ce soir. Votre montre est en gage, je n'avais plus rien.

Delphine sauta tout à coup hors de son lit, courut à son secrétaire, y prit sa bourse, la tendit à Rastignac. Elle sonna et s'écria: « J'y vais, j'y vais, Eugène. Laissez-moi m'habiller; mais je serais un monstre! Allez, j'arriverai avant vous! Thérèse, cria-t-elle à sa femme de chambre, dites à monsieur de Nucingen de monter me parler à l'instant même. »

Eugène, heureux de pouvoir annoncer au moribond la présence d'une de ses filles, arriva presque joyeux rue Neuve-Sainte-Geneviève. Il fouilla dans la bourse pour pouvoir payer immédiatement son cocher. La bourse de cette jeune femme, si riche, si élégante, contenait soixante-dix francs. Parvenu en haut de l'escalier, il trouva le père Goriot maintenu par Bianchon, et opéré par le chirurgien de l'hôpital, sous les yeux du médecin. On lui brûlait le dos avec des moxas, dernier remède de la science, remède inutile.

— Les sentez-vous, demandait le médecin.

Le père Goriot, ayant entrevu l'étudiant, répondit:

— Elles viennent, n'est-ce pas?

— Il peut s'en tirer, dit le chirurgien, il parle.

— Oui, répondit Eugène, Delphine me suit.

— Allons! dit Bianchon, il parlait de ses filles, après lesquelles il crie comme un homme sur le pal crie, dit-on, après l'eau.

— Cessez, dit le médecin au chirurgien, il n'y a plus rien à faire, on ne le sauvera pas.

Bianchon et le chirurgien replacèrent le mourant à plat sur son grabat infect.

— Il faudrait cependant le changer de linge dit le médecin. Quoiqu'il n'y ait aucun espoir, il faut respecter en lui la nature humaine. Je reviendrai, Bianchon, dit-il à l'étudiant. S'il se plaignait encore, mettez-lui de l'opium sur le diaphragme.

Le chirurgien et le médecin sortirent.

— Allons, Eugène, du courage, mon fils! dit Bianchon à Rastignac quand ils furent seuls, il s'agit de lui mettre une chemise blanche et de changer son lit. Va dire à Sylvie de monter des draps et de venir nous aider.

Eugène descendit et trouva madame Vauquer occupée à mettre le couvert avec Sylvie. Aux premiers mots que lui dit Rastignac, la veuve vint à lui, en prenant l'air aigrement doucereux d'une marchande soupçonneuse qui ne voudrait ni perdre son argent, ni fâcher le consommateur.

— Mon cher monsieur Eugène, répondit-elle, vous savez tout comme moi que le père Goriot n'a plus le sou. Donner des draps à un homme en train de tortiller de l'œil,[1] c'est les perdre, d'autant qu'il faudra bien en sacrifier un pour le linceul. Ainsi, vous me devez déjà cent quarante-quatre francs, mettez quarante francs de draps, et quelques autres petites choses, la chandelle que Sylvie vous donnera, tout cela fait au moins deux cents francs, qu'une pauvre veuve comme moi n'est pas en état de perdre. Dame! soyez juste, monsieur Eugène, j'ai bien assez perdu depuis cinq jours que le guignon[2] s'est logé chez moi. J'aurais donné dix écus pour que ce bonhomme-là fût parti ces jours-ci, comme vous le disiez. Ça frappe mes pensionnaires. Pour un rien, je le ferais porter à l'hôpital. Enfin, mettez-vous à ma place. Mon établissement avant tout, c'est ma vie, à moi.

Eugène remonta rapidement chez le père Goriot.

— Bianchon, l'argent de la montre?

— Il est là sur la table, il en reste trois cent soixante et quelques francs. J'ai payé sur ce qu'on m'a donné tout ce que nous devions. La reconnaissance du Mont-de-Piété est sous l'argent.

— Tenez, madame, dit Rastignac après avoir dégringolé l'escalier avec horreur, soldez nos comptes. Monsieur Goriot n'a pas longtemps à rester chez vous, et moi. . . .

— Oui, il en sortira les pieds en avant, pauvre bonhomme, dit-elle en comptant deux cents francs, d'un air moitié gai, moitié mélancolique.

— Finissons, dit Rastignac.

— Sylvie, donnez les draps, et allez aider ces messieurs, là-haut.

— Vous n'oublierez pas Sylvie, dit madame Vauquer à l'oreille d'Eugène, voilà deux nuits qu'elle veille.

Dès qu'Eugène eut le dos tourné, la vieille courut à sa cuisinière:

— Prends les draps retournés, numéro sept. Par Dieu, c'est toujours assez bon pour un mort, lui dit-elle à l'oreille.

Eugène, qui avait déjà monté quelques marches de l'escalier, n'entendit pas les paroles de la vieille hôtesse.

— Allons, lui dit Bianchon, passons-lui sa chemise. Tiens-le droit.

Eugène se mit à la tête du lit et soutint le moribond, auquel Bianchon enleva sa chemise, et le bonhomme fit un geste comme pour garder quelque chose sur sa poitrine, et poussa des cris plaintifs et inarticulés, à la manière des animaux qui ont une grande douleur à exprimer.

— Oh! oh! dit Bianchon, il veut une petite chaîne de cheveux et un petit médaillon que nous lui avons ôtés tout à l'heure pour lui poser ses moxas. Pauvre homme! il faut la lui remettre. Elle est sur la cheminée.

Eugène alla prendre une chaîne tressée avec des cheveux blond-cendré, sans doute ceux de madame Goriot. Il lut d'un côté du médaillon: Anastasie, et de l'autre: Delphine. Image de son cœur qui reposait toujours sur son cœur. Les boucles contenues étaient d'une telle finesse qu'elles devaient avoir été prises pendant la première enfance des deux filles. Lorsque le médaillon toucha sa poitrine, le vieillard fit un *ban* prolongé qui annonçait une satisfaction effrayante à voir. C'était un des derniers retentissements de sa sensibilité, qui semblait se retirer au centre inconnu d'où partent et où s'adressent nos sympathies. Son visage convulsé prit une expression de joie maladive. Les deux étudiants, frappés de ce terrible éclat d'une force de sentiment qui survivait à la pensée, laissèrent tomber chacun des larmes chaudes sur le moribond qui jeta un cri de plaisir aigu.

— Nasie ! Fifine ! dit-il.

— Il vit encore, dit Bianchon.

— A quoi ça lui sert-il ? dit Sylvie

— A souffrir, répondit Rastignac.

Après avoir fait à son camarade un signe pour lui dire de l'imiter, Bianchon s'agenouilla pour passer ses bras sous les jarrets du malade, pendant que Rastignac en faisait autant de l'autre côté du lit afin de passer les mains sous le dos. Sylvie était là, prête à retirer les draps quand le moribond serait soulevé, afin de les remplacer par ceux qu'elle apportait. Trompé sans doute par les larmes, Goriot usa ses dernières forces pour étendre les mains, rencontra de chaque côté de son lit les têtes des étudiants, les saisit violemment par les cheveux, et l'on entendit faiblement : « Ah ! mes anges ! » Deux mots, deux murmures accentués par l'âme qui s'envola sur cette parole.

— Pauvre cher homme, dit Sylvie attendrie de cette exclamation où se peignit un sentiment suprême que le plus horrible, le plus involontaire des mensonges exaltait une dernière fois.

Le dernier soupir de ce père devait être un soupir de joie. Ce soupir fut l'expression de toute sa vie, il se trompait encore. Le père Goriot fut pieusement replacé sur son grabat. A compter de ce moment, sa physionomie garda la douloureuse empreinte du combat qui se livrait entre la mort et la vie dans une machine qui n'avait plus cette espèce de conscience cérébrale d'où résulte le sentiment du plaisir et de la douleur pour l'être humain. Ce n'était plus qu'une question de temps pour la destruction.

— Il va rester ainsi quelques heures, et mourra sans que l'on s'en aperçoive, il ne râlera même pas. Le cerveau doit être complètement envahi.

En ce moment on entendit dans l'escalier un pas de jeune femme haletante.

— Elle arrive trop tard, dit Rastignac.

Ce n'était pas Delphine, mais Thérèse, sa femme de chambre.

— Monsieur Eugène, dit-elle, il s'est élevé une scène violente entre monsieur et madame, à propos de l'argent que cette pauvre madame demandait pour son père. Elle s'est évanouie, le médecin est venu, il a fallu la saigner, elle criait : « Mon père se meurt, je veux voir papa ! » Enfin, des cris à fendre l'âme.

— Assez, Thérèse. Elle viendrait que maintenant ce serait superflu, monsieur Goriot n'a plus de connaissance.

— Pauvre cher monsieur, est-il mal comme ça ! dit Thérèse.

— Vous n'avez plus besoin de moi, faut que j'aille à mon dîner, il est quatre heures et demie, dit Sylvie qui faillit se heurter sur le haut de l'escalier avec madame de Restaud.

Ce fut une apparition grave et terrible que celle de la comtesse. Elle regarda le lit de mort, mal éclairé par une seule chandelle, et versa des pleurs en apercevant le masque de son père où palpitaient encore les derniers tressaillements de la vie. Bianchon se retira par discrétion.

— Je ne me suis pas échappée assez tôt, dit la comtesse à Rastignac.

L'étudiant fit un signe de tête affirmatif plein de tristesse. Madame de Restaud prit la main de son père, la baisa.

— Pardonnez-moi, mon père! Vous disiez que ma voix vous rappellerait de la tombe; eh bien, revenez un moment à la vie pour bénir votre fille repentante. Entendez-moi. Ceci est affreux! votre bénédiction est la seule que je puisse recevoir ici-bas désormais. Tout le monde me hait, vous seul m'aimez. Mes enfants eux-mêmes me haïront. Emmenez-moi avec vous, je vous aimerai, je vous soignerai. Il n'entend plus, je suis folle. Elle tomba sur ses genoux, et contempla ce débris avec une expression de délire. Rien ne manque à mon malheur, dit-elle en regardant Eugène. Monsieur de Trailles est parti, laissant ici des dettes énormes, et j'ai su qu'il me trompait. Mon mari ne me pardonnera jamais, et je le lui ai laissé le maître de ma fortune. J'ai perdu toutes mes illusions. Hélas! pour qui ai-je trahi le seul cœur (elle montra son père) où j'étais adorée! Je l'ai méconnu, je l'ai repoussé, je lui ai fait mille maux, infâme que je suis!

— Il le savait, dit Rastignac.

En ce moment le père Goriot ouvrit les yeux, mais par l'effet d'une convulsion. Le geste qui révélait l'espoir de la comtesse ne fut pas moins horrible à voir que l'œil du mourant.

— M'entendrait-il? cria la comtesse. Non, se dit-elle en s'asseyant auprès de lui.

Madame de Restaud ayant manifesté le désir de garder son père, Eugène descendit pour prendre un peu de nourriture. Les pensionnaires étaient déjà réunis.

— Eh bien, lui dit le peintre, il paraît que nous allons avoir un petit mortorama[1] là-haut?

— Charles, lui dit Eugène, il me semble que vous devriez plaisanter sur quelque sujet moins lugubre.

— Nous ne pourrons donc plus rire ici? reprit le peintre. Qu'est-ce que cela fait, puisque Bianchon dit que le bonhomme n'a plus sa connaissance?

— Eh bien! reprit l'employé au Muséum, il sera mort comme il a vécu.

— Mon père est mort! cria la comtesse.

A ce cri terrible, Sylvie, Rastignac et Bianchon montèrent, et trouvèrent madame de Restaud évanouie. Après l'avoir fait revenir à elle, ils la transportèrent dans le fiacre qui l'attendait. Eugène la confia aux soins de Thérèse, lui ordonnant de la conduire chez madame de Nucingen.

— Oh! il est bien mort, dit Bianchon en descendant.

— Allons, messieurs, à table, dit madame Vauquer, la soupe va se refroidir.

Les deux étudiants se mirent à côté l'un de l'autre.

— Que faut-il faire maintenant? dit Eugène à Bianchon.

— Mais je lui ai fermé les yeux, et je l'ai convenablement disposé. Quand le médecin de la mairie aura constaté le décès que nous irons déclarer, on le coudra dans un linceul, et on l'enterrera. Que veux-tu qu'il devienne?

— Il ne flairera plus son pain comme ça, dit un pensionnaire en imitant la grimace du bonhomme.

— Sacrebleu, messieurs, dit le répétiteur, laissez donc le père Goriot, et ne nous en faites plus manger, car on l'a mis à toute sauce depuis une heure. Un des privilèges de la bonne ville de Paris, c'est qu'on peut y naître, y vivre, y mourir sans que personne fasse attention à vous. Profitons donc des avantages de la civilisation. Il y a soixante morts aujourd'hui, voulez-vous nous apitoyer sur les hécatombes parisiennes? Que le père Goriot soit crevé, tant mieux pour lui! Si vous l'adorez, allez le garder, et laissez-nous manger tranquillement, nous autres.

— Oh! oui, dit la veuve, tant mieux pour lui qu'il soit mort! Il paraît que le pauvre homme avait bien du désagrément sa vie durant.

Ce fut la seule oraison funèbre d'un être qui, pour Eugène, représentait la Paternité. Les quinze pensionnaires se mirent à causer comme à l'ordinaire. Lorsque Eugène et Bianchon eurent mangé, le bruit des fourchettes et des cuillers, les rires de la conversation, les diverses expressions de ces figures gloutonnes et indifférentes, leur insouciance, tout les glaça d'horreur. Ils sortirent pour aller chercher un prêtre qui veillât et priât pendant la nuit près du mort. Il leur fallut mesurer les derniers devoirs à rendre au bonhomme sur le peu d'argent dont ils pourraient disposer. Vers neuf heures du soir, le corps fut placé sur un fond sanglé,[1] entre deux chandelles, dans cette chambre nue, et un prêtre vint s'asseoir auprès de lui. Avant de se coucher, Rastignac, ayant demandé des renseignements à l'ecclésiastique sur le prix du service à faire et sur celui des convois, écrivit un mot au baron de Nucingen et au comte de Restaud en les priant d'envoyer leurs gens d'affaires afin de pourvoir à tous les frais de l'enterrement. Il leur dépêcha Christophe, puis il se coucha et s'endormit accablé de fatigue. Le lendemain matin, Bianchon et Rastignac furent obligés d'aller déclarer eux-mêmes le décès, qui vers midi fut constaté. Deux heures après, aucun des deux gendres n'avait envoyé d'argent, personne ne s'était présenté en leur nom, et Rastignac avait été forcé déjà de payer les frais du prêtre. Sylvie ayant demandé dix francs pour ensevelir le bonhomme et le coudre dans un linceul, Eugène et Bianchon calculèrent que, si les parents du mort ne voulaient se mêler de rien, ils auraient à peine de quoi pourvoir aux frais. L'étudiant en médecine se chargea donc de mettre lui-même le cadavre dans une bière de pauvre qu'il fit apporter de son hôpital, où il l'eut à meilleur marché.

— Fais une farce à ces drôles-là, dit-il à Eugène. Va acheter un terrain, pour cinq ans, au Père-Lachaise, et commande un service de troisième classe à l'église et aux Pompes-Funèbres.[1] Si les gendres et les filles se refusent à te rembourser, tu feras graver sur la tombe : « Ci-gît monsieur Goriot, père de la comtesse de Restaud et de la baronne de Nucingen, enterré aux frais de deux étudiants. »

Eugène ne suivit le conseil de son ami qu'après avoir été infructueusement chez monsieur et madame de Nucingen et chez monsieur et madame de Restaud. Il n'alla pas plus loin que la porte. Chacun des concierges avait des ordres sévères.

— Monsieur et madame, dirent-ils, ne reçoivent personne ; leur père est mort, et ils sont plongés dans la plus vive douleur.

Eugène avait assez l'expérience du monde parisien pour savoir qu'il ne devait pas insister. Son cœur se serra étrangement quand il se vit dans l'impossibilité de parvenir jusqu'à Delphine.

« *Vendez une parure*, lui écrivit-il chez le concierge, *et que votre père soit décemment conduit à sa dernière demeure.* »

Il cacheta ce mot, et pria le concierge du baron de le remettre à Thérèse pour sa maîtresse ; mais le concierge le remit au baron de Nucingen qui le jeta dans le feu. Après avoir fait toutes ses dispositions, Eugène revint vers trois heures à la pension bourgeoise, et ne put retenir une larme quand il aperçut à cette porte bâtarde la bière à peine couverte d'un drap noir, posée sur deux chaises dans cette rue déserte.[2] Un mauvais goupillon,[3] auquel personne n'avait encore touché, trempait dans un plat de cuivre argenté plein d'eau bénite. La porte n'était pas même tendue de noir. C'était la mort des pauvres, qui n'a ni faste, ni suivants, ni amis, ni parents. Bianchon, obligé d'être à son hôpital, avait écrit un mot à Rastignac pour lui rendre compte de ce qu'il avait fait avec l'église. L'interne lui mandait qu'une messe était hors de prix, qu'il fallait se contenter du service moins coûteux des vêpres, et qu'il avait envoyé Christophe avec un mot aux Pompes-Funèbres. Au moment où Eugène achevait de lire le griffonnage de Bianchon, il vit entre les mains de madame Vauquer le médaillon à cercle d'or où étaient les cheveux des deux filles.

— Comment avez-vous osé prendre ça ? lui dit-il.

— Pardi ! fallait-il l'enterrer avec ? répondit Sylvie, c'est en or.

— Certes ! reprit Eugène avec indignation, qu'il emporte au moins avec lui la seule chose qui puisse représenter ses deux filles.

Quand le corbillard vint, Eugène fit remonter la bière, la décloua, et plaça religieusement sur la poitrine du bonhomme une image qui se rapportait à un temps où Delphine et Anastasie étaient jeunes, vierges et pures, et *ne raisonnaient pas*, comme il l'avait dit dans ses cris d'agonisant. Rastignac et Christophe accompagnèrent seuls, avec deux croque-morts, le char qui menait le pauvre homme à Saint-Étienne-du-Mont, église peu distante de la rue Neuve-Sainte-Geneviève. Arrivé là, le corps fut présenté à une petite chapelle basse et sombre, autour de laquelle l'étudiant chercha vainement les deux filles du père Goriot ou leurs maris. Il fut seul avec Christophe, qui se croyait obligé de rendre les derniers devoirs à un homme qui lui avait fait gagner quelques bons pourboires. En attendant les deux prêtres, l'enfant de chœur et le bedeau, Rastignac serra la main de Christophe, sans pouvoir prononcer une parole.

— Oui, monsieur Eugène, dit Christophe, c'était un brave et honnête homme, qui n'a jamais dit une parole plus haut que l'autre, qui ne nuisait à personne et n'a jamais fait de mal.

Les deux prêtres, l'enfant de chœur et le bedeau vinrent et donnèrent tout ce qu'on peut avoir pour soixante-dix francs dans une époque où la religion n'est pas assez riche pour prier gratis. Les gens du clergé chantèrent un psaume, le *Libera*, le *De profundis*. Le service dura vingt minutes. Il n'y avait qu'une seule voiture de deuil pour un prêtre et un enfant de chœur, qui consentirent à recevoir avec eux Eugène et Christophe.

— Il n'y a point de suite, dit le prêtre, nous pourrons aller vite, afin de ne pas nous attarder, il est cinq heures et demie.

Cependant, au moment où le corps fut placé dans le corbillard, deux voitures armoriées, mais vides, celle du comte de Restaud et celle du baron de Nucingen, se présentèrent et suivirent le convoi jusqu'au Père-Lachaise. A six heures, le corps du père Goriot fut descendu dans sa fosse, autour de laquelle étaient les gens de ses filles, qui disparurent avec le clergé aussitôt que fut dite la courte prière due au bonhomme pour l'argent de l'étudiant. Quand les deux fossoyeurs eurent jeté quelques pelletées de terre sur la bière pour la cacher, ils se relevèrent, et l'un d'eux, s'adressant à Rastignac, lui demanda leur pourboire. Eugène fouilla dans sa poche et n'y trouva rien, il fut forcé d'emprunter vingt sous à Christophe. Ce fait, si léger en lui-même, détermina chez Rastignac un accès d'horrible tristesse. Le jour tombait, un humide crépuscule agaçait les nerfs, il regarda la tombe et y ensevelit sa dernière larme de jeune homme, cette larme arrachée par les saintes émotions d'un cœur pur, une de ces larmes qui, de la terre où elles tombent, rejaillissent jusque dans les cieux. Il se croisa les bras, contempla les nuages, et, le voyant ainsi, Christophe le quitta.

Rastignac, resté seul, fit quelques pas vers le haut du cimetière et vit Paris tortueusement couché le long des deux rives de la Seine où commençaient à briller les lumières. Ses yeux s'attachèrent presque avidement entre la colonne de la place Vendôme et le dôme des Invalides,[1] là où vivait ce beau monde dans lequel il avait voulu pénétrer. Il lança sur cette ruche bourdonnant un regard qui semblait par avance en pomper le miel, et dit ces mots grandioses : « A nous deux maintenant ! »

Et pour premier acte du défi qu'il portait à la Société, Rastignac alla dîner chez madame de Nucingen.[2]

EDITOR'S NOTES

1 (1) **Geoffroy Saint-Hilaire**: Étienne Geoffroy Saint-Hilaire (1772–1844) was a famous contemporary naturalist. His theories concerning the *unité de composition* of animal species made a strong impression on Balzac, who refers to them in the *Avant-Propos* (1 4) during his discussion of the structure and unity of the *Comédie humaine*. The dedication appeared for the first time in the Furne edition of *Le Père Goriot* (1843).

3 (1) **est**: By his use of the present tense Balzac attempts to give an air of authenticity and actuality to his narrative. On the following page he stresses that his work is not a *fiction* but that '*All is true*'.

(2) **rue Neuve-Sainte-Geneviève**: now rue Tournefort.

(3) **quartier latin**: The location of the boarding-house near the *quartier latin* (the centre of French student life) prepares us for the presence of Bianchon and the other *externes*, i.e. those who simply take their meals at Madame Vauquer's.

(4) **respectable**: The full irony of the word *respectable* will become apparent in the detailed description of the boarding-house.

(5) **douloureuse littérature**: *Le Père Goriot* was published four years after the famous performance of Hugo's *Hernani* which resulted in a pitched battle between the Romantics and their enemies. Balzac was sympathetic to many of the Romantics' literary theories, but he was often critical of their works, and wrote two hostile articles in 1830 criticising *Hernani* for its extravagance and lack of attention to detail.

(6) *intra muros* et *extra*: 'within the city and beyond'. Balzac's Latinism, coupled with the English '*All is true*' is clearly designed to impress the reader!

(7) **couleurs locales**: a Romantic catch-phrase, used notably by Hugo in the *Préface de Cromwell* (1827); the term represented the attempt to give an accurate picture of an unfamiliar and often exotic setting. By connecting the phrase with Paris, Balzac reveals his revolutionary intention

of discovering colourful drama in the city which he once called 'ce Babylone moderne'.

(8) **buttes**: 'small hills'.

(9) **boue**: The theme of dilapidation and decay will be developed in the description of the boarding-house and its inmates. The reference to 'vallée remplie de souffrances réelles' evokes an image of the world as a vale of tears.

(10) **à leur aspect**: refers back to 'douleurs'.

(11) **Jaggernat**: Hindu idol which was drawn through the streets in religious festivals on a waggon. Fervent worshippers would throw themselves under its wheels. The opposition between the brutalising effect of modern civilisation and the sufferings of the individual heart anticipates Goriot's martyrdom.

(12) **enraie**: 'check' or 'slow up'.

(13) **Ainsi ferez-vous ... m'amuser**: Balzac indirectly but unmistakably warns his readers against the kind of frivolous attitude traditionally adopted by readers of novels (see Introduction, 'Style').

(14) **secrètes**: i.e. 'little-known', 'hidden'. The novel will be primarily concerned not with public events of obvious import but with private drama which we will be forced to contemplate and to connect with our own experience ('chacun peut en reconnaître les éléments chez soi, dans son cœur peut-être').

4 (1) **Val-de-Grâce**: a convent which became a military hospital. The Panthéon is of course the resting-place of France's great men.

(2) **des tons jaunes**: Balzac frequently exploits light and colour to suggest a particular atmosphere. His colour symbolism is worth examining closely (yellow, for example, almost invariably has pejorative overtones).

(3) **croît**: from *croître* = to grow.

(4) **cailloutis en cuvette**: a pebbled area shaped like a basin.

(5) **porte bâtarde**: 'house-door'.

(6) ***deux sexes et autres***: an amusing variation on the customary 'pension des deux sexes', a variation which prefigures Vautrin's homosexuality and the presence of such sexless creatures as Poiret and Michonneau.

(7) **une porte à claire-voie**: 'open-work gate'.

(8) **renfoncement**: 'effect of depth'.

(9) **amateurs de symboles**: a warning to symbol-hunters, who should not, however, be intimidated — particularly during this part of the novel!

(10) **à quelques pas de là**: The reference is to a nearby hospital which provided treatment for venereal disease.

5 (1) 1777: Voltaire in fact returned from Ferney in 1778.

(2) **en quenouille**: 'oval-shaped'.

(3) **les convives assez riches . . .**: It is by means of this kind of detail that Balzac begins to establish a sense of hierarchy among the boarders who represent, as we are later told, 'les éléments d'une société complète' (p. 14).

(4) **en moellons**: 'of quarry-stone'.

(5) **hangar**: 'shed'.

(6) **sentine**: literally the 'bilge' of a ship.

6 (1) **étoffe de crin**: 'horse-hair'.

(2) **marbre Sainte-Anne**: a grey and white Flemish marble.

(3) **cabaret**: 'tea-service'.

(4) **lambrissée à hauteur d'appui**: 'half-panelled' (i.e. breast-high).

(5) **Le surplus**: 'The remainder'.

(6) *Télémaque*: a pastoral novel by Fénelon. The once elegant scenes would strike an incongruous note in the dingy boarding-house.

(7) **encagées**: 'under glass' (lit. 'imprisoned').

(8) **l'hospice**: From factual description Balzac moves to evocation in terms of effect; the rhythm of his prose becomes intensified and leads up to the deliberate (and rather facile) crescendo provided by the rhymes in the last three words.

(9) *sui generis*: 'all of its own'. This Latinism increases the comic note provided by the pseudo-scientific hypothesis.

(10) **vous**: By the use of *vous* rather than the neutral *on* Balzac again draws the reader into his world.

(11) **plaquée**: 'filled', or 'lined'.

(12) **ronds de moiré métallique**: 'crystal tinplate discs' (used as place-mats).

(13) **Incurables**: These were institutions for the poor, the needy and the helpless — 'les débris de la civilisation', in fact. Again a connection is established between objects and persons.

(14) **baromètre à capucin**: a barometer from which a monk would appear (when it rained).

7 (1) **à filets dorés**: 'with gilt moulding'.

(2) **un cartel en écaille incrustée de cuivre**: 'a wall-clock made of tortoise-shell inlaid with copper'.

(3) **des quinquets d'Argand**: oil lamps invented by Argand and sold by the chemist Quinquet.

(4) **style**: 'stile' (pointed instrument).

(5) **de petits paillassons piteux en sparterie**: 'forlorn little mats made from esparto' (Spanish grass).

(6) **vieux . . . expirant**: Many of these epithets could equally well be applied to persons. Balzac enjoys accumulating adjectives in this fashion; here the list provides a sonorous crescendo and marks a turning-point in the description which will now be largely concerned with the inhabitants of the boarding-house.

(7) **il faudrait en faire . . . gens pressés ne pardonneraient pas**: Balzac obliquely commiserates with his reader, though he remorselessly continues his 'exposition' with a detailed description of the boarders. In the long run, the attention to detail turns out to be a wise investment, since it implants the setting firmly in the reader's mind and eventually permits the novelist to concentrate wholly upon the action of the 'drama'.

(8) **les mises en couleur**: 're-staining'.

(9) **rourou**: *ronron* is the more usual form. Erich Auerbach who has written an excellent analysis of this paragraph in *Mimesis*, remarks that the cat's presence lends 'a touch of witchcraft' to the scene.

(10) **attifée**: 'decked out'.

(11) **grimacées**: 'wrinkled'. The word is unusual, and together with *traînassant*, produces an unexpectedly harsh note. The use of *vieillotte* and *grassouillette* in the following sentence increases the pejorative overtones of the portrait.

(12) **bec de perroquet**: Balzac combines the visual and the moral in this animal image; the dehumanising process is carried forward in a succession of unflattering figures of speech. The description of the boarding-house has contained comparatively few metaphors and similes: with the elaboration of the series of portraits there is a veritable eruption of images as Balzac, viewing his characters

from different angles, forces their presence upon the reader.

(13) **rat d'église:** 'a devout church-goer'.

(14) **suinte:** literally, 'oozes'. Balzac here brilliantly reinforces the overall impression that misery and misfortune emanate from the very substance of the boarding-house.

(15) **spéculation:** Professor Castex finds this obscure and presumes the reference is to such figures as Rastignac who 'speculate' on the future. But surely Madame Vauquer herself speculates on the lives of her 'prisoners'.

(16) **l'amer renfrognement de l'escompteur:** 'the bitter scowl of the swindler'.

(17) **enfin toute sa personne ... pension implique sa personne:** Again Balzac is determined that his point should not be missed. There is a two-way process here: Madame Vauquer is the victim of the world she has created.

(18) **argousin:** 'prison warder'.

(19) **ce spectacle est complet:** Balzac explicitly and triumphantly affirms the unity of figure and décor, a 'harmony' which is both moral and pictorial.

8 (1) **entremetteuse qui va se gendarmer pour se faire payer plus cher:** 'procuress who is prepared to kick up a fuss in order to get more money'.

(2) **Georges ou Pichegru:** Georges Cadoudal and Charles Pichegru plotted against Napoleon and were betrayed to the police.

(3) **Qu'avait été monsieur Vauquer?:** The question is of course posed by the boarders and not by the author. This syntactical pattern, known as *style indirect libre*, is used sporadically by Balzac. Flaubert will later exploit it systematically in order to render his characters' thoughts and preoccupations without apparent interference from the author.

(4) **Commissaire-Ordonnateur:** 'Commissary-General' (an administrative post in the armed forces).

(5) **Vautrin:** The wig, the dyed side-whiskers and the suggestion of an assumed name give an early hint of Vautrin's mysterious character. In creating Vautrin Balzac drew on the colourful personality of a criminal turned policeman called Vidocq and embroidered upon an already fantastic reality.

(6) **Angoulême**: a town in Charente in south-west France. Rastignac's temperament will be partly explained by what Balzac later calls his 'meridional' origins, though strictly speaking Charente is not in the Midi.

9 (1) **mystères d'une situation épouvantable**: This recalls the mention of 'secrètes infortunes' on p. 3, and anticipates Rastignac's comment on p. 28 ('Voilà bien des mystères dans une pension bourgeoise!'). Balzac is intent on increasing the suspense of his narrative and the 'detective story' element of the novel.

(2) **garçon de peine**: cf. *homme de peine*, 'odd-job man'.

(3) **bon an, mal an**: 'year in, year out'.

(4) **la mise**: 'the dress' (cf. *mettre une robe*).

(5) **les soins et les égards**: 'attention and consideration'.

(6) **la Bourbe; la Salpêtrière**: a maternity hospital; an institution for aged and mentally ill women.

(7) **délabrés**: Balzac gives us a composite picture of the boarders before describing them individually. Here, and throughout, clothes are made to provide a means of evaluating character both from a social and moral point of view.

(8) **au coin des bornes**: 'at the boundary-marks'. The sentence, which emphasises the fact that the boarders are society's rejects, prepares the later contrast between the two worlds of the novel.

(9) **glacés**: 'shiny' (*glacer* = 'to glaze').

(10) **fichus éraillés**: 'frayed shawls'.

10 (1) **démonétisés**: 'no longer in circulation'. Many of the adjectives used to describe the boarders have already been used to evoke their surroundings (e.g. *froides, dures, effacées*).

(2) **. . . drames continus**: Balzac takes up his earlier distinction between the false drama of the contemporary theatre and the 'true' drama of his own making (see pp. 3–4).

(3) **abat-jour en taffetas vert, cerclé par du fil d'archal**: 'green taffeta eye-shade bound with brass wire'.

(4) **pleurardes**: lit. 'whimpering'.

(5) **. . . courtisane ?**: Once again Balzac pretends to set himself outside his own world and repudiate omniscience.

(6) **donnait froid**: a description in terms of effect which recalls an earlier phrase ('elle donne froid') used to depict a room in the boarding-house (p. 6).

(7) **voix clairette d'une cigale criant**: The alliteration effectively emphasises the unpleasantness of Mlle Michonneau's voice.

(8) **abandonné par ses enfants**: This situation foreshadows Goriot's plight. Balzac frequently uses minor incidents to prepare a major theme (note that Victorine Taillefer has also been abandoned — in her case by her father and her brother).

(9) **rente viagère**: 'life-annuity'.

(10) **mécanique**: 'automaton'. The image will be taken up again later on when Poiret's 'mechanical' respect for his superiors causes him to be likened to those who become cogs in a bureaucratic machine (p. 126). Balzac is particularly scornful of people in whom lack of individuality and energy leads to inertia and impotence.

(11) **En l'apercevant**: The subject of this long sentence is delayed until line 35.

(12) **les pans flétris**: 'rumpled coat-tails'.

(13) **jabot de grosse mousseline recroquevillée**: 'shirt-frill of heavy, crumpled muslin'.

(14) **ombre chinoise**: lit. a shadow thrown on to a screen by a lantern.

(15) **fils de Japhet**: White people are traditionally supposed to be descended from this biblical figure.

(16) **dessinée en caricature ... hors du vrai?**: Balzac is obliquely defending his exaggerated portrait against this very objection.

11 (1) **son pour les paniers**: 'bran for the baskets (of the guillotine)'. The stress on the violent and the macabre, and the mention of 'parricides' look forward to later events in the novel.

(2) **abattoir ... salubrité**: These alternatives increase the grotesque and gruesome note of the passage.

(3) **Ratons ... Bertrands**: a reference to La Fontaine's fable *Le Singe et le Chat* in which the cat (Raton) extracts chestnuts from a fire for the monkey. Here the opposition is between rogue and fool (cf. 'cat's paw').

(4) **Paris est un véritable océan**: This exotic image of Paris, developed in the next few lines, is central to Balzac's conception of the modern city (see Introduction, 'Worlds').

(5) **contraste frappant**: Balzac appeals to the visual imagina-

tion of his readers by emphasising sombre colours and strong contrasts. He has already described the background of his painting ('le fond de ce tableau') which is made up of the 'masse des pensionnaires' and such figures as Poiret and Michonneau. In the progression towards the foreground Vautrin will serve as a 'transition' (p. 12) leading to Goriot who receives 'toute la lumière du tableau' (p. 14).

(6) **un terrain contraire**: 'adverse ground'. The metaphor reminds us that the concept of *milieu* as a determining factor in development came originally from the natural sciences. Balzac was the first novelist to exploit its sociological implications.

(7) **billets doux**: The expression is occasionally used in English. Victorine does in fact later achieve happiness; in another work (*L'Auberge rouge*) Balzac confirms his own hypothesis and shows Victorine 'bien belle et bien riche'.

(8) **Son histoire . . . le sujet d'un livre**: The suggestion adds a dimension to Victorine's character. Balzac is perhaps also hinting that he will follow her fortunes in a later work.

(9) **avait dénaturé sa fortune**: 'had changed the nature of his fortune'.

12 (1) **douaire**: 'share of her husband's estate'.

(2) **blanc . . . noirs . . . bleus**: the simple colours stand out against the dismal tonality of the décor (cf. the 'roux ardent' of Vautrin's hair).

(3) **l'Étudiant**: Balzac will come back to the representative value of Rastignac as the Student (see p. 24).

(4) **à l'avenant**: 'to match'.

(5) **signes de dureté . . . manières souples et liantes**: Vautrin's portrait will be organised round this antithesis which basically represents reality and appearance.

(6) **voix de basse-taille**: 'baritone'. Vautrin enjoys putting this voice to good effect.

13 (1) **les vaisseaux, la mer . . . les prisons**: The list aptly summarises Vautrin's abilities and experience. Prisons will later take on a more ominous note.

(2) **Il avait prêté . . . résolution**: Two important aspects of Vautrin's character are developed here. Throughout the novel his glance symbolises his extraordinary influence over others; and his role as private banker will be developed in his dealings with Rastignac.

(3) **A la manière ... position équivoque:** A splendid example of Balzac's passion for forcing significance out of trivial acts and gestures. The use of 'annonçait' is a perfunctory pretence at objectivity — as if anyone but Balzac could make the preposterously extravagant deduction!

(4) **passe-partout:** 'skeleton key'. An obvious symbol of Vautrin's ubiquity and omniscience.

(5) *gloria:* 'coffee with brandy'.

(6) **moins superficiels:** Lack of perspicacity arising from self-concern is a frequent deficiency in Balzac's unsuccessful persons. Vautrin's fusion of clairvoyance and impenetrability (described in the next sentence) represents an ideal combination.

(7) **Juvénal:** the Latin poet renowned for his satirical attacks on Roman society. The comparison is flattering to Vautrin, though we later learn that he has literary pretensions and has a gift for coining vivid and bitingly satirical phrases.

(8) **peut-être à son insu:** The double uncertainty skilfully hints at the subconscious desires of Victorine. Balzac here forges new and unsuspected connections among his characters.

14 (1) **Il ne restait donc ... agonie:** In this résumé of the boarders' indifference, egoism and impotence, Balzac takes up several motifs already adumbrated (*mécanique, froides, infortune, agonie*). We are forcibly reminded of the opening paragraph of the novel and are led directly towards Goriot whose portrait follows this passage.

(2) **riant bocage:** 'a smiling grove'. The disproportion between the reality of the boarding-house and Madame Vauquer's distorted vision of it is humorously pointed out by the contrasts in this sentence and the following one.

(3) **Une réunion semblable ... société complète:** The full force of the image of the boarding-house as a microcosm will only become apparent towards the end of the novel when society in general stands revealed in its true colours. Notice Balzac's persuasive rhetoric in this sentence and the analogies he then makes to 'prove' his point.

(4) *Patiras:* 'sufferer'. A regionalism (derived from *pâtir*).

(5) **N'aimons-nous pas tous ... quelque chose?:** Here

Balzac's rhetoric generalises the particular situation and aims at involving the reader's emotions.

15 (1) **Le père Goriot ... en 1813**: Balzac now undertakes to relate part of Goriot's past; other details will be added in the second flashback at the end of Chapter 1. In contrasting present misery and past contentment, Balzac increases the pathos of Goriot's situation.

(2) **moyennant une indemnité préalable**: 'in return for a sum paid in advance'.

(3) **velours d'Utrecht**: a cheap velvet covering.

(4) **peintures à la colle**: 'coats of distemper'.

(5) **de demi-hollande**: a type of linen.

(6) **jabot dormant**: a frill which was permanently attached to the shirt front.

(7) **habit bleu-barbeau**: 'light-blue (or bottle-blue) coat'.

(8) **gilet de piqué blanc**: 'white piqué waistcoat'.

(9) **piriforme**: 'pear-shaped'.

(10) **bonnes fortunes**: 'amorous conquests'.

(11) *galantin* : 'lady's man'.

(12) **dada**: 'pet subject'.

(13) *ormoires*: a deformation of *armoires*.

(14) **louches**: 'soup-ladles'.

(15) **marcs**: a unit of weight used for gold and silver.

16 (1) **j'aimerais mieux gratter ... de cela**: The elemental image is suggestive of a violent and primitive nature. Goriot is, in fact, later forced to part with his cherished anniversary present (see p. 37).

(2) **j'ai sur la planche du pain de cuit**: 'I'm well provided for'.

(3) **inscriptions sur le Grand-Livre**: 'government bonds'.

(4) **larmier**: 'tear ducts'. Goriot suffers from sties.

(5) **Ce devait être ... sentiment**: The deduction is still Madame Vauquer's and, ironically, turns out to be an accurate assessment of Goriot.

(6) **ailes de pigeon**: 'pigeon-wings' (a style of hair-dressing).

(7) **macouba**: snuff from Martinique.

(8) **Madame Vauquer se coucha ... renaître en Goriot**: The combination of concupiscence and reincarnation provides a richly comic note.

17 (1) **pays latin**: the same as *quartier latin*.

(2) **qu'elle y mit du sien**: 'that she put some of her own money into it'.

(3) **Marais**: old quarter of Paris, once a fashionable place to live.

(4) **Galeries de Bois**: wooden sheds in the Palais-Royal which were used as shops.

(5) **munitions ... sous les armes**: The two expressions humorously carry forward the suggestion that clothes are weapons of war (Rastignac will come to a similar conclusion).

(6) **l'enseigne du *Bœuf à la Mode***: a well-known restaurant sign with a picture of a fashionably dressed ox.

18 (1) **au risque d'en déchoir un jour**: 'even at the risk of losing them some day'.

(2) **dévisagé**: 'exposed'.

(3) ***frimousses***: 'faces' (a popular expression).

19 (1) **ses frais e dreprésentation**: literally 'entertainment allowance'; the phrase refers to the money Madame Vauquer has spent in order to impress Goriot.

(2) **allures**: Here the meaning is 'strange ways'.

(3) **nécessairement**: 'inevitably'. Balzac frequently represents behaviour as following ineluctable laws (see the following series of generalisations).

(4) **victime**: The word has already been used in connection with Madame Vauquer's tyranny (p. 14). Balzac excels in describing this kind of petty persecution (see *Pierrette, Le Curé de Tours, La Cousine Bette*, for example).

(5) **méfiance**: a key-word for an understanding of Madame Vauquer who has already been described as 'plus méfiante que ne l'est une chatte' (p. 18).

20 (1) ***carottait* sur les rentes**: 'speculated on government bonds'.

(2) ***en être***: 'to be one of them' (the police). Vautrin is right in this instance, but he will later show less perspicacity as far as Michonneau and Poiret are concerned.

(3) **prêtait à la petite semaine**: 'made short-term loans' (at a high interest rate).

(4) **nourrissait des numéros à la loterie**: 'kept betting on the same numbers' (increasing the stake each time).

21 (1) **intelligemment**: Here the word suggests connivance.

(2) **brodequins de prunelle**: 'prunella ankle-boots'.

(3) *Et de deux!*: 'That makes two!'

(4) **Goriot**: These women are Goriot's two daughters; Anastasie is dark, Delphine fair.

22 (1) **Elle ne se formalisa ... mandait**: 'She didn't mind his inviting them'.

(2) *vieux matou*: 'old tom-cat', i.e. a dirty old man.

(3) **trente-six**: popular expression meaning a great many.

(4) **troisième année**: i.e. 1816.

(5) **maladies ... drogues**: Madame Vauquer suspects venereal disease and aphrodisiacs.

(6) **devint**: Here and in the next few lines the use of the past definite dramatically points to Goriot's rapid disintegration.

(7) **se dessina**: 'stood out'.

23 (1) **comme des huîtres sur un rocher**: This image is employed more than once in the *Comédie humaine* to represent total surrender to environment.

24 (1) **mollusque anthropomorphe**: 'human oyster'.

(2) *Casquettifères*: The grotesque neologism is formed on *casquette*.

(3) **habitués à cachet**: regular customers who buy meal-tickets (*cachets*).

(4) **à zéro de Réaumur**: freezing-point.

(5) **Un étudiant ...**: The twenty-line digression on student life was added to the manuscript for the first edition. It is at such moments that Balzac shows himself most conscious of his role as historian and social critic.

(6) **Collège de France**: a venerable institution where lectures are open to the public.

(7) **il se dépouille de son aubier**: 'aubier' is 'sap-wood' which is soft and tender.

(8) **illusions d'enfance**: One of Balzac's greatest novels was to be called *Illusions perdues* and many of his works, including *Le Père Goriot*, might be aptly sub-titled thus.

25 (1) **l'avenir ... qui reposait sur lui**: This sense of responsibility towards his family partly motivates (but does not justify) Rastignac's later conduct.

(2) **les marcs de pressoir**: 'the marcs (remains of the crushed grapes) from the wine-press'.

(3) **Ces idées l'assaillirent**: The forceful expression is in keeping with other energetic verbs used in this passage to

dramatise Rastignac's ardour (*décupler*, *frapper*, *saisir*, *se jeter*, *se lancer*).

(4) **sommités**: an unusual variation on *sommets* which Balzac frequently affected.

26 (1) **fêtes du Prado; bals de l'Odéon**: a once famous dance-hall; a national theatre.

(2) **gauchissant ses escarpins**: 'spoiling the shape of his dancing-shoes'.

(3) **faubourg Saint-Germain**: at that time the home of the aristocracy.

(4) **raoût**: The word comes from the English 'rout' and indicates a large, informal social gathering.

(5) **le dandysme**: The cult of the dandy included many attitudes, rituals and expressions imported from across the Channel. 'Figures ossianiques' is a reference to the pseudo-celtic songs of Macpherson; 'femme de race' ('thorough-bred') comes, of course, from horse-racing. 'Anges du ciel' recalls the poetry of Lamartine, though his *Méditations* were not published until 1820.

27 (1) **au Bois, aux Bouffons**: the fashionable Bois de Boulogne, the Opéra Bouffon (home of light opera).

(2) **... les Grandlieu**: This list of names, which recalls the sonorous enumerations of epic poetry, is made up of characters who appear throughout the *Comédie humaine*.

(3) **le Code**: French law (cf. *Code civil*, *Code Napoléon*).

(4) **drûment**: 'vigorously'. The more common form of the adverb is the same as that of the adjective *dru* and is used in such expressions as *pousser dru*.

(5) **ban de saint Joseph**: The word *ban* is an exclamation of pain or anguish; Saint Joseph is the patron saint of carpenters.

28 (1) **... en lingots**: Goriot is transforming his valuables into marketable ingots by crushing them with a thick rope. His almost superhuman strength reveals the force of his passion; his energy is, as it were, 'materialised', as he seeks to provide for his daughters' pleasures.

(2) **Auguste, roi de Pologne ?**: Balzac had undoubtedly read Voltaire's *Histoire de Charles XII* in which Auguste's legendary strength is described.

(3) **rat-de-cave**: 'wax taper'.

(4) **chaussons de lisière**: 'list slippers' (shoes made of cloth).

(5) **le son de l'or:** This particular mystery is never explained, though we learn that Vautrin acts as banker for his fellow criminals. By involving Goriot and Vautrin in mysterious activities connected with gold, Balzac suggests affinities between the characters of the two men.

29 (1) **dîme:** 'tithe'.

(2) **qu'est:** popular (and incorrect) ellision of *qui est.*

(3) **Qué baraque!:** 'What a dump!' 'Qué' is improperly used for *quelle.*

30 (1) **englauder:** incorrect pronunciation of *enclauder.* The meaning here is 'to trick'.

(2) **manger le bon Dieu:** a picturesquely literal interpretation of the act of communion.

(3) **ficelées:** 'decked out' (soldiers' slang).

(4) **faire son sabbat:** 'kick up a fuss' ('sabbat', with its implication of witches' orgies, is an appropriate word to describe Madame Vauquer's behaviour).

(5) **rapport au chat:** incorrect form of *par rapport au chat*; translated freely 'and keep an eye on the cat'.

(6) **décanillé:** slang for *décampé.*

(7) **patron-jacquette . . . patron-minette:** Both these expressions are strictly speaking incorrect. The meaning is 'at the crack of dawn'.

31 (1) **fais ton capon:** 'try and butter me up' (a slang expression).

(2) **ce chinois-là:** a popular expression of a pejorative nature.

(3) **. . . *au hasard*:** Vautrin's ditties are taken from contemporary comic opera and popular songs.

32 (1) **des galons:** '(gold or silver) braid'.

(2) **de la manique:** 'in the business' (the expression is connected with the cobbler's trade).

(3) **Messageries royales:** government transportation.

(4) **Gobseck . . . os de son père:** Gobseck, who appears in several novels, is one of Balzac's most fearsome misers. The macabre image aptly evokes his character and at the same time reveals Vautrin's gift for coining expressive phrases.

(5) **arabe . . . grec . . . bohémien:** 'usurer' . . . 'cheat' . . . 'rogue'.

(6) **billet acquitté:** 'receipted account'.

(7) **Fourche!:** an exclamation of surprise (from *fourche du diable*).

(8) **le roquentin**: 'stupid old man'.

33 (1) **dire son fait**: 'tell (him) some home truths'.

(2) **ce marsouin-là**: 'that ugly old devil'.

(3) **à plaisir**: 'wantonly'.

34 (1) **roitelets**: 'wrens' or 'petty kings'. Vautrin's insulting punning is intended to provoke Rastignac.

(2) *idémiste*: 'copy-cat'. Balzac forms the neologism on *idem*.

(3) **Si jamais vous fouillez ... l'usurier avant l'amant**: Vautrin's sardonic comment on the relationship between money and love is confirmed by the events of the novel and, specifically, by Delphine's disillusioned remarks to Rastignac on pp. 110–11.

35 (1) **elles font les cent mille coups**: 'they are up to all kinds of tricks'.

36 (1) *hommes à passions*: an expression used by prostitutes to describe perverted clients. Vautrin uses the term in a more general sense as is clear from his elaboration. The whole passage is a brutal (and partial) diagnosis of Balzac's monomaniacs.

(2) *que* nous *n'avons néu* (eu) nos petites passions, nous? 'we've had our little passions, haven't we?' The implication here is that Mlle Michonneau is a retired prostitute.

(3) **chaussent une idée**: 'get hold of an idea'.

(4) **vous les rudoie**: 'ill-treats them'.

(5) **Mont-de-Piété**: pawnshop.

(6) **je l'ai vu entrant**: Balzac frequently uses the present participle rather than the infinitive after verbs of seeing in order to increase the immediacy or intensity of the experience.

37 (1) **dans ses petits souliers**: 'on pins and needles'.

(2) **... de son amant**: Vautrin is aware that Anastasie is trying to protect her lover, Maxime de Trailles, even though he still does not seem to know Goriot's true relationship with Anastasie.

(3) **Ceux qui s'y crottent ... des fripons**: Vautrin ironically equates social position and morality.

(4) **Il y tenait comme à sa vie**: The symbolic value of the dinner-service becomes explicit here: it is indeed his life which Goriot is sacrificing in order to gratify his daughter's demands.

38 (1) **A quatre heures du soir ... il les a retirées**: This long

description of Taillefer's heartlessness has little bearing on the plot of the novel but it contributes significantly to the theme of unnatural conduct (notice the repetition of the word *monstre* and Goriot's reaction).

(2) **la prononciation**: Balzac, like Dickens and Proust, was an admirable mimic and enjoyed reproducing verbal mannerisms and word-play.

(3) **Diorama … Panoramas**: The Diorama, planned by Daguerre, increased the optical effects of the Panorama by a subtle use of lighting. Balzac makes a slight mistake in chronology: the action of the novel pre-dates the opening of the Diorama by three years.

(4) **charge**: 'joke', 'burlesque'.

39 (1) **Bianchon**: The young medical student will become the most celebrated doctor in the *Comédie humaine*.

(2) **ma petite estomac**: humorous reversal of gender.

(3) *usque ad talones*: dog-Latin for *jusqu'aux talons*.

(4) **droit-travers**: 'crooked law'. The pun depends on the other meaning of *droit* ('straight').

(5) **le système de Gall … bosses de Judas**: Dr Gall (1758–1828) was the inventor of the 'science' of phrenology which claimed to deduce character from the shape of the head. Balzac himself sometimes draws on Gall's theories to reinforce his own 'system' of characterisation.

(6) *L'espace d'un matin*: a well-known quotation from Malherbe's *Consolation à M. du Périer*.

(7) **Enfoncé**: a popular expression which might be translated as 'sunk' or 'one down'.

40 (1) **on n'y voyait goutte**: a play on words which refers to Goriot's poor eyesight.

(2) **Hé, milord … véaus**: The errors of grammar and pronunciation here are supposed to represent an Englishman speaking French.

(3) **feu de file**: 'hail of bullets'.

42 (1) **… désirs effrénés**: Rastignac, like many of the greatest characters in the *Comédie humaine* is possessed of an ardent imagination which intensifies and distorts reality; the world exists as a projection of his own desires. In order to avoid the fate of a Goriot, he must attain a sense of perspective and a clear focus on society.

(2) **Talleyrand**: the famous contemporary diplomat (1754–

1838). Balzac admired his ruthlessness, self-control and verbal dexterity.

(3) **Les tiroirs ouverts dans son cerveau**: This curious metaphor is drawn from phrenology.

43 (1) **Eugène revint sur ses pas ... dans le bain**: Balzac mercilessly subjects his hero to humiliation and ridicule, drawing attention to the disproportion in Rastignac between ambition and experience.

(2) **En ce moment, le père Goriot ... plein de bonhomie**: This whole scene brilliantly dramatises Goriot's situation and his relationship with his son-in-law.

44 (1) **comme une plante aspire ... sont propres**: Throughout the novel Balzac employs a variety of images in an attempt to render the mysterious affinities which exist between persons.

(2) **Les ressources du busc**: 'The support of a corset'.

(3) **et la comtesse aperçut Eugène**: The tension of the ensuing scene is heightened by an insistence on the interplay of glance and gesture which eloquently reveal situation and character.

(4) **se sauva comme à tire-d'aile**: 'flitted away'.

45 (1) **poupées**: 'targets'.

(2) **grimaud**: 'petulant'. The word, almost always used as a noun, often refers to a writer who is inexperienced and ignorant.

(3) **vie à trois**: cf. *ménage à trois*.

46 (1) **cases**: literally 'compartment'. This is another phrenological expression (see p. 42, note 3).

(2) **la Compagnie des Indes**: the French equivalent of the British East India Company which was suppressed during the Revolution.

(3) **le *Vengeur*; le *Warwick***: a famous French warship which took part in the American War of Independence; a captured British ship.

(4) **naviguer de conserve**: 'to sail together (in convoy)'.

(5) **morganatique**: The word usually describes a royal *mésalliance*. Balzac is presumably referring to Anastasie's humble birth.

47 (1) **paratonnerres**: literally 'lightning-conductors'; translate 'screens'.

48 (1) **enjolivé**: 'embellished'. The adjective takes on an ironical force since the word *père* is insulting in this context.

(2) ... **non dubitare**: from Cimarosa's opera *Il Matrimonio segreto*.

49 (1) **d'agrès**: 'gear', 'tackle'.

(2) **remiser**: 'dropped off'.

(3) **cannetille**: '(gold or silver) thread'.

(4) **inédit**: 'inexperienced', 'green'.

52 (1) **le coursier de Virgile**: a reference to Virgil's observation that a horse, like all animals, resembles man in intuitively recognising the presence of affection.

(2) **la réalité des contes arabes**: Rastignac's most intense experience of the 'magic' of Parisian society immediately precedes his sudden disillusionment.

53 (1) **elle s'élance ...**: The use of the present tense makes these actions more immediate and dramatic.

(2) **chasseur**: 'porter'.

55 (1) **ne soyez pas aussi démonstratif**: Madame de Beauséant will have occasion to repeat this advice to Rastignac (see p. 93). Impenetrability and self-control are *sine qua non* in Balzac's world.

(2) **Montriveau**: Already mentioned on p. 27, Montriveau is on the point of abandoning Madame de Langeais (see *La Duchesse de Langeais*, v 222).

56 (1) **l'Élysée**: the home of the duchesse de Berry; Montriveau was there on official duty (*de service*). The Élysée is now the official residence of the President of the Republic.

(2) **huissier-priseur**: 'bailiff's valuer'.

57 (1) **des phrases de coiffeur**: 'commonplaces'.

(2) *Ejusdem farinæ*: *de la même farine* — an insulting phrase roughly equivalent to 'birds of a feather'.

58 (1) **il n'en sera pas le bon marchand!**: 'he won't get much out of it!'

59 (1) **section**: Revolutionary equivalent of the modern *quartier*.

(2) **disette**: the famine of 1788–9.

(3) **le Comité de Salut Public**: a revolutionary committee which in fact resolutely condemned exploitation.

(4) **juché**: 'perched', 'sent to roost'; deliberately pejorative.

(5) **Quatre-vingt-treize**: 1793 was the year of the Terror.

(6) **les Bourbons**: Louis XVIII first returned to power in 1814.

(7) **ménager la chèvre et le chou**: an expression based on a

popular story. We might substitute 'to run with the hare and hunt with the hounds'.

(8) **tache de cambouis**: 'greasy mark'.

60 (1) **Nous ne pardonnons pas ... un sou à lui**: This generalisation applies to all those who do not succeed in disguising their passion. Madame de Beauséant, to whom the remark is equally applicable (as is clear from her reaction) later elaborates on the subject in her advice to Rastignac.

(2) **donné ... donné ... donné**: The insistent repetition, together with the word 'entrailles' achieves a powerful and moving effect. Goriot himself will later express his despair with similar forcefulness (see particularly pp. 201–3 where the verb *donner* is used five times).

(3) **traitez ce monde comme il mérite de l'être**: Madame de Beauséant's view of the world and her cynical advice to Rastignac foreshadow Vautrin's brutal diagnosis of society (see pp. 82–3).

(4) **N'acceptez les hommes ... crever à chaque relais**: The shockingly direct image reveals the extent of Madame de Beauséant's disillusionment and a view of human relationships which is echoed throughout the novel.

61 (1) **bourreau ... victime**: In the jungle of Paris where only the fittest survive, victory goes to the unscrupulous and the invulnerable. Balzac's characters can be roughly divided into 'executioners' and 'victims'.

(2) **ces deux femmes se renient**: This animosity (which recalls the rivalry between Goneril and Regan in *King Lear*) is a further example of unnatural family relationships.

(3) **Benjamin**: 'favourite' (Benjamin was the younger son of Jacob and Rachel). The expression is used again by Vautrin (p. 121).

(4) **quand il y aura cohue**: 'when there will be a big crowd (or mob)'.

(5) **fil d'Ariane**: Ariadne guided Theseus out of the labyrinth in Crete by means of a thread. This is the second reference to Paris as a labyrinth (see p. 24).

62 (1) **Il vit le monde comme il est**: By adding his own judgment to those of his characters, Balzac increases the force of the general indictment of society.

(2) *ultima ratio mundi*: 'the world's clinching argument'.

(3) **le contraste trop complet**: The reader may feel that Balzac is over-explicit in drawing attention so often to the opposition between the two worlds of the novel.

(4) **femme abandonnée**: The phrase takes up the title of the short story which, although written before *Le Père Goriot* (in 1832), recounts the adventures of Madame de Beauséant after her betrayal.

63 (1) **asymptotes**: lines which approach a given curve but do not meet it within a finite distance.

(2) **éditeur responsable**: 'protector' (as an editor is responsible for his authors).

(3) **la baraque**: 'booth' (where puppet-shows are held).

64 (1) **à c't'heure**: 'now', 'at the present time'.

(2) **un Père Éternel**: Bianchon's humorous phrenological diagnosis is far closer to the truth than he realises.

(3) **savanes**: This metaphor, inspired by Balzac's enthusiastic reading of the American novelist Fenimore Cooper, is developed later in the novel during Vautrin's long disquisition on Paris (p. 84).

65 (1) **la noblesse immaculée ... dans la solitude**: Innocence and purity can only be discovered and retained far from the frenzy and corruption of Paris. This major theme is developed most explicitly during the long résumé of Rastignac's career on page 168.

(2) **derniers grains ... famille**: It is this kind of hyperbolic language which Balzac's critics often isolate from the text and hold up to ridicule.

66 (1) **d'entasser ses inscriptions**: i.e. he would keep his name on the books (by paying his fees).

(2) **pour s'y livrer à la traite des femmes**: 'to devote himself to exploiting women'.

67 (1) **des pâtes**: general term for spaghetti, vermicelli, etc. (cf. Italian *pasta*).

(2) **prévoir les cours**: 'to foresee the market price'.

(3) **Patient, actif ... pour marcher**: The rhythm and structure of the sentence emphasise Goriot's purposeful and energetic activity.

(4) **Dolibans**: M. d'Oliban, a character from an eighteenth-century play, had become a symbol for stupidity.

(5) **Ces natures se ressemblent presque toutes**: In explaining and motivating Goriot's monomania, Balzac relies on

a series of sweeping generalisations which, on close analysis, are far from convincing.

68 (1) **tous ses sentiments**: Balzac constructs Goriot's character by means of an insistent rhetoric which attempts to implant a particular image in the mind of the reader. The word *sentiment*, employed six times in this passage, is reinforced by the repetition of *sublime* and the use of *religieuse* and *folie*.

(2) **en buvant le vin d'un marché**: 'sealing a bargain with a glass of wine'.

69 (1) **il aimait jusqu'au mal qu'elles lui faisaient**: The complex problem of Goriot's masochism and his responsibility for his daughters' conduct is raised by this passage.

(2) **Muret**: Balzac makes no further reference to this person who plays a purely functional role in the novel.

(3) **... tragédie parisienne**: Once again Balzac draws attention to the theatrical nature of the novel's composition.

70 (1) **aspiré leurs dernières gouttes de sang**: This hyperbolic image is similar to expressions used to render Delphine and Anastasie's exploitation of their father.

(2) **les voies tortueuses ne mènent à rien de grand**: This comment will turn out to be an apt description of Rastignac's career.

72 (1) *à telles enseignes*: a deliberately pedantic expression meaning 'to such an extent'.

(2) **allégirait**: a rare verb associated with riding ('to lighten the load').

(3) **fleurs à jour**: 'open-work flowers'.

(4) **laizes**: 'widths' (of cloth).

73 (1) **les canons du sureau belliqueux**: 'guns made out of sticks of hollow elder' (i.e. pea-shooters).

(2) *L'on parle d'une dame et l'on se tait du reste*: a playful deformation of line 1290 of Corneille's *Cinna*: 'On parle d'eaux, de Tibre, et l'on se tait du reste.'

74 (1) **un ami donné par la facture**: Balzac enjoyed inventing punning variations on well-known sayings and proverbs. The normal expression would be *un ami donné par la nature*. *Facture* here means 'good workmanship'.

(2) **plus tard**: Balzac thus indicates that Rastignac will succeed in his contest with society.

(3) **habits à discretion**: 'unlimited clothes'.

(4) **mouvements agiles**: Money is here considered as a physical substance which galvanises its possessor into energetic activity.

75 (1) **Les galions sont arrivés**: 'Your ship has come home'.

(2) **les idées se projettent ... au sortir du mortier**: The extended ballistic image dramatises the encounter between Vautrin and Rastignac and also expresses Balzac's curious theories of transference of thought and energy. The distinctions subsequently made among different types of personalities can be applied to many of the characters in the novel.

(3) **contagion des sentiments**: In Balzac's world powerful emotions often seem to take on an existence independent of persons. Many of his characters generate a magnetic force which profoundly influences those within range (see Introduction, 'Style').

(4) **doubles sens**: i.e. moral and physical (see preceding sentence).

76 (1) **Murat**: one of Napoleon's most audacious generals who was captured and shot in 1815.

(2) **roi de Suède**: Bernadotte (1763–1844) who, like Rastignac, was born in the south of France.

(3) **donc**: Rastignac's conduct is thus made to follow inevitably from the preceding generalisations.

(4) **Saint-Sylvestre**: 31 December.

(5) **diogéniques**: Balzac appears to have invented this word from the name of Diogenes, the Greek cynic philosopher. Thus here the meaning is 'insolent', 'cynical'.

78 (1) **foi de Tromp ...**: Vautrin almost reveals his criminal nickname Trompe-la-Mort.

(2) **Allons, du calme**: Vautrin's long monologue is punctuated by a number of asides and gestures which increase the theatrical quality of the scene.

(3) **Cellini**: Italian adventurer, goldsmith and man of letters (1500–71) whose autobiography contains a mixture of violence and passion for artistry which might be expected to appeal to Vautrin.

79 (1) **ou une stupide obéissance ou la révolte**: As usual Vautrin reduces life to extremes. Here he elaborates upon one of the major themes of the novel and indicates two of the three paths open to Rastignac (see p. 191).

(2) **aller flâner dans les filets de Saint-Cloud**: The implication is that Rastignac might be tempted to commit suicide by throwing himself into the Seine.

(3) **A nous deux!**: In proposing an infernal alliance, Vautrin uses the same words that Rastignac pronounces in his challenge to the city on the last page of the novel.

(4) **terrine**: The word is a humorous and incorrect diminutive of *terre*.

(5) *ratatouilles*: here a pejorative word for food in general.

80 (1) **le Code à manger**: 'to swot up on the law'.

(2) **T.F.**: *travaux forcés* (hard labour).

(3) **droguer**: 'to kill time'.

(4) **substitut**: 'assistant' or 'deputy'.

(5) **jeté la robe aux ortics**: 'thrown your lawyer's gown on to the rubbish dump' (literally into the nettles).

(6) **procureur du roi**: equivalent to 'public prosecutor'.

(7) **Villèle au lieu de Manuel**: i.e. support the government's candidate (Villèle) rather than the opposition's (Manuel).

81 (1) **coiffé sainte Catherine**: 'remained unmarried'.

(2) **malheureux comme les pierres d'égout**: The normal expression is *malheureux comme les pierres*; Vautrin's qualification is typical of his unrestrained and picturesque language. His expressions are predictably violent where women are concerned.

(3) **parvenir à tout prix**: Vautrin, correctly diagnosing Rastignac's passionate ambition, must move quickly to counter the attraction of other forces.

(4) *flouent*: 'cheat' (criminal slang).

(5) **des gars de la force de Poiret**: Poiret typifies the inert *mollusque* (see above) as opposed to the *loup* or *lion* represented by Rastignac.

82 (1) **comme des araignées dans un pot**: This metaphor is the brutal epitome of Balzac's Paris, where success depends upon the survival of the fittest.

(2) **Il faut entrer ... comme une peste**: This sentence, with its alternative patterns of conduct, is developed at length by Vautrin who prefers the former method of attack ('allez en droite ligne et la tête haute').

(3) **Longchamps**: famous race-course near Paris.

(4) **bricolées**: 'held in check'.

(5) **savates**: literally 'worn-out shoes' (translate 'failures').

(6) **on carotte**: 'one plays for trifles'.

83 (1) **fricoter**: Vautrin exploits the two meanings of this word, 'to cook' and 'to live well'.

(2) **Aubry**: a member of the 'Comité de Salut Public' who relieved Bonaparte of his command of an artillery regiment.

(3) **Voyez si vous pourrez ... la veille**: a philosophy followed by Balzac himself and by all of his major characters.

(4) **Mon idée est d'aller ... dans le sud**: This may appear a somewhat prosaic ideal for a man of Vautrin's vast pretensions.

(5) **tout venus**: 'ready-made'.

84 (1) **quinte et quatorze en main**: The expression comes from the card-game piquet and represents a strong hand.

(2) **Cadran-Bleu; Ambigu-Comique**: a well-known restaurant; a popular theatre where melodramas were played. Vautrin is saying that the 'sacrifices' would be relatively insignificant.

85 (1) **chassent à la liquidation ... pêchent des consciences ... vendent leurs abonnés pieds et poings liés**: 'get rich by liquidating one's assets (at a propitious moment) ... buy votes (at elections) ... betray one's subscribers (by selling a newspaper)'.

(2) **Le père Taillefer ... pendant la Révolution**: Taillefer's villainous rise to fortune is related in *L'Auberge rouge*.

(3) **je ferai vouloir le bon Dieu**: This blasphemous remark epitomises Vautrin's desire to set himself above all forces which govern men's actions.

86 (1) **Il n'y a pas de principes ... pour les conduire**: These aphorisms sum up a belief in expediency which is held by most of Balzac's successful characters including the 'mature' Rastignac, who in a later novel uses almost exactly the same words (v 599).

(2) **... congrès de Vienne**: The reference is to Talleyrand who successfully defended France's interests in 1815. Balzac had great admiration for the Vautrin-like Talleyrand whom he far preferred to the intransigent La Fayette.

87 (1) **paroles jaunes**: 'glib tongue'.

(2) **un monseigneur**: 'jemmy' (in modern French *un pince-monseigneur*).

89 (1) **leur secrète amitié ... entre Vautrin et l'étudiant**: With

this sentence and the 'scientific' reinforcement which follows, Balzac emphasises the similarities and differences in the emotional relationships between Rastignac and Vautrin and Rastignac and Goriot.

(2) *atomes crochus*: literally 'hooked atoms', a way of explaining elective affinities.

(3) **Le sentiment s'empreint . . . et traverse les espaces**: In Balzac's world thought and passion seem to take on an existence independent of persons (see Introduction, 'Style').

(4) **. . . deux visites**: The ensuing words form a flashback to an earlier conversation. The present scene is carried forward with the last sentence of the paragraph.

92 (1) **duc d'Escars**: a nobleman whose love of food caused him to become the king's *maître d'hôtel*, and to die, it is said, of indigestion.

(2) **Tantales**: In Greek mythology Tantalus represents appetite for the unattainable.

97 (1) **Chérubin**: amorous young page in Beaumarchais' *Le Mariage de Figaro*.

(2) *encache*: Balzac's insistence upon attempting to render Nucingen's Germanic pronunciation is irritating to some readers. The words become clearer if read aloud (note that g,d,v,b are represented by c,t,f,p).

98 (1) **Alceste**: principal character in *Le Misanthrope*. Balzac, like many of his contemporaries, saw Alceste not as a comic character but as representative of persecuted integrity.

(2) **Jenny Deans et son père**: virtuous Presbyterians from Scott's *Heart of Midlothian*.

(3) **Peut-être l'œuvre opposée . . . ni moins dramatique**: Balzac, indulging in some modest propaganda, points out the moral of his story, hoping, no doubt, to silence his critics who frequently accused him of concentrating on the sordid and sinful aspects of contemporary society. Some critics continue to maintain that Balzac suspends judgment on his young hero, but this passage (together with the lengthy analysis on p. 168) shows clearly the distance that separates Rastignac from men of true rectitude.

99 (1) **L'aspect de cette chambre . . . d'une prison**: In this description Balzac takes up again many of the elements used in the opening pages of the novel.

100 (1) **Ma foi, dit-il . . . comme il faut**: Goriot's language,

though seldom elegant, is nonetheless often powerfully moving, as in this very passage.

(2) **bravement**: 'elegantly'.

(3) **oyant**: a rare use of this form of the verb *ouïr*.

(4) **Enfin, je vis trois fois**: In this passage, Goriot reveals the *démesure* of his uncritical love for his daughters.

101 (1) **Le père Goriot était sublime ... sphère lumineuse**: It is at such moments as these that Balzac's characters attain a dimension which raises them above their ordinary condition. Goriot's passion causes the momentary liberation of his *être intérieur* (that mysterious inner force which for Balzac is equivalent to the soul). This sets in motion a process of transfiguration, the effects of which are akin to those represented by the great religious painters.

(2) **beau-fils**: 'dandy'.

102 (1) **regarder**: The modified relationships among the principal characters are dramatised here by means of glance and gesture.

(2) **comme des coqs-en-pâte**: 'in clover'.

103 (1) **Eh bien, non**: The parable of the mandarin (which appears in Chateaubriand and not Rousseau) represents of course Rastignac's position *vis-à-vis* Taillefer. Bianchon's reply indicates his genuine (and enduring) nobility.

104 (1) **Les affections ... circonférence**: Unlike most of Balzac's characters who dissipate their energies in the search for the Absolute, Bianchon contents himself with a circumscribed sphere of activity and achieves a harmony between desire and attainment.

(2) **Cuvier**: founder of comparative anatomy and paleontology.

(3) **troubles de l'année dernière**: a reference to disturbances connected with the elections of 1818.

(4) **La Fodor et Pellegrini**: two well-known contemporary singers.

105 (1) **les dames du Petit-Château**: those who frequented royal circles.

106 (1) **d'un joli porter**: 'good-looking'.

(2) **les plénitudes**: 'flatulence'.

(3) **opérateur**: 'quack' (at a fair).

108 (1) **de costume**: 'the done thing'.

116 (1) **la pâtée ... la niche**: 'board and lodging'.

(2) **nous en avons pour nos petits ... tombons dans la crotte:** 'we're going to have to come up with twenty-five thousand a year, or we'll be in the mire'.

(3) **ou prenez une autre voie:** Fearful of Rastignac's success in society, Vautrin mercilessly taunts the young student with his poverty, hoping to draw him into his own powerful orbit.

(4) **Plusieurs jours se passèrent:** This is the only occasion in the novel where a fairly long period of time (about two months) is condensed into a couple of pages. Balzac contents himself with describing Rastignac's general mode of life during these weeks, providing a dramatic résumé of his hero's frenzied dissipation of time, energy and money (*prodiguant ... son temps, ardeur, vie exorbitante, dissipant, jouissances excessives*). Vautrin, naturally, will attempt to profit from Rastignac's precarious situation.

117 (1) **lunatiques:** 'fluctuating'.

(2) **Si pour se procurer l'argent ... vie élégante:** Balzac was the first novelist to probe in such detail the prosaic and petty financial struggles that took place behind the elegant façade of the dandy. Rastignac is here envisaged as individual and type.

(3) **dragonnante:** 'pressing'. Mirabeau was noted for his extravagance.

(4) **tænias du remords:** more often spelt *ténias* = 'tapeworms'.

118 (1) **La Bruyère:** The reference is to the author of *Les Caractères* (1688), though the incident in question has not been found in his works. Horatio Smith, in his edition of *Le Père Goriot* traces the source to a letter of Madame de Sévigné (Grands Écrivains edition, II 161) in which a similar anecdote is related concerning le comte de Brancas who was one of the models for La Bruyère's absent-minded character Ménalque.

(2) **diplomatie féminine:** Balzac frequently describes love-affairs in terms of political or military strategy.

(3) **Peut-être Delphine ...:** In this long analytical passage Balzac deliberately gives the impression of being forced to guess at Delphine's motives and conduct (so capricious are women!).

119 (1) **Saint-Hubert:** patron saint of hunters.

(2) **le butin de ses primeurs:** 'the early fruits of love'.

121 (1) **Eh bien! vous m'auriez fait . . . je vous ferais arriver à tout**: The Faustian overtones of this scene are clearly indicated by such words as 'tentateur' and 'diable' (and later 'pacte').

    (2) **Monsieur de Turenne**: famous French general (1611–75).

122 (1) **pion, fou, tour**: chess terms (pawn, bishop, castle).

    (2) **brave**: 'hired killer' (cf. Italian *bravo*).

    (3) **Je considère les actions commes des moyens, et ne vois que le but**: Vautrin paraphrases Machiavelli, for whom Balzac had a profound admiration.

123 (1) **le fil avec lequel il se dirige dans la création**: Vautrin shows a shrewd understanding of the extent to which Goriot lives through his daughters (see p. 100). He himself wishes to 'create' Rastignac in his own image and to enjoy vicariously the latter's success in society.

    (2) **Venise sauvée**: Otway's *Venice Preserved* (1682) in which Pierre and Jaffier are united in an uncommon bond of friendship.

    (3) **patouillerez**: 'flounder' (modern French would use *patauger*).

    (4) **crapoussins**: a popular expression for the deformed and the insignificant.

125 (1) **rue de Jérusalem**: formerly the French equivalent of Scotland Yard. Gondureau is chief detective.

    (2) **plumigère**: 'pen-pusher'. The neologism, formed on *plume*, is in keeping with the humorously derogatory tone of this piece of pseudo-sociology.

    (3) **gratification**: 'bonus'.

    (4) **Calife de Bagdad**: opera by Boieldieu (1800) in which the caliph assumes the name of *Il Bondo Cani*.

127 (1) **homme de marque**: 'remarkable', preparing for the pun (*marque* = 'branded').

128 (1) **sans vert**: 'napping'.

    (2) **branle dans le manche**: 'is not in a strong position'.

    (3) **l'affaire de Cogniard**: Pierre Coignard (Balzac mis-spells the name) was an escaped prisoner who adopted the title mentioned and was betrayed by a former companion.

129 (1) **nous n'étions pas propres**: 'we would have been in a mess'.

130 (1) **puff**: 'slip', 'failure'.

    (2) **les phrases tombant une à une . . . fontaine mal**

fermée: The image is an incisive comment on the ludicrous utterances of the 'mechanical' Poiret.

(3) **sieur Ragoulleau; dame Morin**: Dame Morin tried to kill Ragoulleau in 1812.

131 (1) **argus**: reference to the Greek legend of Argus of the hundred eyes.

(2) *menus suffrages*: literally 'brief prayers'. Here, 'lovers' words'.

132 (1) **se sont piochés**: 'have come to blows'.

(2) **brelan carré**: an expression from cards, 'four of a kind', which here denotes confidence.

(3) **d'Oliban**: See note on p. 67.

(4) **Nigaudinos!**: 'Simpleton!' (see *nigaud*).

133 (1) **bons biens au soleil**: 'valuable property'.

(2) **douillette**: 'quilted dressing-gown'.

134 (1) **Bréguet**: famous watchmaker (1743–1823).

136 (1) **l'œil américain**: 'suspicious look' (slang).

(2) **Père-Lachaise**: famous Parisian cemetery.

(3) **entre la poire et le fromage**: Bianchon, punning, uses an expression meaning 'near the end of the meal' (when conversation is most uninhibited).

(4) **Laffitte**: the name of a famous wine and of a contemporary banker and politician.

137 (1) **il sent le bouchon**: 'it's corked'.

(2) **vous vous fendez**: 'you're forking out the money'.

(3) **Quien**: popular for *tiens*.

(4) **manne**: laxative medecine.

(5) **barbe**: The pun depends on the two meanings 'beard' and 'mould'.

(6) **Mo-ron**: for *mouron* = 'chickweed'.

(7) **le plaisir**: 'cream cornet'.

(8) **à la barque!**: 'oysters!'.

(9) **A la cerise, à la douce!**: 'Cherries, sweet cherries!'

138 (1) **et nous empêcherions d'enfourner?...**: 'and you'd like to keep the bread from the oven?... (i.e. reveal the plot against Taillefer).

(2) **Marty; *Le Mont Sauvage*; *Le Solitaire***: Marty was a popular actor who did in fact play in Pixérécourt's melodrama *Le Mont Sauvage* based on the novel *Le Solitaire* by d'Arlincourt. Madame Vauquer predictably confuses Chateaubriand's short novel *Atala* with his Christian name!

(3) **des madeleines d'Élodie**: Élodie is a character from *Le Mont Sauvage*; *pleurer comme des madeleines* means 'to weep abundantly'. Again Madame Vauquer makes no sense.

139 (1) **Ce vieux cancre-là**: 'That old skinflint'.

141 (1) ***Paul et Virginie***: Bernardin de Saint-Pierre's famous novel (1788), which is filled with sentimental and idyllic scenes.

(2) **ficelée comme une carotte**: 'dressed up to the nines'.

(3) **les avant-cœurs**: humorous euphemism for breasts.

142 (1) **Le festoiement à la faveur ... la perte de cet homme**: It is ironical that Vautrin who wished to take the place of Providence should be thus hoist with his own petard.

143 (1) **place de Grève**: the place of execution in Paris. *Sorbonne* and *tronche* are explained by Gondureau.

(2) **voies de fait**: 'excuses', 'pretexts'.

144 (1) **aux environs de la correctionnelle**: 'on the edge of (i.e. away from) the police court'.

(2) **la Gaieté**: theatre where melodramas were played.

146 (1) **mal de mère**: pun on *mal de mer*.

(2) **quine**: 'piece of luck' (expression from lotteries).

(3) ***col tempo***: 'all in good time'.

147 (1) **comme Baba**: The usual expression is *rester baba* = 'to stand gaping'.

148 (1) **palatine**: 'fur', 'hair'.

149 (1) **trente-et-quarante**: game of chance.

(2) **Après qui donc en as-tu ?**: 'Who are you getting angry with ?'.

150 (1) **victoire**: Rastignac in fact replaces one immoral programme by another.

(2) **la Camuse**: slang for death (literally 'flat-nosed', reminiscent of a skeleton).

(3) **cassa les jarrets**: 'robbed of strength' (literally, 'caused her knees to buckle').

151 (1) **Poiret s'avança vivement**: a surprisingly courageous action for the inept Poiret.

(2) **tous les regards**: The boarders form a mute chorus for this drama which is acted out as if on the stage.

(3) **Chacun comprit tout Vautrin**: The hyperbole is in keeping with the intensity of the language used throughout this passage.

152 (1) **une réflexion rapide comme un éclair**: Vautrin's capture

has been criticised as an incident without relevance to the total structure of the novel. But in fact it plays a crucial part in emphasising the precariousness of Revolt (see Rastignac's comment on p. 191), and in providing a magnificent example of self-mastery. The lesson will not be lost on the impressionable Rastignac who, a few pages later, shows similar restraint in dominating his rage (see p. 155).

(2) **Ça te la coupe:** 'That takes the wind out of your sails'.

(3) **enfonceur:** *enfoncé* meant a condemned man in criminal slang.

(4) *raisiné; trimar:* 'blood'; 'floor' (criminal slang).

153 (1) **cagnotte:** formed on *cagne* = 'slut' (or perhaps related to another meaning of *cagne* = 'policeman').

(2) *terré:* 'bumped off', 'pushing up the daisies'.

(3) **Ninon:** Ninon de Lenclos (1620–1705), famous for her *salon* and her friendship with the *philosophes*.

(4) **m'otolondrer:** slang for *m'embêter*.

(5) **badauds:** 'duffers'.

(6) **quai des Orfèvres:** police headquarters.

154 (1) **Jean-Jacques:** Rousseau, claimed as ancestor by theorists of all persuasions.

(2) **menin:** 'minion'.

(3) **si c'est Fil-de-Soie qui m'a vendu!:** Apparently Fil-de-Soie is not guilty, since he turns up in *Splendeurs et misères des courtisanes*.

(4) **Provence:** Convicts were sent to Toulon.

155 (1) **Cette figure . . . fut tout à coup expliquée:** This situation repeats (in a minor key!) the revelation of Vautrin's true character ('chacun comprit Vautrin . . .') and provides a moment of comic relief.

(2) **resta muet:** See note 1 on p. 152.

156 (1) **Flicoteaux:** a cheap restaurant, frequented by students. Balzac describes it in more detail in *Illusions perdues*.

157 (1) **Xi, xi, xi:** usually reserved for encouraging animals.

(2) **. . . Dunois:** popular song taken up by the Bonapartists.

(3) *trahit sua quemque voluptas:* 'every man follows his own pleasure'.

158 (1) **chape-chute:** 'piece of bad luck'.

(2) **qu'est-ce que ça nous fait?:** Goriot's passion makes him indifferent to everything that does not affect his daughters.

From now on Rastignac will be drawn more and more closely into the drama of the Father (see p. 163, note 1).

(3) **s'est attaché**: 'stuck (to the pan)'.

(4) **proie à dévorer**: The image connects with that of the Juggernaut on p. 3; and the situation anticipates the general indifference to Goriot's suffering and death (see p. 213).

159 (1) *gobichonner*: 'to dig into' (Balzac appears to have invented this word, probably basing it on *gober*).

(2) **café des Anglais**: famous for its good food.

(3) **chicotin**: translate 'wormwood'.

161 (1) **thériaki**: 'opium smoker'.

162 (1) **les armes de l'époque**: This passage provides a bitter commentary on the distance that separates Rastignac from the traditional hero.

163 (1) **ce Christ de la Paternité**: Balzac has been much criticised for this image, often considered blasphemous. It should be noted, however, that the comparison arises from Goriot's 'air surhumain de douleur', and obviously connects only with certain aspects of his character. He himself has already claimed that his love for his daughters enables him to understand God the Father (p. 100).

164 (1) **comme Marius sur les ruines de Carthage**: a reference to the Roman general who learned the news of his exile at the moment of his triumph over Carthage. The deliberately inappropriate comparison, followed by the reference to Tasso's 'lamentations', provides a moment of grotesque comedy.

(2) **Byron**: Byron's 'Lament of Tasso' (1817) was well known in France, having been translated in 1821.

165 (1) **La vie est dans les meubles**: This *cri de cœur* reads like a parody of Goriot's 'ma vie à moi est dans mes deux filles' (p. 100). Madame Vauquer's *passion* is held up to direct ridicule; it represents nothing more than 'la douleur causée par l'intérêt froissé, par les habitudes rompues' (p. 166).

(2) **ça connaît les rubriques**: 'they know the ropes'.

(3) **rubis sur l'ongle**: 'on the nail' (*rubis* sometimes refers to the last drop left in a glass).

(4) **nous avons vu Louis XVI avoir son accident**: unconsciously humorous euphemism for execution.

(5) **nous l'avons vu revenir et retomber**: refers to Napoleon's escape and defeat at Waterloo.

(6) **mille écus de rente**: In fact the reward was simply *mille écus*.

166 (1) *chigner*: 'to snivel'.

(2) **voici trois jours que je n'ai vu Mistigris**: Balzac excels at providing this kind of crowning detail.

167 (1) **montres pavoisées**: 'gaudy display'.

(2) **duc de Vermandois**: Louis de Bourbon, illegitimate son of Louis XIV and Mlle de la Vallière.

168 (1) **eaux claires, fugitives, mais incessantes**: The theme of solitude and permanence is sharply and poignantly contrasted with the ephemeral pleasures of the man-of-the-world. This whole passage (which is part of lengthy addition to the original manuscript) contains a number of familiar images and themes which recur throughout the novel.

(2) **A défaut d'un amour ... la grandeur d'un pays pour objet**: Rastignac, though he later achieves political power, never commits himself to an ideal beyond self-interest.

(3) **franchir le Rubicon**: Caesar's crossing of the Rubicon has come to represent an irrevocable decision.

(4) **Aussi, en attendant Delphine ... ressemblait en ce moment à lui-même**: Preoccupation with future success has almost completely isolated Rastignac from the pure and genuine nourishment of the past.

169 (1) **Ma sœur doit s'y trouver ... madame de Restaud la mère**: This incident is more fully developed in the short story, *Gobseck*.

171 (1) **l'acceptation en blanc**: 'the blank bill'.

173 (1) *séparée quant aux biens*: 'legal separation of property'.

(2) **L'argent, c'est la vie. Monnaie fait tout**: A succinct expression of one of the major themes of the novel.

(3) **nous le tricoterons ferme**: 'we'll hold the whip over his head'.

175 (1) **Il achète des terrains ... en faisant faillite**: To summarise this series of complex frauds — Nucingen gets his houses built for practically nothing by cheating the construction firms who are unable to recover their expenses owing to the 'bankruptcy' of Nucingen's men of straw.

(2) **retrouver ma caboche**: 'clear my head'.

177 (1) **Delphine fut émue et pleura**: Delphine, though the more hard-hearted of the two sisters, shows a moment of genuine concern for a predicament even more desperate than her own.

179 (1) **Sainte-Pélagie**: formerly a debtors' prison.

181 (1) **remplaçant**: Goriot has the unrealistic idea of offering himself as a substitute for military service.

186 (1) **éclopé**: popular expression for 'in a bad way' (literally 'crippled').

187 (1) **tout ce qu'il possédait de vaillant**: 'all his possessions'.

188 (1) **je n'en ai fait ni une ni deux**: 'I didn't think twice about it.'

(2) **Victoire**: her maid.

189 (1) *Mosé*: *Mosé in Egitto* (1822) by Rossini. Once again Balzac's chronology is slightly inaccurate.

191 (1) **Il voyait le monde comme un océan de boue**: This is the culmination of a series of similar images used by Madame de Beauséant, the duchesse de Langeais and Vautrin.

(2) **Il avait vu les trois ... et la Lutte incertaine**: Balzac obligingly summarises the major themes of the novel and confers symbolic value on their representatives.

(3) **un bonheur plein, continu, sans angoisses**: an echo of the passage on p. 168. Once again Rastignac is judged and found wanting.

192 (1) **autant que Tantale aurait aimé l'ange**: This is the second reference to Tantalus (see p. 92). On this occasion Balzac goes one better by introducing a hypothetical angel!

(2) **un gendarme**: on horseback, presumably, because of 'piaffait'.

(3) **la grande Mademoiselle**: Mlle de Montpensier whose lover, the duc de Lauzun, was imprisoned by the king.

193 (1) **Niobé**: Turned to stone by Zeus, she epitomises sorrow.

194 (1) **des déesses de l'Iliade**: As is the case with Goriot and Vautrin, Madame de Beauséant momentarily achieves a stature and significance of more than human proportions.

196 (1) **Quelque mal que l'on te dise du monde, crois-le!**: Thus Rastignac finally experiences the full extent of the world's infamy. Vautrin and Madame de Beauséant have already given him their view and their warning; now it remains only to witness Goriot's final disenchantment.

198 (1) **Comment les grands sentiments ... petite, super-ficielle ?**: Here Balzac explicitly poses the central question of the novel — a question to which he was to return again and again throughout the *Comédie humaine*.

199 (1) **Mon paradis était rue de la Jussienne**: Like Rastignac, Goriot now recognises that what is genuine exists in an unattainable past.

(2) **Dites donc, si je vais ... en esprit autour d'elles**: Goriot, like all Balzac's possessed characters, longs to transcend human frailty, time and death.

200 (1) **l'amidon en aiguilles**: type of spaghetti.

201 (1) **... je n'osais pas y croire**: In this protracted final scene Goriot seems to relive his whole existence. He provides considerable retrospective illumination on the extent of his knowledge and self-knowledge, innocence and guilt.

(2) **L'argent donne tout, même des filles**: Again the point is made with brutal directness (see p. 173).

(3) **J'avais trop d'amour pour elles pour qu'elles en eussent pour moi**: Goriot lucidly recognises his share of responsibility in the corruption of his daughters (see p. 203).

202 (1) **Tout a été à son adresse**: 'everything struck home'.

(2) **J'ai bien expié le péché de les trop aimer**: One may say that Goriot's present knowledge, remorse and suffering are his expiation.

(3) **vice ... maîtresses**: Thus Goriot confesses even the perverted element in his love.

203 (1) **viatique**: the eucharist (administered to a dying person).

205 (1) **la ligne**: 'troops'.

209 (1) **tortiller de l'œil**: 'peg out'.

(2) **le guignon**: popular expression for *malheur*.

212 (1) **un petit mortorama**: The phrase sums up the attitude of the world to Goriot's death.

213 (1) **un fond sanglé**: the simplest kind of bed, made out of a frame and interwoven pieces of cloth.

214 (1) **Pompes-Funèbres**: 'undertaker'.

(2) **la bière ... rue déserte**: Goriot's isolation is poignantly evoked by this picture and by the famous scene of the two empty coaches (p. 216).

(3) **goupillon**: 'sprinkler' (for holy water).

216 (1) **colonne de la place Vendôme ... dôme des Invalides:** two famous landmarks, the first erected by Napoleon, the second containing his tomb.

(2) **Et pour premier acte ... dîner chez madame de Nucingen:** Thus Rastignac, rejecting 'l'Obéissance' and 'la Révolte', finally chooses 'la Lutte' (see p. 191). His affair with Delphine turns out to be a shrewd investment which eventually leads to considerable social and political success.